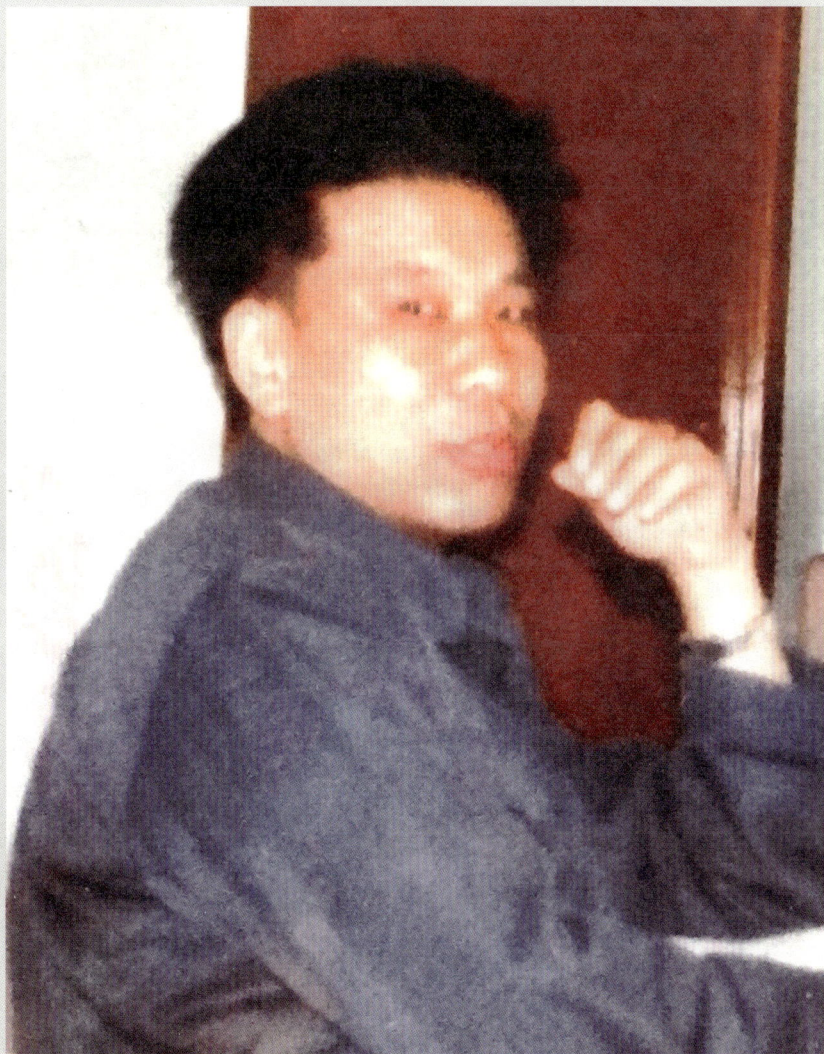

▲ 1980 年的刘心武

▲ 刘心武在鼓浪屿（1980 年）

▲ 1981 年听音乐的刘心武

▲ 秋收后的田野（刘心武的水彩画）

刘心武文存 II

[1958—2010]

短篇小说 第二卷

她有一头披肩发

刘心武◎著

江苏人民出版社

图书在版编目(CIP)数据

她有一头披肩发 / 刘心武著. —南京：江苏人民
出版社，2012.11

（刘心武文存；11. 短篇小说. 第2卷）
ISBN 978-7-214-08001-1

I.①她 … II.①刘 … III.①短篇小说-小说集-中
国-当代 IV.①I247.7

中国版本图书馆CIP数据核字(2012)第036738号

书　　　名	她有一头披肩发	
著　　　者	刘心武	
责 任 编 辑	刘　焱	
统 筹 编 辑	李　丹	
特 约 编 辑	朱　鸿	
文 字 校 对	陈晓丹　郭慧红	
装 帧 设 计	门乃婷工作室	
出 版 发 行	凤凰出版传媒股份有限公司	
	江苏人民出版社	
出版社地址	南京湖南路1号A楼　邮编：210009	
出版社网址	http://www.book-wind.com	
经　　　销	凤凰出版传媒股份有限公司	
印　　　刷	三河市金元印装有限公司	
开　　　本	700毫米×1000毫米　1/16	
印　　　张	15.75	
字　　　数	258千字	
彩　　　插	4	
版　　　次	2012年11月第1版　2012年11月第1次印刷	
标 准 书 号	ISBN 978-7-214-08001-1	
定　　　价	32.00元	

（江苏人民出版社图书凡印装错误可向本社调换）

《刘心武文存》出版说明

　　《刘心武文存》收录刘心武自1958年16岁至2010年68岁公开发表的文字约900万字。《文存》共40卷，按文章门类收录，计有长篇小说5卷、中篇小说4卷、短篇小说5卷、小小说1卷、儿童文学1卷、建筑评论2卷、《红楼梦》研究4卷、散文随笔11卷、杂文1卷、海外游记1卷、多品种（图文交融文本、报告文学、诗歌、剧本、足球评论、译述）1卷、创作谈1卷、理论批评1卷、早期（1958年至1976年）作品1卷、自述1卷。因跨越时间达半个世纪以上，收录定有遗漏，但其此期间的主要作品，相信均已收入。

　　《刘心武文存》各卷均附有《刘心武文学活动大事记》及《刘心武著作书目》，可备检索。

　　编辑出版《刘心武文存》的目的，意在供各方面人士阅读欣赏、分析研究、批评批判、收藏保存。

刘心武文存

11

目录

没工夫叹息

一

晚上六点半钟。

楼梯上响着急促而坚实的脚步声。光凭这声音，人们会判断说：谁家的年轻人回来了。用钥匙开弹簧锁的声音也是那么利索。但是门一开，进来的却是个上了年纪的妇女，她身材适中，相貌平凡。这种穿一身干净的深蓝混纺衣裤、提一个半旧的黑色人造革包的花白头发妇女，常能在电车汽车站上遇见。她们排队往往排在前面，但临到上车时却常常被挤到后面，但是她们总能终于挤上车，并且迅速到达目的地。

"妈，快来趁热吃吧！"

在某剧团当编剧的女儿正坐在饭桌边吃饭。她一边吃饭一边看着一份手稿。

这母亲是建国中学的沈校长。她一瞥就知道女儿看的是哪篇稿子。一家杂志约沈校长写篇悼念爱人的文章，她把这任务交给女儿了。女儿已经是三易其稿。

沈校长放下提包，朝厨房走去。经过五斗橱时，她有意望了一眼橱上的照片。照片镶在一个有金属弯架的小镜框里，照片上是31年前的她和爱人，站在东北刚解放的一个城市的小车站前。党当时派他去接收一家很大的工厂，而派她去接收一家市立中学。此刻她脑中闪过随军记者为他们拍照当天的一件琐事：分手时，他从棉衣兜里掏出一只苹果给她，那只苹果只有核桃那么大，而且上头有一个很显眼的褐色的疤。苹果上带有他的体温，和从棉衣上熏染来的硝烟的气息。

她又一次痛苦地意识到，他和那苹果一样，现在都已经不复存在。但是她没有停住脚步叹息。只两秒钟她已来到厨房的水龙头面前，她卷卷袖子，麻利地洗起脸来。

她落座到饭桌旁时，女儿已经吃完，并且已给她盛好了饭、揭开了汤碗上的盖盘。

"有人找过我吗？"她筷子不停，问时并不看着女儿。

"没有。"

筷子停住，眼光直射到女儿脸上。她从声调里捕捉到了一种迟疑的语气。

"就是郑老师的爱人来了……"女儿知道到底是瞒不过的，便爽性把最棘手的事说在头里，"她对学校安排郑老师给青年教师讲课有意见。一分钱补助没有不说，还得罪那些找到家里来要求个别辅导的熟人。加上房子的事拖到今天也没给解决，她是一肚子的火气……"

筷子不停地动，从无声到有声，最后停住；然后是汤匙动，呷汤的声音，最后是汤匙搁进空碗中。

"她本来是一定要等您回家，我劝了她一阵，她才走的。妈，您今天就别去找她了吧！"

"今天我不找她。"沈校长心中有数，老郑的爱人需要的不是哪怕以最温柔动听的话语谈出来的真理，而是切切实实地能体现出哪怕是百分之一的真理的物质，而这物质她此刻还无权也无力提供，她得先去奔走呼号。

女儿拿起那叠稿纸，简直是恳求地说："妈，您今天就别出去了，我把这定稿给您念一遍——明天人家就要来取了。"

沈校长收拾起桌上的碗筷，搬到了厨房——洗碗这项工作经她多次坚持，被规定为她的神圣职权，女儿不得横加剥夺——她从厨房里回答说："今天老郑是第一讲，我怎么也得去一下学校。文章我回来再看吧。"

洗涮完毕，沈校长来到小小的卧室，这里有她和女儿各自的一张单人床，各自的一张书桌。在女儿书桌前的墙上，贴着用隶书写着的三寸见方的一张"慢"字；女儿的床铺下，原来装电视机的纸箱子里，塞满了她一年来写的剧本、小说和诗歌手稿，而发表出来的只有寥寥几篇，一位经验丰富的老作家对她说："你要学会写得慢一点、少一点、短一点。"她这些天体会到了"越慢越难"的道理，所以给自己贴上了一个"慢"字。而沈校长书桌前方的墙上也贴着用隶书写着的三寸见方的一张纸，却是一个"快"字；那也是女儿贴的，她本是开玩笑，因为她说母亲的一举一动，总给人一种恨不能把事情办得快一点、多一点、每天办事的时间长一点的感觉，因此恰需一个和自己相反的座右铭。沈校长见了这个"快"字只是一笑，任它贴着。

沈校长落座到修补过的藤椅上，女儿把自己那边床头柜上的电唱机盖子打开，问道："您要听哪张？"

这是母女晚饭后例行的一种享受，简直有点"雷打不动"的气概。

"《春江花月夜》吧。"沈校长仰靠在椅背上，闭上了眼睛。

乐声飘荡在居室里。沈校长觉得自己仿佛坐在河滩边的草地上。没有月光，却有晨雾。地上钻出一株又一株的小树，树上都结着核桃般大的苹果。带有小小的疤结，并且有着亲爱的人身上的体温和硝烟的气息……

《春江花月夜》的最后一个乐句结束了。沈校长依旧靠在椅背上，仿佛已经入睡。但是女儿刚把针头从唱片上移开，她便霍地站起身来，用双手拢拢花白的短发，抖擞一下精神，到外屋找到自己的提包，然后，便听见一声门响。那下楼的脚步声比上楼更加迅捷。女儿谛听着。微笑，摇头，叹了口气。

二

下到一楼楼梯口，沈校长看了一下手表，七点十八分。她脑中立时浮现出区教育局长老王在家中伏桌吃饭的景象：谢了顶的前额，映着灯光，连鬓胡子顾不得刮，沾着汤水……她果断地走到公用电话前，打通了电话。听得出王局长嘴里还有嚼饭的声音。

"我正吃饭呢。"

"闻见酒味了。只有这时候才能逮着你。"

"好厉害！你在哪儿呢？还没家去？"

"刚吃完饭。这是我们楼下的公用电话。喂，给郑老师补助的事，你们研究定了没有？"

"哎呀，你也知道现在的规定，给学生补课，可以按照超钟点费补助；你们那个活动，属于教师业余进修性质，不能补助啊……"

"世上的规定没个不能变的！我以为只给学生办补习班，抓升学率，而撂下青年教师的业务不管，那是治标不治本！说到头，教学质量要由教师队伍的质量来保证。我们现在是初中毕业的教初中，高中毕业的教高中，这叫做'近亲繁殖'，要引起'物种退化'的！……最近不少校外的人出高价找郑老师补习，可他宁愿在本校义务劳动——早让你到他家瞧瞧你总不去，一毛钱的肉末三尺长的懒龙，大儿大女上下铺……"谈到这儿，她脑海中浮现出瘦高个儿、硬白短发、清癯面庞的郑老师，正吸着一角八分钱一包的纸烟，那种烟盒是连攒烟盒叠三角玩的小朋友都不屑一顾的；跟着又浮现出郑老师的爱人在愤愤地翕动着嘴唇，而郑老师用身子遮住她，红着脸一个劲地重复着："没什么没什么，我们过得去过得去……"沈校长简直就要发出一声叹息了，然而她没有工夫，因为她必须言简意赅："无论如何我们应当给他补助。你们早点开会把这事定下来！"

"我们一定研究研究，研究研究。"

"什么时候研究好？下星期三行不行？"

"就下星期三答复你吧！"

从电话里隐约可以听见老王爱人催他快回去吃饭的声音，但是沈校长还不能让老王马上离开电话。

"房子呢？他一家三代五口住 12 平方，已经 17 年了……"

"哎呀，最近市里往下分统建的宿舍，咱们一个单元没捞着呀。谁重视咱们这个教育口呀？咱们盖教师公寓的钱也到手了，材料也到手了，图纸也有了，可就是没人给施工——说是别的项目都比咱们急需，这个情况你不是不知道！"

"可我还知道，局里滕副局长最近就弄到了一个单元……"

"哎呀，那是老滕自己走后门弄的啊……"

"你明天就让老滕给我们郑老师也从后门弄一套，尽快给我个信儿。要不——"

对方笑了："哎呀老沈呀，你这急脾气！还是要团结嘛！"

"你别误会——我是说，要不，我打算跟郑老师换房！"

对方一愣："那不行啊，按落实政策的规格，你们现在的房子还小了呢！"

"可是我希望你们能更注意老师的住房规格。好，先饶了你，你快吃饭吧！"

挂上电话，沈校长出了楼，楼外白杨树下有几个正大声发牢骚的长头发小伙子，全用手掌罩住香烟，尊敬地招呼她。沈校长真想同这些新产业工人畅快地谈谈，但是她只来得及对他们微笑地点了点头。她朝车站走去的步伐是碎而急的，腰板挺得很直。

三

一进校门，就看见青年教师进修班的那间教室灯光通明。在周围渐浓的夜幕中，这灯光恰似一团篝火，使沈校长心中顿感无比温暖、熨帖。

她轻轻拉开了教室后侧的门，闪进身去，在最后一排的空位子上坐下来，习惯性地看了一下手表：七点四十三分。那么说，郑老师已经讲了 13 分钟了。

郑老师并没有向她瞥视一眼，依旧一板一眼地讲他的课，不时在黑板上写着公式，用粉笔点着值得特别注意的地方。20 来个数理化三科的青年教师，并无规律地散坐在教室各处，聚精会神地听他讲着："我教了 30 多年，换了多少拨学生，他们有那么多的不同之处，可就是一学到这儿，准出现普遍性的概念混淆，这都说明，是一种值得注意的心理现象——凡 15 岁左右的学生，多数会有这种心理反应……"

沈校长静静地坐在那儿，嘴角的笑纹舒展开来。郑老师果真拿出了看家本领来。一些青年教师自学相当努力，但教学上仍旧改进不大，这就是因为他们缺乏郑老师这种将学科知识、教材分析、组织教学、掌握学生心理特征、活跃课堂气氛……乃至教师人身修养等等熔为一炉的经验。

沈校长逐一观察着参加进修的青年教师，满意地微微点着下巴。忽然，她像丢失了一件什么东西，局促不安起来，她又仔细环顾了一下整个教室，便倏地站了起来，轻而快地走出了教室。

她沿着一条通向校园后身的甬道，快步走去，脚下踩着一些枯叶，发出窸窸窣窣的声音。经过操场的时候，她想起了校务会议上关于增添器械的决定，眼光不禁朝存放体育器械的棚屋一瞥。秋风扑到她的身上，操场上空开阔的宝蓝色夜穹上滑落了一颗流星，这使她猛地忆起了 13 年前的秋天，她被剃了"阴阳头"、锁在那棚屋里，睡觉时也不许摘下"反革命修正主义分子"的黑牌的情景；有一天她也曾从棚屋的缝隙，看见过一颗流星，那颗流星带给了她复杂、痛苦、博大而悠远的联想。但是此刻，她顾不上发出一声叹息，因为她有很紧迫的事情要做——杨玉梅为什么没有去听郑老师的课？

她朝杨玉梅的宿舍走去，老远就可以看到她的宿舍黑着灯，这使沈校长心中不快。她最近连续听了杨玉梅十多节初二的数学课，不能说杨玉梅教学不认真，但是班上高材生提出十个问题，她只能答出四五个。这样教下去是不行的。

隔几个窗户，体育教师霍伟民的宿舍亮着灯。沈校长走过去，隔窗呼唤着："小霍！"

"沈校长！"是一男一女两个声音在回答。

门开了。屋里扑出来一股暖气。霍伟民和杨玉梅都站到门边迎接她。

进了屋，沈校长望望两个青年教师的眼睛。他们是坦然的、无邪的。在这样一个秋天的夜晚，在这样一个僻静的校园，他们这样一对青年男女聚在一间这样的小屋里，会使某些道学先生们生出许多不雅的联想。但是沈校长信任他们，并为他们坦然的态度所感动。她在心里默默地完成了一个加法：两个合起来已经 53 岁，她真想再给老王打个电话，敦促他再敦促城建部门快盖教师公寓。

但是，杨玉梅没有去听课，这是不能不问的："你怎么没到前头去听郑老师讲？"

小霍抢着替杨玉梅解释。原来她那班上有个男生冯福润，中午偷吃了同桌女生陈美玲从家里带来的果子面包，下午杨玉梅找他谈话，批评他，他还犟嘴。放学后，更有同学来告状，说是冯福润说了，要是杨老师找他家长告状，他就"花了"她——也就是要让她流血。

"那个冯福润是个混球，他什么蠢事都干得出来的！"小霍很是着急。显然，为了保护杨玉梅，他简直愿意跟她寸步不离。

"你批评冯福润的时候，是不是谈了什么伤他自尊心的话呢？"沈校长问杨玉梅。

杨玉梅捻着辫梢，眼里流露出惶恐与委屈："我不记得有那样的话。我是坚持讲道理。可是他这样威胁我，我受不了。想起明天他可能来捣乱，甚至真要耍混，我就踏不下心来。"

"我打算明天一早到校门口憋着冯福润，"小霍认真地说，"先对他发出警告，不许他跟杨老师捣乱；他还是怕我的。"

"这样不妥。"沈校长看看表：八点零四分。她对杨玉梅说："你还是先去前头，听郑老师的课。明天我们再一块研究冯福润的事。"

她随杨玉梅一块出了屋。把杨玉梅送进了教室，她主意已定。不一会儿，她已经行进在通向冯福润家的街道上。

四

她在冯福润住的那条胡同口站住了。一群孩子在路灯下追跑嬉戏。路灯一侧有株粗大的槐树，斑驳的树影撒向胡同深处。她拉住一个胖男孩问："你认识冯福润吗？我要找他。你帮我去叫一下吧，我在这儿等他。"

"你干吗不到他们家去？"胖男孩仰头望着她，天真地说，"他爸他妈都在家。"

"你别找到他们家去。"围拢过来的孩子里，一个缺门牙的瘦男孩却认真地警告说，"冯福润一早就挨了打，都没许他吃中午饭。"

沈校长心里打了个闪。她在开学之初搞学生情况抽样分析时，接触过冯福润的材料。他的亲妈去世三年了，父亲带着他和一位寡妇组成了新的家庭。那寡妇原有两个女儿，结婚后他们又添了一个男娃娃，现在是四个孩子三种待遇。新生儿是家庭中的头等公民，母亲的亲生女儿是二等公民，而冯福润是最末一等。

"我不去他家。他妈妈会以为我是告状去的，那我走了也许又会打他。我要跟他交个朋友，好好地谈一谈。你们说好不好？"沈校长微微俯下身子，用平等讨论的语气说。

胖男孩和瘦男孩都使劲点头，其他孩子笑嘻嘻地站在一旁。

"成，我去找他吧——我知道他在哪儿。他最不爱在自己家待着，他准是到老蔫家打扑克去了。"胖男孩扭身要跑，但是"咕咚"一声响，闪一道黑影，把大伙吓了一跳。原来从槐树上跳下来一个少年，他穿着单薄而不洁的衣衫，棱角分明的脸庞上，两只大眼睛活像两盏深藏在岩洞中的灯，闪闪地放着光。他腮边有一大块癣，被路灯照得格外明显。

他双手插在裤兜里，望定沈校长，冷冷地说："甭找。我在这儿。"

沈校长高兴得就像遇上了久别重逢的亲人，她抢上一步，拍去冯福润肩膀上的半枯的槐叶，亲切地说："咱们到那边谈谈，好吗？"

她引着冯福润往街上走，冯福润默默地跟着她。走到一家日夜服务的小吃店门口，沈校长停住脚，建议说："这里头暖和，人也不多，我们在里头聊聊，好吗？"

冯福润拧着眉头，瞅着沈校长。他认定这是个圈套，他右手在裤兜里狠狠地捏着一根三寸长的大铁钉。他把头一歪，豁出去似的说："里头就里头！"

他们在角落上的一张餐桌旁坐了下来。

"你去买。"沈校长把钱包递给冯福润，"咱们各吃一碗馄饨，好吗？你想吃点什么干的，随便选两样吧。"

冯福润瞅着桌上的钱包，一动也不动："我不吃。您吃您自个儿买。"

沈校长微笑了，眼角的鱼尾纹闪动着。冯福润用了"您"字，这就有希望使心与心相通。

"我是长辈，再说我累了。"沈校长在椅子上坐得更舒坦些，理着耳后的头发说，"应该你去。"

冯福润赌气似的一把抓过钱包。不一会儿他端回两碗馄饨，都搁到沈校长面前，又把钱包放到碗边。"您点点数。"他用鼻尖指指钱包，对沈校长说。

沈校长收回钱包，把一碗馄饨挪到冯福润面前："趁热吃。你的情况我还是清楚的。怪我们学校对你关心不够。你没有了亲妈，你后妈对你不好，我们当校长、当老师的，就应该做疼爱你的妈妈；学校、班级，应该成为给你温暖和保护的家。福润，趁热吃吧。一边吃，你一边把心里话跟我说说。"

冯福润的右手在裤兜里松开了铁钉。他的心用力地跳着。

沈校长并不催促。她平静地吃着馄饨。

"沈校长，"这是冯福润对她的第一声称呼，她抬起头，满怀爱怜地望着眼前这个脸上长癣的学生，期待着他下面的话。

"沈校长，"冯福润爆发似的说，"我不想上学了，快点分我工作吧。我要挣钱，自己养活自己，我还能……赔陈美玲一个果子面包！"

沈校长用搪瓷勺搅着馄饨汤，推心置腹地说："你把你的心事告诉了我。我也把我的心事告诉你。你爸爸和你后妈他们偏心眼儿，除了钱不够，心里烦，主要是没受过多少教育，关键是让咱们国家富起来，让大伙儿变得有文化、有教养。福润呀，你要咬着牙把学上到底，好好学，学出一身本事来，建设祖国，将来你一定能和大伙一样，过上幸福的日子。你要原谅杨老师，她好比你大姐姐，刚教书没经验，心是好的，说话上可能伤了你，弟弟怎能记姐姐的仇？……我心里很着急，我怕你一时糊涂，明天到学校惹出什么事来，结果我就得扔下好多好多该办的事，来处理你捅的漏子——而你既不是流氓，也没什么坏思想，只不过是一时想不开，那多没意思！我的心事你能明白吗？"

冯福润垂下眼帘，沉默着。他的灵魂本似一只失舵的船，只感觉雷霆电闪、狂风巨浪就要袭来，仅打算在颠簸沉没中拼力挣扎一下；万没想到现在是风和日丽、万顷平波，且有一股暖流在静静地托着他朝岸边驶去……终于，他抬起眼睛，坦率地说："我爸和我后妈偏心眼儿，不公平，我不服，顶撞，他们就打我，不准我吃饭；我后妈成天骂我'小流氓'，她巴不得我折进'局子'里去！今天中午我一时忍不住，吃了陈美玲的面包，我就是想当流氓吗？可杨老师说像我这样的早晚得成流氓，进'局子'！我今天天一黑就爬到胡同口大槐树上藏着，我心想要是杨老师找到家里来告状，捏鼓着把我往'局子'里送，我就真的'花了'她……"说着，他用汗湿的手把大铁钉从裤兜里掏了出来，放到了桌上。

沈校长取过那枚铁钉，看也没看便轻轻地搁进了自己的提包。她用极其轻松的语调说："给我留个纪念吧。咱们等一会儿再谈。看起来还得我去买东西不可。"

她去买来了两个芝麻烧饼和一个果子面包。

"你快吃吧。你一定很饿。我明天到你爸爸单位找他，他对你还是有感情的。我要他保证不再打你，不再罚你饿饭，他能做到这一条的。别的我强求不了他。这个果子面包先搁我这儿，明天一早你来学校以后，到办公室来取，然后还给陈美玲。这件事就这么了结。不要胡思乱想，'局子'且管不着咱们的事呢！"

冯福润眼睛有点发酸。他眨眨眼，抓起烧饼，就着馄饨狼吞虎咽地吃了起来。

沈校长望着这个腮边长癣的孩子，几乎就要发出一声叹息了，但是她的思路飞速地挂到了另一挡上——明天一定要嘱咐校医老徐，对长体癣的孩子进行一次普查，并且把药膏分发到班，指定专人负责督促搽药；于是，她就又没有叹出来。

五

沈校长终于又坐到自己桌前的藤椅上，她习惯地伸腕看了看手表，又望了望桌上的闹钟，闹钟比手表慢了三分钟，她拿过闹钟，调到九点二十八分的位置，又把早五点半起闹的弦上满，这才低下头来，开始翻阅女儿写成的文章。

她在文章里读到了那枚只有核桃大的、带褐色疤的苹果，还有许多牵动她心房的细节。读到爱人被"四人帮"整死，连骨灰都没有留下时，她脑海里浮现出存放在革命公墓里的爱人的骨灰盒，那盒里搁放着爱人用过的烟斗和一个蜡制的苹果，苹果上有女儿用画笔描出的疤结。

那边床上以"硝平"命名的女儿在熟睡中发出喟喟的梦语，她的梦境总是令她惊叹不止；远处传来火车行驶时撞击铁轨衔接处的声响，仿佛是一连串深沉的感慨；秋风在窗外缠绵地浅唱，连暖气管中的水汽也在嗤嗤地吟哦。沈校长读完文章，一股复杂的情绪从心底向上翻涌，这回她是真正要发出一声叹息了——但是她一抬眼，墙上的"快"字赫然落入眼底，一瞥闹钟，俨然已指示着十点三十一分，她欠起身来，全身一震，只见她利利索索地拉过了台历，把当日备忘录上已办过的事一件件用笔划掉，然后，先把剩下来未办尽的事录到下一张日历的空白处，再边想边列起下一天的备忘录来……

　　正义、善良的叹息是一种合理的情绪，并且对于叹息者来说，也是一种精神上的享受。但是沈校长没有工夫叹息。她知道，明天在等着她。

1980 年 1 月

深谷小溪默默流

　　蓝伊梅在画舫斋的画展厅里缓缓地走动着，她虽然不时停留在某幅图画的前面，却总是不能"入画"，她从画框的玻璃上看出了自己淡淡的面影，忍不住理一下鬓、扬一下眉……姑娘今天有心事，并没有把画展看完，她就步出展厅来到池边的回廊上，选了个清静的地方坐下，微倚着朱红的廊柱，望定一泓秋水中呈扇面状聚拢的红鱼，爽性沉思起来。

　　蓝伊梅26岁了，看上去却仿佛才20岁出头；谁也难以相信她是印刷厂胶印车间的老师傅，已经都带出了两个徒弟。今天她浓密的冷烫过的黑发因为已经长得齐肩，便用银色的横"8"字形发簪在脑后别成一朵墨菊；她那红润的鹅蛋形脸庞，春燕羽毛一般黑亮的秀眉下，同秋水可以媲美的一双杏核眼，都堪称美丽的楷模，唯有紧闭的双唇略显得厚了一些、大了一些，但跟她接触不久，人们也就会觉得那不但不是什么缺陷，恰恰是热情和开朗的象征。

　　蓝伊梅手中捻着一枚拾来的枫叶叶柄，默默地想她的心事。今天她休息，傍晚有个约会。本来她打算在家里洗洗衣服、看看书，到四点多钟再出来，可是实在忍受不了妈妈的质询和叨唠，只把几件内衣洗完晾好，她便跑出来了。这回的对象是厂医务室刘大姐给介绍的，已经见过一面。蓝伊梅同刘大姐约定暂不告诉妈妈。妈妈真是的，急得没个道理。蓝伊梅最听不得妈妈的这个逻辑："如今北京城里，你们这个岁数的年轻人女多男少，你就别挑肥拣瘦啦，思想正派、人老实就行啊，要不把你自己耽误了，后悔来不及！"光是思想作风正派、人老实就行啦？去年二舅给介绍的那位银行职员不仅正派、老实，还是个先进工作者呢，可那份古板啊……蓝伊梅不喜欢，回到家里，刚宣布不想跟他好，妈妈和二舅就气得一个劲地数落，说她是"资产阶级思想"。蓝伊梅心中有数，自己绝不是那种单纯追求物质条件和外表的"高价姑娘"，但是找对象这个事儿它是非常微妙的，不合心意的人，凭什么非得勉强接受呢？

刘大姐这回介绍的是个小学教员。厂里的姑娘们看得起小学教员的没几个，原因很简单——小学教员社会地位低、福利差、工作苦。这真是一件奇怪的事，几乎谁也不会放弃上小学的权利，可是长大以后却大批地"忘本"，不愿意当小学教员，不愿意嫁小学教员。蓝伊梅可有主意，她不那么看问题。小学教员不也是知识分子么？她心下总想找个知识分子，倒不论这知识分子挣多少钱，她图的是那么一股子爱读书、讲礼貌、文质彬彬的劲儿。刘大姐生怕蓝伊梅不愿意见面，一再地夸赞那位名叫范铁雁的小伙子的优点，没想到蓝伊梅不等她说到最后便干干脆脆地表态说："赶明儿晚上在您家见见面吧！"

一见面，蓝伊梅就动了心。那范铁雁30岁，除了皮肤黑，个头、长相、做派、谈吐上都令人满意，确有股子蓝伊梅暗中追求的"知识分子味儿"。

从刘大姐家出来，说是一块去搭111路电车，其实两人都故意绕着弯儿走。一路上谈到了业余爱好，范铁雁说最喜欢读唐诗，蓝伊梅不禁肃然起敬，她是有名的1969届初中毕业生，上中学的三年除了念语录、参加批斗会和劳动，几乎什么知识也没学到，后来她到黑龙江兵团时，也曾从同伴那儿借到过一本纸都发了黄的《唐诗三百首》，可是一多半都读不懂；到底人家范铁雁是"老高一"的，肚子墨水多点儿……他俩靠拢景山东街的大红墙走，在月光下，树影里，范铁雁把杜甫的《观公孙大娘弟子舞剑器行》给她背一句讲一句，什么"䃅如羿射九日落，矫如群帝骖龙翔"，蓝伊梅既惊叹范铁雁对剑术的深有研究，又惊叹他知道那么多的典故，嘿，真有意思！当他们把整首诗欣赏完，已经都走到美术馆前头了。刘大姐还操什么心呢，他们不用中间过话，自己就约定了二次会面的时间……

这二次会面就定在今天傍晚，地点是中山公园水榭。

离约会的时间还早得很。蓝伊梅出了北海公园，跨上自行车专往僻静的街巷骑。本来她是图离开繁华街道可以边骑边想心事，可是，当她陡然骑进一条扫得干干净净的胡同时，一颗心却不由得咚咚咚加快了跳动，她这才发觉一种潜在的意识把她带到了什么地方——范铁雁就在这条胡同的那所小学里教书。

蓝伊梅忽然生出了一种浓烈的好奇心，她想看看范铁雁所工作的那所小学校究竟什么样。她跳下自行车，装出仿佛车子出了什么毛病的样子，推着车朝前走去。近了近了，嗯，门口有好大两棵槐树，叶片还没完全变黄，显得枝叶扶疏有致，完全可以入画。踏过门口时她没好意思朝里张望——其实无论是胡同里的行人还是学校传达室里的老头，谁也没有注意到她。过了校门，忽然从高墙里传出了阵阵齐读英语单词的声音，这声音猛地激起了她心底的一股柔情，嗯！说不定这就是范铁雁在领着孩子们读呢……

再往前走几步，蓝伊梅发现学校的院墙有那么一截正拆了重修，形成个豁口，可以一直望到里面去。修墙的工人大约是打歇去了，墙豁那里并没有人，蓝伊梅可以尽情地朝里望……啊，那三层的红砖教学楼虽然已经破旧，倒也收整得清爽洁净；操场上有个班正在上体育课，男孩子们正嬉笑着在篮球场上打球，女孩子们站成一排，面对着一具长长的平衡木，轮流地爬上去过平衡木；一位体育老师穿着褪了色的枣红绒衣、蓝绒裤，背对着墙豁，正照顾着那些过平衡木的女孩。有个女孩非常胆小，一上平衡木就往脚底下绊蒜，紧张得小脸儿绯红，那体育老师非常耐心地伸出手去保护，引她从这一头走到那一头……蓝伊梅扶着自行车车把，在暖得痒人的秋阳中闲闲地望着这平凡而琐屑的景象，心弦本是松弛的，但是，陡地，她的心弦绷得飞紧，一颗心仿佛是掉进油锅的水点，几乎炸开……因为，当那体育老师转过身来，一张脸恰对着墙豁时，她清清楚楚地看出，那竟是范铁雁！

蓝伊梅不知道自己是怎么离开那个墙豁的，当她气咻咻地从自行车上跳下来时，才看出已经是东华门的筒子河边，她把自行车推到一棵叶片已经变成暗黄的垂柳树下，顺手捋下一把半干的黄叶，狠命咬着嘴唇，几乎要哭出声来……

最初的冲动，是在心里恨刘大姐，啊，敢情她是存心不把"体育教员"这个真相说出来。体育教员！那是些被人们视为"四肢发达，头脑简单"的人；就算范铁雁懂得唐诗，是个例外吧，可他整天在操场上跟孩子们打交道，风吹日晒都得忍受，天天回家一身热汗，他那衣服谁洗得起？他一年还不得穿破十二双鞋？本来小学教员待遇就比售货员还低，这下可好，体育教员！饭量大，衣服费，嫁给这样的人不更得受苦？犯得上吗？……

电报大楼的大钟悠悠地敲了七下，橘红的残阳把中山公园水榭映照得格外幽雅美丽，那正是蓝伊梅和范铁雁原定的约会时辰；可是他俩谁也没有去，唯有水榭岸边的枫树忠实地守候在那里，不时坠下几片红叶，悠悠地飘落水中，仿佛是在发出一声又一声叹息……

范铁雁从平衡木旁转过身来时，恰好一眼便看见了墙外的蓝伊梅，虽然两个人的目光只有不及两秒钟的对接，但从蓝伊梅满眼的惊骇与满脸的失望中，范铁雁看出来，这回肯定是又"吹"了。

范铁雁努力压抑住心中涌荡的波涛，镇静地上完了这堂课。他回到家时已经六点钟。他的母亲——一位到了退休年龄却仍在教毕业班的中学语文老师——照例还没到家。范铁雁脱下汗湿的内衣，走到洗衣盆前，把它扔到了头天没来得及搓洗的棉毛衣裤旁边，然后匆忙地用自来水擦洗一下他那黝黑壮实的身子，便穿上绒衣，到厨房以最快的速度做起饭来。待到做好饭，炒好菜，他便把饭、菜都温在炉子上，回到屋里，坐到桌前，把肘支到桌上，两手十指不住地梳着那在风吹日晒中变得格外硬挺的粗发，心中飘过一团又一团的乌云……

范铁雁本是坚决反对刘大姐向所介绍的对象隐瞒他的具体身份的，但是刘大姐——他母亲早年所教过的学生之一——坦率地劝告他说："还是先达到见面的目的再说，见了面，人家看上你这一表人才了，你再一五一十把教的是什么跟她说清楚，她兴许就不嫌你是'露天作业'了……"这劝告确有一定道理，已经不止一次了，介绍人把范铁雁的相片拿去给人家看，人家总是先把眼睛一亮，然后，随着"他是个小学老师，教体育的"这句话一出，眼睛忽又一暗，客客气气地把相片退给了介绍人，竟根本不来见面。有一回总算见了面，也还谈得来，但女方有天早晨上班时，恰遇上范铁雁穿一身运动衣，吹着哨子，额头上沁出一片汗珠，正领着小学生在胡同里跑步，当时脸色就变了，第二天就取消了下一回约会，理由是："我没想到当体育老师的天天都得这么现眼……"范铁雁母亲目睹儿子的这种遭遇，心中也划出了道道伤痕。但她毕竟是个有涵养的知识分子，从未在儿子面前流露出过内心的痛苦与焦虑，每次总是淡然一笑，安慰儿子说："事业为重，有晚福呢……"

范铁雁同蓝伊梅的头次会面，使他产生了由淡而浓的希望，他把见面的情况详细地同母亲谈了，包括那背诵唐诗的细节在内，母亲呵呵地仰笑在藤椅上，自信地说："谁说天下就没有爱体育老师的姑娘呢？当年我不就是一个吗？……"范铁雁没告诉母亲，他和刘大姐恰恰是暂时都没暴露体育老师这个身份。下午的那一幕，虽是一瞥，却看得出蓝伊梅被深深地刺痛了自尊心，她是百分之九十九不会再去水榭了；而范铁雁的自尊心何尝不被煎熬呢，他也不愿为了那百分之一的或然率，到水榭去"现眼"……

范铁雁抬起眼来恰恰看见桌上小镜框中父亲遗像，父亲是个在中学任教四十余年的老体育教师，去年才不幸因患癌症去世；是父亲鼓励他到小学去当体育教师的，从父亲的熏陶、指导中，他也的确体会到了体育教师的神圣职责和体育课中的诗意……

范铁雁在痛苦中瞥见了父亲遗像下压着一份请柬。那是父亲的学生某青年画家自己绘制的婚礼请柬，上面用热烈的词句邀请这位师弟范铁雁去参加他的婚礼。婚礼举行的地点是一个什么出版社的会议室。

玩味着这份请柬，范铁雁心里酸酸的。父亲的学生都已经成婚了，父亲的儿子却"男大未能婚"……

一瞥桌上的闹钟，范铁雁忽然紧张起来。母亲就要回来了。母亲知道今天他七点钟要到水榭去，倘若回来一见他这副模样，他一说明，该是一次新的更重的打击……不能！至少要缓冲一下！

范铁雁心血来潮，他抓起那份请柬，穿上外衣，出了屋。

范铁雁来到婚礼场上。新郎已经34岁了，确是画家风度，虽是新婚，却只穿着八成新的衣服，容光焕发的长方形脸庞上，抬头纹随着说话不住地抖动。他握住范铁雁的手，面对全体来宾，热情洋溢地说："大家记得我画过的一幅画吧？一个孩子在床上，在一位慈祥健壮的体育老师指导下，正抱着膝盖在锻炼双腿……这幅画上的孩子就是我，那体育老师就是这位师弟的父亲——范醒中老师。那是我刚上初中不久，突然传染上了小儿麻痹症。住院治疗以后，双腿功能恢复很慢，父亲母亲每晚跪在床前给我按摩，效果不大，一天傍晚范老师来了，他说特意为我编制了一套体操，一边教我做操，一边根据我的反应修改操法，我父母在一旁感动得简直不知说什么好……这以后范老师每次隔一天来我家一次，一直到我终于又能上体育课。到初中毕业时，我双腿完全恢复到了正常，可以说成了个棒小伙子！后来我学画画，到处写生，来去轻松自如，连华山的'千尺幢'和'百尺峡'，我都爬得上去！所以，在今天这个幸福的日子里，我不能不感念敬爱的范老师，没有他的帮助，我今天很可能还坐在手推车里哩！"

新郎的回忆让全场的人都感动了，打扮得华而不俗的新娘——出版社的一位文学编辑——热情奔放地举起高脚玻璃酒杯，杯中的葡萄酒在灯光下闪烁着奇妙的紫红光晕，她嫣然地提议："为那些在我们童年和少年时代，用心血教育了我们的老师们，特别为那些老师中最容易被人们忘记的体育老师们，干杯！"

呼应声，笑声，碰杯的叮咚声，加上桌上的瓶花、屋顶上斜挂下垂的彩色纸条，以及主宾们缤纷的衣衫，使范铁雁心动神摇、眼花缭乱。说实在的，最初驱使他来到这个地方的因素，不过是一种苦闷中的冲动，然而这意外的待遇，却使他心中升腾起自豪的、高昂的感情。

当人们抓住一个什么机缘，对新娘和新郎发起新的"进攻"，逼他们合唱《饮酒歌》时，范铁雁退到了室中的一角，心中的苦闷又开始雾似的弥散开来，猛地，他吃了一惊，真有点怀疑这是不是在做梦——越过几个人晃动的肩膀，他分明看见屋子另一隅的椅子上，坐着蓝伊梅和刘大姐！刘大姐正俯在蓝伊梅耳边，絮絮地说着什么，蓝伊梅眉尖微耸，眼珠游动，半咬着嘴唇，看得出心里很乱……

蓝伊梅也是在苦闷中不愿过早归家，才到这里来的。新娘子头些年下厂劳动的时候，恰同蓝伊梅在一台胶印机上干活，尽管比蓝伊梅大三岁，她称呼起蓝伊梅来，还得叫"蓝师傅"呢！蓝伊梅几天前就接到了新娘子热情的电话邀请……如果今天水榭的约会实践了，她才不会来这儿呢，说实在的，她几个钟头前简直都把这个邀请忘记了，直到离开了东华门的筒子河沿，才想起这个邀请，并且产生了一种跑到这儿来的冲动……

可是，骑到接近出版社门口的地方，蓝伊梅又犹豫了，她跳下车来，拖着脚步，推着车走。自己不幸福，却去观看别人如何幸福，这不是太荒唐了吗？正当她掉转车头，打算干脆回家的时候，"小蓝！"一声充满惊讶的呼唤使她抬起眼来，啊，是刘大姐！新娘子下厂劳动的时候，跟刘大姐处得也挺不错，今天，她特地来参加婚礼，刘大姐对蓝伊梅出现在这么个地方，又惊又怨——从范铁雁上午打给她的电话里，她得知范铁雁和蓝伊梅晚七点要在中山公园水榭会面，现在快七点了，蓝伊梅却愁眉苦脸地在这儿，这是怎么回事哇？刘大姐自然赶紧拦住蓝伊梅一个劲地询问，蓝伊梅满腹怨气地挣脱了刘大姐，赌气推车冲进了出版社……

谁知刘大姐穷追不舍，到了婚礼场上，她偏凑到蓝伊梅身边坐下，单刀直入地说："我猜着了你干吗这样，你准是打听出来了，铁雁是个教体育的，你怪我跟铁雁事先没跟你说清楚，对不？其实这不是铁雁的主意，要怪，你就单怪我一个……"蓝伊梅还在气头上，理也不理，欠身从桌上抓了一把瓜子，管自嗑着、嗑着……

真是巧中还有更巧事，范铁雁突然出现在婚礼上，并且出现了那般热烈的一幕。刘大姐为这一幕暗暗叫好，蓝伊梅呢，她手中的瓜子不知不觉地全从指缝中漏了下去，这一幕在她心中激起了新的情绪、新的内心冲突、新的考虑与新的希望……

刘大姐环顾了一下四周，人们的注意力都集中在新郎和新娘身上，没有人关心她和蓝伊梅在干什么，这正是个做工作的好时机，得"趁热打铁"啊！她想了想，便凑拢蓝伊梅耳边说："说实话，开头我对体育老师这一行也不理解。有一天，我去看望范师母，只见铁雁坐在个小板凳上，膝盖上垫着块旧帆布，正用锥子、大针和麻线，在补破了的足球哩。我问他：'你这个体育老师还管干这个吗？'他笑笑说：'嗯。我还领着五年级学生，用稻草代替棕绒做成了垫子，还用废旧鞍马改造成了新'山羊'哩……多一样体育用品，就多一群学生锻炼啊！'这事给我留下了很深的印象。听说他还没有朋友，我就想：这么好的一个小伙子，我得帮他的忙啊！为这事，今年夏天我没少去他们家，每次总是他母亲在家，他呢？就是为了培训小足球队，住到学校去了。你看，别人暑假休息，他暑假倒比开学时候更忙！有天我到学校去找他，只见为了训练出足球新秀，他让那些个'左边锋'、'右边锋'一个个地冲上去射门，自己当守门员，扑跌滚跃，简直成了个泥人儿，可见了我还是笑，露出一嘴整齐的白牙，两眼里一股子自豪的劲儿……小蓝呀，体育老师这个职业确实平凡而不大被一般人重视，可是在我们国家里，闪光的应该不是职业本身，而是从事这个职业的人那种为祖国繁荣富强的献身精神！你想，铁雁那么爱工作，爱学生，爱学校，结婚之后，他一定会实心实意地爱妻子、爱孩子、爱家庭！要是因为跟他兴趣合不拢，不跟他好，那咱们另说，要是明明跟他兴趣爱好相近，又敬重他的为人，可就是嫌他的职业，我看哪，轻说也是舍本求末，毕竟你要找的是一颗美丽的心，而不是一个听着让人觉得'高级'的职业啊！"说到这儿，刘大姐拍拍蓝伊梅的肩膀，斜睨着她，观察和分析着她面部表情的细微变化：只见蓝伊梅顺下眼皮，睫毛微微颤动着……这当口，又有两个新的客人进得屋来，其中一个身如矫燕的小姑娘没等范铁雁发现她，便欢叫着抓住了他的胳膊，摇晃着，用银铃般的嗓音说："范老师，您在这儿！多好呀多好呀……"

不待刘大姐提醒，蓝伊梅也就认出，这小姑娘是如今新起的体操明星之一，真没想到在这个婚礼上能见到她，更没想到她竟会对范铁雁那么热情。

蓝伊梅看到人们纷纷涌过去同体操明星打招呼，并一叠声地祝贺她在最近一次国际邀请赛中获得了平衡木冠军，那幸福的小姑娘双颊就像盛开的玫瑰花，她朗声对大家说："这不光要谢谢我们体操队的教练和同伴们，而且，头一个得谢谢范老师——六年前，我才三年级的时候，头一回上平衡木，害怕得就像有只小白兔在胸脯里乱扑腾，是范老师扶着我，从平衡木这头走到那头的……到了四年级，我对体操产生了兴趣，范老师在放学以后，就组织我们五六个爱好体操的男女同学练习。记得有一回范老师指导我练高低杠，我一个动作没做好，从杠子上掉了下来，范老师为了保护我，把手腕子戳了。当时我还小，不懂事，也没注意范老师的情况，跳起来握住杠子接着练，还叫范老师保护，范老师就咬着牙，一次次伸出手来接我下杠。后来我们一块去食堂吃饭，我才发现范老师的右手腕子肿得老粗，连碗都端不起来了……范老师，您还记得这件事吗？"

蓝伊梅听到这儿，不由得低下了头，周围人们欢喧声仿佛一下子全消失了。静，静得就像夕阳笼罩中的水榭……这是她屏息冥想的瞬间，下午她在校园墙豁外所看见的那个场面，犹如银幕上的慢动作分解镜头，生动地回到了她的心间，而这一组镜头，又衔接着想象中的范铁雁坐在小板凳上补球、为小足球队把守球门……啊，原来体育老师那平凡的工作里，蕴藏着那么多的光和热，那么多的诗与歌……

欢喧的声浪又回到蓝伊梅的耳朵里时，她抬头一看，人们已经围拢到屋角的画案旁——这原是一个别致的婚礼，它的节目包括新郎和来宾中的画家当场作画；因为范铁雁说还有事必得先走，新郎和几个画家便决定当场合作一幅水墨画，赠给他留作纪念。不一会儿那幅写意画已经完成：幽谷兰草丛中，一弯溪水从中流过。新郎在画上的题句是："深谷小溪默默流，送我浪花赴大河。"新娘把画捧送范铁雁时，激情迸扬地解释说："您的父亲，您，还有无数的小学、中学老师，就像这深谷中无人知晓的溪流，默默地工作着，把我们这些浪花，推送到生活的大海、大洋当中……我们来到了广阔的世界，可我们永远、永远也不能忘记源头，忘记教我们认头一个字、算头一道题、唱头一首歌、做头一节体操的那些伟大的启蒙者！"

人们觉得鼓掌和欢呼已经不能传达出内心的感情了，反而变得肃穆起来。这是多么优美、多么意外的一次婚礼啊，主人和来宾的心灵都飞扬起来，向着那崇高、温馨、道义的境界……

范铁雁手里轻握着那卷成一卷的宝贵的国画，行进在秋夜静谧的街头。忽然他发觉身后有半高跟敲击路砖的急促声响，转身一看，是蓝伊梅追了上来。他觉得又意外又不意外，一刹那愣住了。

"如果今天你觉得太晚了，那么，明天我们到水榭去怎么样？"一双似经过圣水洗涤的清澈的眼睛，盯住他，充满了爱慕和期待。

范铁雁庄重地点了点头。

1980 年 1 月

神秘的姑娘

一

　　M 城颇有权威的文艺批评家诸葛岩，坐在书桌前的旧圈椅上，正酝酿着一篇重要的批评文章。从他背后望去，他那被一圈灰白头发包围的秃头顶，活像一座威严的活火山，而他烟斗中冒出的越来越浓的团团白烟，正预示着他的思路已接近爆发性突破。

　　正当他提笔要在稿纸上写下想好的题目时，背后响起了吧嗒吧嗒的脚步声，于是"活火山"旋转了一百八十度，诸葛岩两只下陷的小眼睛里闪出愠怒的光，盯定了穿拖鞋的儿子诸葛朴。不等爸爸发问，他便请求："给我两毛钱。"诸葛岩皱起眉头："要两毛钱干什么？"

　　"看电影！学校组织的，墨西哥彩色电影《叶塞妮娅》哩！"

　　诸葛岩紧握烟斗，摇着头说："不像话！你们学校居然组织中学生看这种电影！就不怕起副作用吗？！"

　　这声音把隔壁的老婆引了出来，她已经穿戴好了，正要出去，见诸葛岩又来这一套，便替儿子辩解说："什么了不起的副作用！看看墨西哥人怎么生活，长长见识有什么不好？我身上正巧全是大票子，所以让小朴找你要；你有就给，没有就拉倒——我带他一块出去，到街上破开就是啦。"

　　诸葛岩勉强掏出来两毛钱，给了儿子。儿子一溜烟地跑到隔壁换鞋去了。这时诸葛岩便郑重其事地对老婆说:"你哪里知道,我最近考虑了好久,感觉这个问题要是再不大声疾呼,引起重视,采取措施,那我们的青少年就会被这些外国电影的副作用腐蚀,出现越来越多的不良倾向。比如《叶塞妮娅》这种片子,十足的人性论;更有什么《冷酷的心》之流,黄色的嘛,怎么好让青少年看呢?"

老婆单刀直入地反驳他说:"算了算了,你那么能抵制副作用,在干校的时候怎么还干出丑事来?那时候光看样板戏,没有《冷酷的心》,你还不是该黄就黄!"

诸葛岩的舌头顿时像短了半截,一张脸迅速地变成了猪肝色。1971年他和老婆分作两处下干校时,由于苦闷及其他复杂的因素,他同连队里的胖姑娘有过那么一段黏黏糊糊的暧昧史,后来为此遭到了批判,并向老婆多次表示过忏悔。

老婆领着儿子开门走了,临近出门,她还甩下一句话给诸葛岩:"我看让孩子有点人性论也不坏,总比不通人性的强!"

门"砰"的一声响,这响声带来一种副作用,竟使诸葛岩脑子里的思路乱了好一阵,他足足又吸了两锅烟丝,才把那弄乱的思路又整理清晰。

二

诸葛岩用苍劲的笔触写下了《不可低估"人性论"的侵蚀》这个题目后,稍微托腮凝神思考了一会儿,便一泻十行地写起了正文来,不知不觉地就过了一个多钟头。

有人敲门。开头敲得比较轻,他沉浸在文思之中,竟未听见,后来敲得比较重,才把他惊醒过来。他很不甘心地搁下笔,叹了口气,走过去开了门——如同一根轻盈的羽毛,飘进来一个窈窕的陌生姑娘,让他吃了一惊。

"诸葛岩同志,我是从报社那打听到您的地址的——我是一个读者。"姑娘把手里的一卷报纸展开,拍了两下,自我介绍着。那几张报纸上载有诸葛岩最近的评论文字,它们同即将问世的《不可低估"人性论"的侵蚀》一样,都是针对文艺与青少年的关系问题而发的议论。

自己的文章能引动读者登门拜访,这是令诸葛岩颇为兴奋的,但细一打量这位拜访者,不禁满腹狐疑——她头上是化学冷烫过的披肩发;上身穿着黑白相间的花格呢窄腰西装上衣，下面穿着条咖啡色的略呈喇叭口的料子裤，脚上蹬着黄黑相间的半高跟皮鞋；肩上还挎着个深红底带白色图徽的大皮包。

"你是——找我的？"

"对，诸葛岩同志，我就是找您来的。"

"好，好，请坐吧，请坐吧。"

姑娘在书桌旁坐下了，把那沉甸甸的大皮包搁在椅腿边。她嗽嗽嗓子，用银铃般声调说："诸葛岩同志，从您的眼光里我看出来了——您觉得我身上的'副作用'太多了是不是？"

诸葛岩点头："是呀，你是受了某外国电影影响吧？"

姑娘妩媚地微笑着："我是个建筑工人，电焊工，我在工区里是个先进生产者哩。我工作的时候戴工作帽，穿工作服，完全不是这个模样；可是今天我休息，休息的时候，我按自己的爱好打扮自己一下，又有什么不好呢？"

诸葛岩不屑同她讨论这个问题："我在那篇《从喇叭裤谈起》里，已经把穿衣问题上的防腐蚀问题谈透彻了。你找我，究竟有什么事呀？"

姑娘彬彬有礼地说："我想找您请教一个问题：究竟有没有人性这个东西？"

诸葛岩装上一锅新的烟丝，点燃深深地吸了一口，心里非常愉快——他恰好正打算写篇谈防"人性论"腐蚀的文章嘛，回答这个问题，恰如鱼游春水，自得其乐——不过，他觉得在开讲之前，应当把对方的思想情况摸得更清楚一点，便问道："你为什么要来提出这么个问题呀？"

姑娘眨眨眼睛，摇着头发笑了："不为什么。研究问题呗！您告诉我吧，反动派，他们是不是也是人呢？"

诸葛岩斩钉截铁地回答说："反动派既然反动，怎么能对他们发善心呢？是反动派就应当消灭嘛，怎么好让'人性论'腐蚀了我们的斗志？"

"但是您告诉我反动派是不是也是人，您肯定地回答我呀！"

诸葛岩很不以为然地在桌边磕着烟斗，摇着头说："这样提出问题就不恰当……为什么要提出这样的问题呢？可见那些宣扬'人性论'的东西，对你们的副作用不浅啦！"

"是吗？"姑娘的表情变得严肃起来，她大声地反驳说，"您注意到了来自右的方面的副作用，您大声疾呼要消除这种副作用，我一点也不打算反对——可是，我觉得您却忽略了另一方面的副作用，这种来自极左方面的副作用把我们这一代人坑苦了，也坑了你们成年人、老年人，可是你们不但从不提起，甚至还推波助澜——您就干过这样的事！"

诸葛岩莫名其妙。这是怎么回事？

姑娘站了起来，她简直完全变成了另一个人，脸上妩媚的微笑连影子也没有了，她把皮包提起来挎到肩上，宣布说："我要让您回忆回忆，回忆回忆！"说完，她竟径直朝隔壁房间走去，"咔嗒"一声把门关上了。

诸葛岩先是目瞪口呆，继而气愤填膺——那里头是他和老婆的卧室，这姑娘想干什么？她是个精神病患者还是诈骗犯？他本能地从圈椅上蹦了起来，气急败坏地用双拳擂门，暴怒地叫："你出来！我要到派出所报告去了！"

姑娘却从里屋从容地回答说："您别着急，我只待十分钟就出来。您家的东西我不会动的，不信您一会儿检查好啦。"

诸葛岩陷入这般戏剧性的局面，倒还是平生第一遭。

三

二十来年前，有个叫巴人的作家，因为在报刊上发表了一些文章，讲到了关于人性的问题，受到了冰雹般的批判，从此堕入不幸的深渊，从撤职到开除出党，从下放到戴帽子劳改，据说最后竟成了个用绳子捆住自己在村路上狂跑的疯子，终于悲惨地死去。关于他我们不必多谈，因为说多了有副作用。

但是要把诸葛岩介绍清楚，我们又不得不谈到这个巴人，因为诸葛岩在报纸上发表的第一篇文章，就是批判巴人的，这篇文章引起了有关方面的重视，从此诸葛岩就从大学助教变成了专业批评家。有那么五六年的光景，诸葛岩在 M 城文坛的地位举足轻重，被他点名批判的作家计八名、出版物计十三种、演出节目计二十一台。

她 有 一 头 披 肩 发

他的事业非常顺利，生活也很幸福。他的妻子——大学里的一位资料管理员，有一天用极为尊重和谨慎的态度问他："你这个批评家怎么总是在批，而不见你评呢？没见你写过一篇文章来肯定过一个作品哩！"他略事思考，便极潇洒地打了个榧子说："这是历史赋予我的使命！"妻子当时莞尔一笑，对他的崇拜更增进了一层。

1965年11月12日那天，诸葛岩拿到了一张头天在上海出版的《文汇报》，发现上头有篇姚文元的文章《评新编历史剧〈海瑞罢官〉》，对于姚文元这以前他一直是引为同志的，这回这篇文章却令他心中不快，一是他觉得火药味未免太重了，有失文采；二是他觉得姚文元生拉硬扯，却并未击中要害。他以为《海瑞罢官》的要害是反历史主义，怎么能那么强调清官的作用，而无视人民群众是历史的主人呢？于是他耗时三个晚上，写成了一篇既批判《海瑞罢官》但也与姚文元商榷的文章，于1966年春天刊登在一家大报上。

诸葛岩万万没有想到，短暂的春天一过，炎夏到来，他的命运竟起了个一百八十度的转变——时局以转瞬即变的速度把他抛到了反革命的位置上！"运动"一起来，他成了对吴晗进行假批判的典型，被红卫兵剃光了头，挂上了铁板制成的"黑帮"牌，打入了牛棚。

这个时候，他才想起了已被他遗忘的巴人，原来被批判竟是这般的痛苦。当他几乎熬不下去的时候，军代表进驻了M城的文联，他在第三批落实政策时被解放了。当军代表允许他在大字报专栏上贴头一份大批判稿的时候，他激动得眼泪直在眼眶里打转转，可是提起笔，他才发现自己变成了一个根本不会写文章的人，他以往的批判锋芒，什么"商榷"呀，"警惕副作用"呀，"滑到了危险的轨道上"呀，如今看来都是些带有"费厄泼赖"气息的"假批判"语言，他费了九牛二虎之力，才总算学会了"最、最、最"的造句方式，以及"千钧霹雳开新宇，万里东风扫残云"一类的修辞手段。但也就在这个时候，他失去了老婆对他的全部崇拜。

1973年，他幸运地被吸收进了一个名叫"葛祺绶"的写作班子，在写作班子里他是最低贱的一员，但以"葛祺绶"名义发表的文章，一大半以上其实都是他执笔之作，这些文章全是评论样板戏的，当然字字句句段段篇篇都是谀颂之词。他的老婆对这些文章的评价颇为中肯："只有四种人看，一是你们这些臭笔杆子，二是报纸的硬头皮编辑，三是工厂无可奈何的排字工人，四是那些整天太阳筋痛的校对员，再没有了。"对于这种评价，他不置一词，只是淡然一笑。

粉碎"四人帮"以后，诸葛岩确是欢欣鼓舞，他很快便"说清楚"了，当年那篇"假批判"的文章，使他获得了加倍的谅解，甚至还获得了几分尊敬。他的思想观点、风度气质迅速地恢复到了"文化大革命"前的状况。他极其自然地又成了一个忙于到处发现问题和消除副作用的批评家。他觉得该站出来大声疾呼的事情真是不少：杂志上出现的一些反映"四人帮"时期冤案的短篇小说，岂不是索尔仁尼琴式的"监狱文学"吗？一些以反官僚主义为主题的新话剧，岂不是在泛滥黄色和人性论吗？……

恰在这个时候，他遇上了这么个神秘的女读者。

四

正当诸葛岩惊惶失措、一筹莫展的当儿，里屋的门"砰"的一声打开了，令他吃惊得张开嘴巴合不上的，是出来的竟并非刚才的女郎，而是另一个人——这人如同一道晃眼的闪电，狰狞地兀立在他的面前，刹那间竟使他如被雷击，几乎失去了思考的能力。

这是怎样的一个人呢？穿着一身国防绿军服，戴着军帽，没有帽徽领章，左臂上却套着个足有一尺长的红绸袖章；眉眼横立，满脸怒容，右手握住一条宽大的铜头皮带，劈面就"嗖"地空抽了一下，威风凛凛，杀气腾腾，未等诸葛岩反应过来，先吆喝了一声："哪条狗叫诸葛岩？自己爬过来！"

足足经过半分钟，诸葛岩才恢复了理智，并且终于认出来这位红卫兵战士也就是来访的那位姑娘——原来，她是躲到里屋里换装去了，这真是天大的玩笑、天大的玩笑！

诸葛岩把蜷缩的身子伸直，强作镇静地摆摆手说："你胡闹个什么……怎么能这样！"

但是对方并不罢休，继续粗鲁地吆喝着："哪条狗叫诸葛岩？爬过来！不许走！给我爬！"

诸葛岩这时恢复了进一步的意识——他蓦地悟出，13年前冲到文联办公室来揪他的红卫兵，不是别人，恰是眼前的这位——怎么称呼好呢？叫姑娘还是叫夜叉？

虽然她已经增加了一倍的岁数，但她那冷酷的眼神，凶神恶煞的态度，以及那一手叉腰一手挥舞铜头皮带的身姿，都使诸葛岩生动地、痛楚地回忆起当年的那位首次降临于他命运转折之中的"小将"。他不寒而栗了。

"嗖嗖嗖嗖"，"小将"手中的皮带虽然只是在他眼前乱舞，却令他胆战心寒。尽管他明知如今已是另一种年月。

他费了老大力气才露出了一个维护尊严的笑容，指指刚才那姑娘坐过的椅子说："坐吧坐吧，你这是干什么？"

姑娘总算从"角色"里脱出了一半来，她板着脸坐下，训斥说："想起当年来了吧？当年你不是真的爬过来了吗？"

诸葛岩的脸在一天里第二回变成了猪肝色。

姑娘逼着他回忆当年他那最怕回忆起的一幕：那真是充满着副作用的一幕：他同另外几个"黑帮"被逼着爬到小将们脚下，由她们用铜头皮带乱抽了一顿，其中一个敢于反抗的还被强灌了痰盂水，险些被当场活活打死……

"你当年挨打的时候，是怎么想的？"姑娘声色俱厉地问，完全是当年的气概。

"怎么想？当年的确认为自己是搞了假批判，愿意认罪，可对你们那么个态度，很不理解。不要虐待俘虏嘛，实行革命的人道主义嘛……"

"哼！"姑娘讥讽地打断他说，"你也知道人道主义是好的了,这不是人性论吗？！你既然搞了假批判，就是黑帮，黑帮就是最凶恶的阶级敌人，阶级敌人就不是人嘛，什么俘虏不该虐待，俘虏他人还在，心就不死，就时时刻刻梦想复辟，对这种不是人的东西，我们就是不能手软，就是要斗倒、斗臭、斗瘦、斗烂，打翻在地，再踏上一万只脚！革命嘛，讲什么温良恭俭让？……"讲到这里，她霍地站了起来，双肘左右大幅度地摆动,唱起了"鬼见愁"歌;"拿起笔,做刀枪,刀山火海我敢闯！……

谁要是不跟我们走，管叫他立刻见阎王！"最后是左脚前伸一跺，右手向前上方猛力推出。

诸葛岩想笑一笑，却怎么也笑不出来，脸上的肌肉仿佛被冻住了，他嗫嚅地说："你看你看，这都是林彪、'四人帮'把你们毒害的……"

姑娘重新坐下，大声反驳说："当时王洪文还没出山呢，哪来的'四人帮'？当然那伙坏蛋没少骗我们，他们的账咱们另算。可是你想到过吗：我们形成那么一种状态，你这样的人也负有责任！"

"我？"诸葛岩生气了，"我被你们打得皮开肉绽，我是受害者，我有什么责任？"

"怎么没有责任！"姑娘扬起嗓门说，"'文化大革命'前几个月，你到我们中学作过报告，那时候我上初二，对你崇拜得五体投地。你在报纸上写的批判《早春二月》、《舞台姐妹》、《北国江南》的文章我全剪贴到了笔记本上，我可真是受益不浅——啊，肖涧秋是条五彩斑斓的大毒蛇，因为他搞资产阶级人道主义，公然给文嫂臭钱，这是麻痹劳动人民的反抗意识嘛！我懂了：应当发动文嫂去参加游击队！什么银花春花，反动反动，搞什么人性感化，说什么'清清白白做人'，比国民党更可恨，因为她们披上了伪装！要撕掉她们的画皮，把她们批倒批臭！……也许你会说你的文章里没什么措词，可它在我们中学生的心灵里，实际效果就是这样！还说你那回作的报告吧，你举了那么多例子，证明时时、处处、事事有阶级斗争，真把我吓呆了：喝汽水吃冰棍是贪图享乐的开始，读《安娜·卡列尼娜》是走上犯罪道路的开端……从那以后，我除了《人民日报》和《红旗》杂志，别的一概不读，我脑子里阶级斗争那根弦绷得别提有多紧。什么？姑妈送我一件毛线衣，这分明是腐蚀拉拢！什么？大舅给我一张《可尊敬的妓女》的电影票？大舅妈是个小业主出身，这就不是偶然的事情！……当我被熏陶成了这么一个人的时候，'文化大革命'的风暴起来了，我和同伴们觉得满眼都是反动的东西，必须统统横扫！街口的红绿灯规则是谁定的？查一查后台！红灯居然表示禁止通过，红色是革命的象征，他们竟敢污辱革命！我忽然听说你是个搞假批判的人，这真把我气得差点咬碎了满嘴的牙，可见阶级斗争的复杂性、尖锐性、残酷性，你竟也是黑帮，而且是隐藏得更深、更久、更狡猾、更危险的黑帮，非把你千刀万剐不可！老子先给你点教训再说！你看，你帮助我把人性论的副作用消灭得干干净净，结果我拿这皮带揍你的时候，看见你浑身冒血趴在地下，连一点点心理上的恶感都没有，更不用说去想你也是个人，你这样是很疼的了……你想想看吧，如果我们那时哪怕还留着一点点所谓资产阶级人道主义、一点点人情味的'副作用'，我们也许就不会那么干了！我还好，没有打死人，我的同伴小芳，改名叫大暴，她就亲手打死过一个人，她把那人捆在床栏杆上，慢慢地打，打累了就歇一会儿，整整打了三个钟头，一直把那人打得断了气。她很坦然，一点也不觉得有什么，因为那人既然是资本家，剥削者，那也就不是人，不必对他客气，打死了活该！"

诸葛岩在这一番表述面前埋下了头，他把没有装烟丝的烟斗紧紧地攥在了拳头里，攥得手心发痛。他承认自己被一种从未意识到的东西打动了。是呀，在把本来应当是温柔、富于同情心的姑娘们变成了这样一种暴徒的因素里，究竟有没有因为批判一种副作用而带来的更加可怕的副作用呢？

姑娘这时摘下了那顶国防绿帽子，原来塞在帽子下的卷发获得了解放，一下子弹到了她的耳边、肩头，这使她顿时改变了模样，这次诸葛岩望着她，觉得她是多么美丽，合情合理的美丽。姑娘的表情也随即变得温和起来，她用非常恳切的语调说："如果因为过分地温情，到了战场上都不愿跟敌人拼命，那当然不好，批判那种副作用我们一点意见也没有，可是倘若你们经过了十多年的动乱，还认识不到我讲的这种副作用的危害，还在那里用批判一种副作用来培植这种副作用，那我们认为，在中国搞法西斯专政，就还有相当的社会基础！"

"你们？"诸葛岩抬起眼睛来，望着姑娘，有点吃惊。

"对，这不是我个人的意见，这是我们一群青年的意见——我们研究好了，才采取今天这个行动……"

姑娘脸上这时恢复了微笑，她又补充说："您真该好好了解了解我们——一群在十多年动荡生活里滚过来的青年人。我从当年那个状态变成今天这个样子，比如说懂得了讲礼貌，跟年纪大的人谈话用'您'，有好长的一个痛苦、艰难的过程呢，下回再来的时候，我讲给您听吧。今天我只想告诉您：我们不认为一切回复到 1966 年以前就算正常，我们要求中国朝前走！"

　　诸葛岩陷入了痛苦深入的沉思。待他被壁上的挂钟报时声惊醒时，姑娘连同她的深红底白图徽的皮包都不见了，一切真如同一场噩梦，唯有近旁空气中飘散的一股发油香，证实着刚才这里确实存在过那么一个神秘的姑娘。

1980 年 2 月

一个晚期癌症患者的自白

前记

我表妹是医院的护士。有天她来找我，交给我一卷写满了字的纸。她说："是从一个因肝癌而死的患者的病床褥子下发现的。我看了一遍，决定拿来交给你。你设法给他发表吧——这正是死者本人的意思。"我无比惊讶。展读以后，不禁出了一身冷汗。现将原稿加以整理，公布出来，仅供读者参考。凡其观点古怪、行文有意含混之处，一任其存，未能稍加妄改，特此说明。题目系我所加。下面请读原文：

0

我要死了。"人之将死，其言也善"吗？不见得。但是我忽然觉得，这个世界上除了我自己，没有任何一个人能够准确地理解我。就是我，以往又何尝十分清醒地理解了自己呢？实在是自我知道癌细胞已经扩散以后，这才遍体清凉起来，开始一点一滴地把自己认识清楚。

昨晚良久未寐，吞服安眠酮五粒后，方昏昏入睡。结果做了一梦。这梦实在太不像梦了，因为丝毫也不迷离扑朔，而真实到可怕的地步。我梦见正开我的追悼会，前面挂着张马马虎虎匆忙放大的照片，显影时间不够，因此远远望去只是一团灰色。赵醒在那里念悼词，虽然低着个头，把谢得光可鉴人的秃顶展示给会场的人们，但他的声调既不悲切，眼眶里也绝无潮湿感；到会的教职工虽然不算太少，但绝大多数纯粹是无动于衷,有几个更在那里搓鞋底、抠指甲,简直是有点幸灾乐祸。只有我的老婆在前面垂泪而立,那泪水当然绝非用浸过生姜汁或辣椒水的手帕揉出,但我深知其心,她不过是以为不流出一点眼泪,便会招来人们的非议而已。牵住她衣角的八岁的曼琴也在哭,我怎么称呼她好呢?女儿?其实她上小学后也就渐渐懂得,我们并非她的亲生爹娘,而是从小把她抱养过来的;现在她哭,是因为她感到害怕。这就是我的追悼会。几乎没有一个人爱我,没有一个人为世界上少了我这样一个人而惋惜。

我为什么招人们讨厌?人们对我的种种非议,就我直接听到、间接打探到的而言,无非是说我"左得出奇"、"善于钻营"、"专门整人"云云。其实这都是皮毛之见。"解铃还是系铃人",我就要死了,我不想把自己的秘密带到棺材——不,带到火葬场去,我想坦率地把灵魂最深处的那个抽屉拉开,公诸于众。说到底,我之所以整人,主要是由于……且看下列事实吧!

1

我永远记得那一天。开会前,放了一张唱片:"让我们荡起双桨,小船儿冲开波浪……"唱片放的次数太多了,沙沙的噪音经过扩大器扩大,格外刺耳。我坐在会场后面,抱着双臂,懒懒地望着前方的讲台。嗬,还给准备了盖碗茶,排场!唱片没放完便截止了,跟着是一片鼓掌声,陈茂生态度自若地坐到了讲台那里。他仅仅讲了三分钟,我就恨他恨得牙痒。

陈茂生是和我同一年分到中学里教政治课的。我们两人在学校里住同一间宿舍。在外人看来,或者从陈茂生那边看来,我们两个人可以说是亲密无间的同志和朋友,但是我的灵魂深处在呼喊:不!不能让陈茂生超过我去!

陈茂生不是一般地超过了我,而是极其明显地超过了我。别的例子我一概不举,仅举那天的报告会一例。学校里决定举办一次辅导阅读《卓娅和舒拉的故事》的活动,竟选中了他当报告人。我当班主任的那个班也在听报告之列,当然我只好坐在后面陪听。

我希望陈茂生上台后怯场，先咳嗽两声；我盼望学生中有人出怪声，引起个哄堂大笑。然而都没有。陈茂生头几句话就十分简洁、生动、抓人。会场上鸦雀无声。陈茂生讲到兴味浓处，会妩媚地一笑，我注意到班上的女学生们望着他，眼睛都直了。讲到后头，他竟挑逗得同学们一个个眼泪汪汪的，自己的眼里也闪着泪光。戏子！戏子！我在心里骂着。我注意到，他新理了发，煞白的衬衣，领子似乎熨过，平整、挺直；他妈的他的双眼皮为什么那么明显？他的那一口牙齿为什么那么整齐？

坐在我身前的一个男生扭回头，小声跟我请假——他要上厕所；我希望会场上出点纰漏，我故意不允许他去："听陈老师讲！"他的屁股在椅上扭呀扭呀，终于憋不住了，放大声音请求说："王教师，您让我去吧！"我看倘若不许真要尿裤子了，这才板着脸点了点头，他拔腿便跑，"乒！"绊倒了椅子，全场一惊，同学们纷纷回头看，我打心底往上翻涌着快意，但是却站起来，严厉地打着手势："注意听！注意听！"该死的陈茂生，他竟用两三句诗，一下子又把会场控制住了……

回到宿舍，陈茂生容光焕发地问我："今天我讲得怎么样？你们班上的同学有什么反应？"我就知道他憋不住得这么问我，我早给他准备好了回答："讲得呱呱叫。不过我们班上的女同学散会后既没议论卓娅，也没议论舒拉，尽议论你的翩翩风度了……哈，有的还歪着脑袋学你那独特的笑容！"说着我就给他学了一个，夸张得带有辣椒面的味道。陈茂生脸上掠过一丝不快，但他总算保持住了笑脸："是吗？真没想到！"哼，你没想到的事还多哩！

不知怎么他在本校报告成功的消息传到了校外，附近的学校一个接一个地请他去讲，最后连附近工厂和商店也把他请去给共青团员们讲卓娅和舒拉。我对此决定报之以超级轻蔑。常常是我已经洗好脚，正打算睡觉了，他才兴冲冲地回来，先顾不得洗漱，满脸通红地告诉我："没想到四五年级的小学生也能理解卓娅的读书笔记……"或者是："妇女商店的团支部决定搞一个关于卓娅的专题朗诵会……"我呢，拉长个黄瓜脸给他看，最后连"哼""哈"两声都懒得奉送。

但是后来生活里起了波澜。听说大学里搞鸣放，学生们设了自由论坛，挺有意思，陈茂生建议我俩星期日一定回母校看看。我的好奇心丝毫不比他弱，星期日我们一

齐去了。大食堂门前的自由论坛最吸引人。记得那天主要是争论该不该使用苏联教
材的问题。几个大学生满面油汗地相继登坛演讲，大意是苏联教材未必高明，我们
何不采用英美教材云云。他们发言时激动得手舞足蹈，唾沫星子乱溅。陈茂生听得
十分认真，其实我也何尝不入神？眼前的场面和听到的意见都是无比新鲜的，真比
那种公式化概念化的电影有趣。陈茂生先是愤愤地对我说："苏联的教材有的也不能
否定啊！当然，博采众国之长也是应当的。"我点头同意："就是嘛！"也不知怎么一来，
陈茂生就登到坛上去了——其实那"坛"不过是一把普通的椅子——他以潇洒的风
度，珠圆玉润的嗓音、严谨的逻辑发挥了一通自己的论点，下头又有掌声、又有嘘声、
又有插话声，好出风头，我心里一阵阵醋意，几乎就要跟着蹦上去，同他比个高低
了——而这时候开始钟响，论坛暂告休息，我们也就回来了。

　　没想到不久便发表了《这是为什么》的社论，反右斗争开始了，运动在我们学
校开展了十多天，陈茂生若无其事，我也心安理得，但是，当我有一天发现他那关
于卓娅的舒拉的演讲稿，被一个什么单位打印出来，当做学习材料时，我心中的妒
火实在按捺不住了，我跑到党支部，不说揭发，只说"反映一点情况"："自由论坛
既是右派向党进攻的工具，陈茂生跳上去发言，客观上是不是起着帮助右派进攻的
作用？"

　　这以后，我亲眼目睹了陈茂生这朵鲜花的凋零。他那演讲稿先是被收回，后来
竟也成为了一种"右派言论材料"；他两个月里仿佛老了十岁，每天晚上咬牙写检查，
躺下后久久地失眠，早晨醒来枕上总落下许多的头发……仍是那个会场，仍让他坐
到前面，但不是请他作报告，而是勒令他检查交代。望着他倒霉的眉眼、佝偻的身姿，
我心里说不出的痛快！活该！该！谁让你比我强？

　　奇怪的是陈茂生始终没有来求我给他作证——证明他并未发表过什么反党反社
会主义的言论，虽然他仍然同我住一间宿舍。我看出来，他是认定我出卖了他，并
且盼他早日毁灭，所以他在我面前变成了一条鱼，一条可怜的、没有眼睑的、干瞪
眼的鱼。

　　陈茂生终于被清除出了教师队伍。他捆铺盖卷滚蛋的时候我不在宿舍。当我回

到宿舍中时，他的床铺已经只剩下光板；我在他的床脚下发现了一只暗褐色的空药瓶。我一脚把那药瓶踢到对面墙上，使它碰个粉碎。我有一种生理上的快感！

2

　　我搬出了学校，因为我结婚了。我的婚姻史不值一忆，但是我要忆一忆我的恋恨史。对，不是恋爱史，而是恋恨史。你们往下看就明白。

　　因为历史教师人数少，所以政治和历史两科合并为一个教研组。我是反右斗争的积极分子，有功，所以我成了教研组长。我们组里忽然来了一位新的历史教师，是个女的，体格像个运动员，但说话总爱脸红。她来了三天我就恨上了她的丈夫，虽然我根本没跟她丈夫见过面。我恨那男人，因为他居然讨了这样一个老婆。我时时拿自己的老婆同这位新来的隋老师相比，时时痛切地感到自己老婆没有她可爱。时逢夏天，光她那露出的胳膊上的肘窝，就能使我醉倒。有一天我忽然听说她病倒在家，爱怜之意从我心中油然漾出。我下午没课，三点钟左右，我蹭出了学校，直奔她家。她家果然没有别的人，仅仅是她自己披着衣服接待了我。我详细询问她的病情，劝她再量一次体温，把医院给她的药片倒在手心上，仔细地看，并且劝她还是上床躺着，千万不要客气……她惊异地望着我，并且谛听着门外的什么声音，十分钟以后，我们便无话可说了，但我仍不愿走，我注意到墙上的结婚照片，我发现那丈夫下颏很尖，我发疯般地恨那尖下颏……我找些教课的事来说，但我教的和她教的又并不一样，因此也支撑不到多久；后来，我只好告辞，我同她握了手，出屋后我翻来覆去地衡量她的手在我的手里停留的时间，算长，还是算短，还是不长不短？当晚回到家，老婆当做一件大事般地告诉我："我又做了一盆醪糟。"我火冒三丈："这玩意儿吃了脸上起疙瘩，你给我倒了！"她同我吵闹，我心里只想着别人家里的那张结婚照片，我真想把那尖下颏揪下来！

　　但是不久隋老师就调走了，据说是因为上班太远，她自愿调到较近的学校去了。我很快便忘记了她，连同与她有关的尖下颏。

　　隋老师调走不久，我们政治、历史教研组对面的语文组，又来了新的女教师。

她未免太年轻了，梳两根黑油油的大辫子，据说才 19 岁，是师范专科的毕业生。头一两个月她未能引起我的特别注意。她的眉眼长得不俊，性情似乎也并不活泼。但是，有一天在传达室，报纸来了，我听见翻报纸的教师们议论说："嘿，看见吗？人家许薇玲的散文登出来了！""嗬，好几千字，能得不老少稿费吧？"我一听心里就往外喷酸水儿。什么，她竟能在报上登文章？我赶紧抻过张《北京日报》来看，可不，真是她写的。我想起头半年《北京日报》来学校组织过谈教学经验的稿件，我也交过一篇，但我们学校交上去的一篇也没发。没发就没发，大家都没发嘛，我也没往心里去。可是许薇玲的文章为什么就能发出来？她能高明到哪儿去？那散文我没读几行就扔到了一边，并且忍不住对身边的人说："我最看不起这号报屁股上的豆腐块了，好好教书不结了，写这些个干什么？"

但是许薇玲竟接二连三地在报纸上发表着散文。自打这个现象出现以后，她每在我眼前晃过，我总能发现出她的一条新缺点，比如说神态清高呀，眉宇间有骄傲情绪呀，穿的棉袄罩衫颜色不正呀，笑声太浪呀，等等。我家里订得有《北京日报》，每回那上头有她的散文，我就总是迁怒于别的文章，整个不看，常常是当晚便拿来包东西，我老婆好几回尖声提醒我："这是今天的！你别用，换张旧的！"我反而更使劲地把当天的报纸揉撕着，不这样我心里就像卡着根火柴棍儿。

几年过去，许薇玲的散文竟至于足够出一本小册子了，出版社来的编辑，找到党支部，说是要给她出个集子。这消息让我听到了，我忍无可忍，当晚便找到支部书记家，足足谈了两个钟头，我讲到反修防修要从杜绝修苗做起，许薇玲是棵什么样的苗子？不务正业、搞旁门左道，追求名利，既害自己，更害学生……我的呼吁起了作用，党支部建议出版社缓出集子，我注意观察许薇玲，她眼窝变深、嘴唇变薄、笑声减少了。但是有一天我在王府井大街上，看见她同一个穿皮夹克的青年兴致勃勃地走在一起，并且毫不避讳我，走过来打招呼，向我介绍说："王老师，这是小吴，我的朋友！"我同那小吴握了手，满面笑容地同他俩开玩笑："什么时候请我吃糖呀？要不要这就到百货大楼买点呀？"但刚一分手我便妒火中烧，好个许薇玲，集子虽未出成，美男子却已到手，她凭什么有这么好的运道？

不久那史无前例的运动就来了。风暴乍起，我也懵了。学校里刚出现红卫兵那几天，我忽然觉得每一个同事都可亲可近，包括许薇玲在内。记得中午在食堂吃饭，她恰与我同桌，她用勺子搅着饭，吃不进去，喃喃地说："怎么回事儿呀？"我深有同感地叹息着："是呀，这不乱套了吗？"但是又过了几天，当批判"三家村"的高潮席卷而来时，我意识到，目睹另一朵鲜花凋零的机会来临了。我找到红卫兵，他们用怀疑的目光打量我，我知道他们正准备贴关于我的大字报，我在政治课上"放过毒"，但是我愿意立功赎罪，我提醒他们"三家村"的走卒就在校园之内，他们一点就透，第二天，校园里就刷出了一米高的大标语："把'三家村'的黑走卒许薇玲揪出来示众！"在操场上召开了声势浩大的批斗会，许薇玲被剃了个阴阳头，架到了台上，红卫兵们让她跪下，拿大瓶的墨水从她头上浇下来……我在台下屏住气，闭上了眼，两腿直哆嗦，我怕红卫兵因为我"放过毒"，也对我如法炮制；但是直到散会也并未将我揪出，我还是革命群众，回到宿舍，想到许薇玲这朵花儿终于也碾落成泥，我又产生出一种异样的兴奋，我觉得这种兴奋感与红卫兵"破四旧"中砸毁那些大街上的霓虹灯、那些庙宇中的彩塑时的兴奋感，一定是相通的，因而我认为自己无妨去申请加入红卫兵；我去了，提出了自己的要求，"小将"们对我报之以哄笑，他们朝我扔出了一把又一把的粉笔头，我狼狈地逃回了自己的宿舍；我恨红卫兵，我恨一切比我强大的人……

3

我也住进了牛棚。这个内心的秘密我不说，敢打赌——一万年也不会有人猜得出：我在牛棚里的基本感情，既不是愤怒，也不是颓丧，而是更强烈的嫉妒——为什么冯尔定当了劳改队的队长？

我们被"小将"们押到了农村，交给当地贫下中农实行"群众专政"。"小将"们照例是并不与我们同劳动的，贫下中农也并无对我们实行"群专"的兴致，因此，一切权威反倒集中到了冯尔定这么个家伙身上。

冯尔定被揪出来的原因，主要是因为他解放前夕去过一次台湾，何用仔细分析，更不能听信他的狡辩之词，他当然非叛即特。我以为比之于我的资本家出身、政治课"放毒"以及"妄图混入红卫兵组织的政治扒手行为"，他要卑微得多，而"小将"们竟丧失了正常的判断力，指定他来当劳改队的队长。

我们有几天的劳改项目是掏粪、挑粪。冯尔定是个 50 岁的胖子，一身囊肉，他挑着木头粪桶的那副喘吁吁的模样，真赛得过基督受难图。但是他是队长，焉敢懈怠？每回他总是掏个满桶，咬着牙，脚下绊蒜地煎熬着挑往晒粪池。不过冯尔定很会收买人心，就是别人挑多挑少他一概不管，除非明显偷懒，停止干活，他才四外望望，提醒你"干吧干吧"。这么干了两天，晚上回到我们住的破房子里，众牛鬼蛇神不免对他有了恭维感激之词。冯尔定听着这些谀词，盘腿坐在炕上抽着大粗叶子烟，面上居然颇有得色。我能生动地回忆起他呼出的烟雾灌进我鼻子里的那股辣味，这种辣味使我对他非常仇恨，因为他虽然白天难受，晚上内心里却能取得一种慰藉。我当时内心里却缺少这样一种慰藉。不知为什么，我的罪名相比而言比众牛鬼蛇神都轻，而我在牛棚中的处境却比他们都惨——惨就惨在几乎没有一个人主动跟我交谈。

每天晚上临睡前我们照例要开个认罪会，这时候"小将"们纷纷来听，偶尔也能拉来几个贫下中农代表。认罪会的开法是每个"牛"先自述罪状，然后大家评论认罪态度是否合格；这两天里冯尔定的认罪词不过还是那么一套，但大家竟纷纷说他老实、诚恳，我望着他那副垂下眼睑的模样，心里只骂他奸猾，但是我也不愿戳穿他的伎俩，因为倘若第二天"小将"真来检查每个粪桶装粪的情况，对我也并无好处。"小将"逼我对冯尔定的认罪发言表态，我一本正经地说："冯尔定的发言我认为不够老实，辜负了小将们对他的信任……"但是我的发言还不足以使"小将"们撤掉他的队长职务。

第三天，把冯尔定拉下马的机会竟从天而降——一阵风，把一角破报纸吹到了他的粪桶中，我素来眼尖，立即看出那角报纸有好大一幅领袖头像；当时我和他正并排摆下粪桶，在运粪的中途歇肩。恰巧两个"小将"从我们身旁走过，我先咳嗽了一声，引起了他们的注意，然后便一个劲地给他们使眼色，两个"小将"先是莫名其妙，紧接着便循着我的眼色去看冯尔定的粪桶，他们立即便看出了那"现行反革命"的罪行，于是便喝问起冯尔定来，冯尔定一开头怎么也没明白究竟发生了什么事，所以虽然无意顶撞，也不免反问了若干句话——最后他终于搞清楚发生了什么事，便一再解释说："实在是没注意——肯定是刚才一阵风吹进来的！"两个"小将"自然转而问我，究竟是不是一阵风吹进去的，我赌咒发誓地说："没看见风有那么大的本事……""小将"们便不再细细盘问，立即把冯尔定扭送到了场院，召开了批斗大会，批斗他的"现行反革命罪行"，我心想一不做，二不休，便站上前去，声嘶力竭地揭发他平时就有用带领袖像的报纸卷叶子烟的罪行，同时用推测的语气说："那准是他兜里掏出来，故意扔进去的……"

冯尔定这下垮了台，当晚"小将"们宣布了我任队长职务，我心中充满了狂喜与满足。奇怪，对冯尔定的坠落，我竟比对陈茂生和许薇玲的沉沦更为解恨。

4

我是个共产党员。这个事实今天想来连我自己也哑然失笑。我是反右斗争胜利结束时入党的。有时候共产党会发展我这样的人入党，并且同时会将陈茂生、许薇玲推至"反党"的死角，这的确很值得真正的共产党人仔细研究：为什么？怎么办？反正我也是快死了，我说实话——我入党的目的就是为了证明自己比非党员强。

1970年，我在整党中恢复了组织生活，并且由于种种因素，成了学校革委会的副主任，但是不久就进驻了工宣队，工宣队长兼上了革委会的主任。那位工宣队长名叫白春富，是个十足的活宝。我恨他，因为他处处不如我，却反而当了一把手。他原是1958年老高中落选的初中毕业生，是那个年月里最让人瞧不起的次等货。他在煤厂当过一段临时工，每天坐在树墩子上劈劈柴，后来总算混进了国营工厂，在厂里是个有名的痞子。史无前例的运动一起来，他成了造反派头头，派驻工宣队的潮流一到，他大摇大摆地来到了当年没能考上的重点中学，坐上了相当于校长的交椅。他内心的那种满足感与报复欲，大概唯有我能最充分地理解。

白春富最爱向全校师生或全校教职工训话。每回上台，老是他在前头走，我在他左右侧跟着。他梳着个油亮的大背头，时值初冬，总爱在小棉袄外头披着个短大衣，一上台他便两肘朝后一摆，两肩随之一耸，于是那短大衣便飞落下来——回回总是恰落于我的臂弯之中。每次当这一刹那，我就有一种当场把他打杀的欲望在胸中蠢动，但是他若回头对我一瞥，保管可以看见我脸上挂着一副谦和热情的笑容。

白春富的笑柄很快就凑足了一打。比如，他在宽严大会上威风凛凛地吼道："我们的政策很明确，就是'坦白从宽，抗拒从严'这六个大字！"又比如他深入同学中"做深入细致的思想工作"，示范性地进行"谈心"时，会问出这种问题："啊，你哥哥是汽车司机，你们俩是他大还是你大呀？"庆祝建军节的大会上他亲自领呼口号，"没有一个人民的军队，便没有人民的一切！"这个口号，他总爱拆开了领呼，并且常常撇掉下句，人们犹豫着不敢跟呼，他便吹胡子瞪眼，责问人们是什么感情？！于是会场上便时时发出"没有一个人民的军队！"这样的齐呼声……

我和白春富的明争暗斗很快便白热化了。在这场冲突中，我欣喜地发现，群众的同情与偏向往往都落到我这一方。我既然无法从政治上与白春富抗衡（他是无产阶级，我毕竟得算接受再教育的一员），便千方百计从生活问题上入手去将他的军。

一个大雪纷纷的夜晚，我得知白春富跑到一位单身女教师宿舍中"做思想工作"，便蹑手蹑脚地走到宿舍的窗外，蹲下来偷听他们在屋内的谈话；寒气冻得我耳朵发麻、双腿变僵，但是我却充满了狂喜——因为我听到了他们在打情骂俏；我利用工宣队内部矛盾，找来了同白春富对立的两个队员，一齐闯进了那间宿舍，惊开了手拉手正待入港的一对宝贝。嘿，这一仗打得真漂亮！"四人帮"倒台后，我得以当上党支部副书记兼副校长，这场"路线斗争"的功绩是一大缘由。

我的生活和事业（如果我有事业的话）都变得顺利起来。但是我仍然时时苦闷、仇恨、愤慨。因为世界上竟还有那么多比我强的人和事。我不放过任何把别人成功和幸福毁掉的机会。举一个小例子：前面提到的那个许薇玲，历经沧桑，仍然活着，还是教她的语文；她从各方面来说都不是我的对手了，很难刺激起我的反应；但是去年元旦前我在她办公桌上发现了一册挂历，大约是她的什么熟人送给她的，印制得很精美，每月都是一幅名画家的佳作；这就足以使我生出宋高祖灭南唐之意，我来回翻着，嘴里啧啧赞好，手指头狠命搓折，许薇玲一再地说："你轻点，别给我弄坏了。"

我却偏当没听见这话，到头来我还是给那挂历留上了几个黑指纹印，心里才舒坦一点。当我现在浑身的淋巴结里都流窜着癌细胞时，我才敢于坦白出这样的内心隐秘。我怎么会是这样的一个人？什么理论能对我加以科学解释？

记得我头一回来医院门诊，检查完我的肝功能时，意外地在医院走廊里遇见了一个人。她顺下眼皮，打算从我身边一声不响地走过，我却大声把她叫住了："隋逸文老师！"她只好停步，脸上浮出一个浅浅的笑容："啊，王思衍老师，您也来看病？"我望着她，许多年前在她家中的那一幕回到了我的心中，我细细地把她打量，发现她明显地老了，眼角挂纹，腮帮微垂，非常憔悴。我在这样一个失去了魅力和竞争力的女人面前，熄灭了一切欲念，我陪她坐在候诊室等待叫号，温和地询问她的近况，为她那尖下颏的丈夫不幸去世而深深地叹息，完了还帮她排队划价、付款、取药、送她到车站上车；她同我分手时，眼里竟恢复了活泼的光泽，在一句话上竟至还笑出了声来……我顺着修剪得颇为美观的林荫道往家走，听着马路上自行车的铃声和汽车的笛音，不知为什么涌出了一股子忏悔的感情……但是当我迈进家门，当老婆向我絮絮地报道各色消息，提及："当年给你们打成右派的那个陈茂生，听说已经平反改正，又回北京了……"我那医院邂逅中形成的情绪顿时便烟消云散，我想到陈茂生不管受了怎样的折磨，毕竟永远会比我小一岁，而且他聪明过人的特点肯定并未消失，我的胸膈便膨胀起来，借口老婆炸出的肉酱太咸，我大大地发了一通火！

我啊我啊，我就是这样的一个人！

5

我所嫉恨并且拉下来、打下去的人，他们又都钻出来、站上去了。而我所新嫉恨的人，却拉不下来也打不下去。去年区教育局派来个赵醒，他当校长，我算保留了个第二副校长的职务。赵醒原是某重点中学的副校长，老资格，又是个内行，生活作风上也无懈可击，我对他只有退避三舍。但是在某些问题上，我毫不客气地同他斗法。学校里有个青年教师小聂，提出来要报考科学院的研究生，他支持，我就反对。不要相信我公开说出的理由，我反对是因为我怕小聂真的考上了，那他不是就比我更高级了吗？已经高级并远离我而存在的我可以不管，在我身边的想要拔尖，那我非掐尖不可，这已经成了我的一种本能。

但是上面有精神，这类事不能阻挠。那小聂不但报了名，而且在初选中入了线。有一天，赵醒去区里开会，传达室送来了科学院的公函，我拿过来一看，是通知小聂按期去进行口试。我略微想了想，便重新用"骑马钉"把信封封好，然后，把那封信塞到了赵醒那张办公桌和墙壁之间的缝隙中，使那信恰巧被夹住而不至掉落地上。赵醒参加的那个会要进行一周，他基本上不来学校，所以学校里的一应大事均由我掌握。果不出我所料，两天后，小聂找我来了，他一脸傻气，两只眼睛闪着最令我不耐的聪慧之光，进得办公室便问我："老王，科学院给我寄的口试通知书来了吗？"我故作沉吟地说："我没见着啊。你这事一直是老赵在经手，他接着没有我不知道。"小聂有点沉不住气，一张脸汗津津的，惊奇地说："我去问了人家招生办公室，说口试有我，通知书寄给咱们学校了；我也往区里给老赵打了电话，他说他没见着通知，让我问您……"我侧过身去，拿起报架子上的报纸，冷冰冰地说："我这儿没见着什么通知。"说完便看报纸，只听一声门响，小聂沉重而急促的脚步声渐远，于是我嘘出一口气来，不知为什么，忽然想沏上一杯酽酽的茉莉花茶，细细地坐下品品。

三天后，小聂又找我来了，他说："我又去了招生办，人家让我明天上午去口试，我那三节化学课，您看是不是给调调？"我摇着头，正色对他说："那怎儿成！没见着正式的通知，我不能准你的假。"他急了，逼近我说："您不信您打个电话去问问，要不，我今天下午就让他们补个通知来，成不成？"我作出忙于审阅卫生室送上的一打表格的样子，不耐烦地说："我对任何后门都不感兴趣。"这句并不对题但又隐含着某种深意的话，使小聂顿时变了脸色，他咬咬嘴唇，摔门走了。

第二天小聂旷工半日，我有意到有他的课而改为自习的班上转了转，以诱导式的提问，搜集了不少同学对他教课的意见。

下个星期一，赵醒开完了会，来办公室上班，他一擦桌子，那封通知书就从夹缝中落到了地上，他看后埋怨我怎么不把这信收好并及时转给小聂，我淡淡地说："怕是传达室老头送来时我也不在，学生帮助大扫除时，把放在桌上的信不小心弄到那缝里去了。"赵醒便也不再怀疑。他找到小聂,询问口试情况,据小聂说因心神不定,回答得很不理想。

然而科学院竟还在考虑录取这位小聂。他们招生办来了个人了解情况,赵醒那天恰巧又不在,我主动接待了这位同志,先以平淡的口吻,介绍了小聂思想作风以及教课方面的种种"缺点和不足",然后又以极恳挚的语气说:"如今中学师资奇缺,希望你们多多支持我们中学!只有保证好基础教育的质量,才能发展尖端科学啊!"这似是而非却又颇有感染力的话语,竟使那位科学院招生办的女同志为之微微颔首。

据说是经过一番"比较平衡",小聂终于落选。赵醒告知我这个消息时,不住地为之惋惜,我严肃地对他说:"你可不能对他流露出这种情绪,他的教学态度本来就有待改进,我们要进一步加强对他的教育……"赵醒只好点头。当天下班时,恰遇小聂灰溜溜地推车走出校门,望着他的背影,我觉得夕阳是那般的艳丽,晚风是那般的骀荡。

回家的路上,我拐进"翠华楼"要了一份"芙蓉鸡片",买了二两"白干",仿佛是在庆贺我的什么喜事似的……

6

躺在病床上,望着灰色的天花板,我不禁滋生出这样一些想法:自我参加工作以来,多少番政治斗争的风雨冲刷过我啊:"反右"、"反右倾"、"四清",然后是"史无前例"的"大革命",这场"革命"的风暴不可谓不烈。其间又有着"横扫一切"、"斗走资派"、"夺权风暴"、"清理阶级队伍"、"一打双反"、"深挖'五·一六'"、"批林批孔"、"评法批儒"、"反击右倾翻案风"等等密密麻麻的互为重叠的斗争阶段,至于嵌于其中的无数次"整团"、"整党",就更难以数计了。可是斗来斗去,整来整去,斗得对不对、整得该不该的是非姑且不论,却从未真正斗到、整到我内心中的这个"原始冲动"上来。而且冷静一想,在某些斗争阶段上,我的这种"原始冲动",甚至还得以膨胀,并为我挣得意外的收获。粉碎"四人帮"以后,我同一些人一样,把自己的一切过错往"'四人帮'流毒"上一推,依然故我,轻松自在。直到现在病入膏肓,我才似乎有点醒悟。有的人病到垂危,愿献身于医学科学事业，立下遗嘱，将自己逝后的身体，送给医院解剖研究；我这肝癌据说属最常见的典型病例，尸体似无多大的解剖研究价值，但我愿留下这份粗陋而特殊的"X光片"，献出自己毫无遮掩的灵魂，供解剖以作研究，只是不知接收者该是哪一个"有关部门"矣。

代邮

望下列同志读完此文后，将反应寄广东人民出版社转我：

赵醒　陈茂生　隋逸文　许薇玲　冯尔定　白春富　聂子明

1980 年 7 月

乔 莎

1

长椅不属于我。因为我还没有"她"。

我倚在湖栏上，眯起眼，望着湖边闪烁的波光。那波光好似显而又逝、逝而又显的精灵，我下意识地要把它们数清："一、二、三、四……"然而它们不断地交换着位置，衍化着，我数不清，一辈子数不清，那些在我心中涌动着的朦胧的意念，同这神秘的波光一样，也是永远数不清的。

忽然，在闪动的波光映衬下，出现了一只小船。它进入我视野的同时，也就闯进了我的心房。至今，我闭上眼，仍能栩栩如生地恢复出那傍晚的画面。不，不仅是画面，而且有声，那波波的浪拍船帮的声音，那确确实实是犹如银铃般的笑声……

划船的是个绝妙的姑娘。她两只细白的小手娇柔地握住桨柄，两条并着伸得直直的腿裹在深褐色的喇叭裤里，仰着明眸皓齿的小脸，爽朗地望着我，笑着。

我对她报之以微笑。对任何一种美丽、幽雅的事物，难道不应当都这样对待么？

"是你的吧？"她用下巴颏指着。在湖栏内侧的水泥岸沿上，失落着一本打开的书。

啊，那书是什么时候从我手里掉下去的？我弯下腰，要拾取那本书，而她却已经从船上站起身来，把书拿到手了。船因此大幅度地颠簸着。她快活地尖叫起来，这时一只船桨落到了水中，并且立即漂走了。她仰起头，娇嗔地对我嚷着："都是你都是你……书我没收了！"

我翻过栏杆，望着漂走的船桨，正犹豫着，只听她命令说："快帮帮我呀！"于是，我跳进了船中，小船仿佛就要散成碎片了。一阵猛烈的颠簸，她的两只小手不由得握住了我的左右胳膊，这时我才发现她把一头油黑的秀发扎成了一条"马尾巴"，那"马尾巴"随着小船的颠簸甩动着。

当我们终于在船上坐稳当、并且我设法将那漂走的桨弄回来以后，我们才平息了各自的喘息。我坐在划桨的位置上，她坐在船尾，抱着膝盖，夕阳在她的身后，给她俊俏的身姿勾了一道暗红的边，她头上飘逸出的发丝，全成了近乎透明的蜂蜜色，这时我才意识到她上身那件柠檬黄的膨体纱毛衣，与周围景色是那么协调。

我那本书放在我俩之间的横隔木上，任晚风吹动着书页。那是一本乔治·桑的《安吉堡的磨工》，对它我是百读不厌。

"你是中文系的还是西语系的？"她问我。

"你怎么见得我是大学生？"我缓缓地拨动着船桨，把船儿划进垂到湖面的一笼柳枝中。

"这书上盖着你们学校图书馆的戳儿呀！"她得意地微笑着。她眼睛真尖，在刚才的混乱之中，她竟能看清书上的印章。

"这是我跟别人借的。"我告诉她，"我是个待业青年。"

"得了吧。"她那鲜红小巧的两片嘴唇生动地开合着，"谁也甭想蒙我，我会相面。"

她真行。我只好"从实招来"："我是物理系的。你以为学物理的就不爱看小说吗？"

"我不那么认为。"她笑得多甜，多美，她的神情多么舒展迷人，"你才会瞎以为呢！你准以为我们学舞蹈的根本不知道谁是爱因斯坦。可是我就翻过他的《狭义相对论》，$E=MC^2$，对吗？"

原来她是学舞蹈的。是呀，她怎么会是学别的呢？看，她那修长的双腿，她那袅娜的腰肢，她那富于表情而毫不显得做作的面容，她那纤纤素指和秀美灵活的脖颈，显然都是为奥杰塔，为吉赛尔，为葛蓓利亚……而存在的。我望着她，她在夕阳中融化了，随后她的身影飘飞在湖面上，浑身闪着乳白和柠檬黄之间的那么一种颜色。她头上别着闪着珠光的花环，身上是《天鹅湖》中的天鹅裙。她不时跃起，在空中变化着优美的造型，又不时落下，用足尖点着湖水，逗起梦一般神秘的涟漪……

"你想什么呢？"她的声音惊破了我的幻觉，我的视网膜上重新出现了她，她那毛线衣的高圈领里织有金线，使人联想到莲花瓣上的纹路，她真美。她评论我说："你这人真爱冥思默想！"

冥思默想！我笑了。我喜欢她用这样的词汇形容我。

当交船上岸，并排坐到浓荫下的长椅上时，我已经成了她的哥哥。而她，成了我可爱的妹妹。

"我一个人在北京上学，连个亲戚也没有。"她望着自己那伸出去的、两只互相逗弄着的脚尖，真情地说，"在练习厅里练功，从大镜子里看见我自己的影子，我就对自己说：那是我的姐姐，练习完了，她就会从镜子里走出来，跟我一块儿玩，给我温暖……可是她总也走不出来。现在多好呀，有了你……哥哥！"说到这儿，她抬起脸来，一双清澈的大眼睛望定了我，又是恳求又是命令地说："你可别欺侮我啊！"

"我会保护你的。"我说，"以后你放假，就到我家里来。我家住在三门大街。新分的一个单元。我爸爸的骨灰盒去年移到了八宝山，你明白了吧？我妈妈现在搞外事工作，她人很温和，她会喜欢你的。我姑妈也在上海。你家住在什么地方？"

"梵王渡路，侬晓得哦？"她操着上海音告诉我，随即又恢复普通话，补充说，"解放后改名字了，叫万航渡路。上海翻译外国电影的影片厂就在我家那条街上。来北京以前，我常去那儿看外国电影。"

"真的吗？"

"不信你问我大姨好啦！"

"你大姨？"

"对。她叫李梓，你听说过吗？"

"当然，她给好多电影配过音。她的声音真好听！"

"是吗？可是你哪知道，她跟我妈妈吵嘴的时候，那个声音才叫难听呢！"

"吵嘴，为什么吵嘴呢？"

"还不是为了我。妈妈要给我买钢琴，她反对。"

"为什么反对呢？"

"她说我朝舞蹈方面发展，有录音机就够了。她总嫌我妈妈大手大脚，乱花钱。"

"你妈妈……她也是搞艺术的吗？"

"你这个人，查户口吗？"她笑吟吟地望着我，一点也不生气，"反正我得暂时保密。"

我们久久地在公园里漫步。有一只蝴蝶，长得并不好看，麻灰色的翅膀上有几个杏黄的圆斑，它不知怎地忽然出现在我们面前，她伸手去抓，没有抓住。但那蝴蝶也真是怪，它总不远走高飞，而是挑逗般地在前方飞动着，有时定在空中扑腾翅膀，有时甚至飞转来又升上去，于是她便活泼地追捕着这只狡狯的蝴蝶，一会儿蹑手蹑脚，一会儿优美地弹跳起来，啊，那真是一套完整的舞步。但是转过一座假山，蝴蝶终于没有了踪影。她微微喘息着，用纤纤素指理着鬓边汗湿的头发，扬起柳叶般的双眉，苦笑着说："瞧，又扑空了！"

不知为什么，她这苦笑竟使我格外动心。

夕阳收敛了余晖，整个公园顿时变得黝暗起来。我这才意识到了时间的流逝。

"呀，得去上晚自习了。"我对她说，"我还从没迟到过呢。你们也有晚自习吗？"

"当然。"她满不在乎地说，"我可是经常迟到。晚自习用来复习文化课。其实我们将来主要靠练功房里的成绩吃饭。文化课能及格就行了。"

"对于一个舞蹈演员来说，文化修养也很重要啊。比如乌兰诺娃……"我随口说着。

"哥哥，你训我了！"她截断我的话说，"你跟欧阳竹一样，净爱训人！"

"谁是欧阳竹？"

"就是跟我一块从上海来的……去年舞校从上海考区一共只招了我们两个人。她跟我可不一样，她老是那么正经八百的样儿……"

"我也是正经八百的样儿吗？"

"有点。"

这时候我们已经走到了公园门口。

我这才想起来问她："妹妹，你叫什么名字啊？"

“我叫乔莎。你能猜出这两个字吗？”

“《乔老爷上轿》的‘乔’……”

“干吗那么俗？‘乔治·桑’的‘乔’！”

“‘莎士比亚’的‘莎’，对吗？”

“对。哥哥，你呢？”

“我叫宗晓钟。你当然猜不出是哪三个字，干脆我告诉给你：‘祖宗’的‘宗’，对不起，这姓很俗；‘东方欲晓’的‘晓’，‘闹钟’的‘钟’……”

“晓钟哥哥！我真高兴，认识了你！”

“我也一样。可是……我们，以后怎么办呢？”

“把你家的地址给我吧，我会去找你的。”

“你下星期日就来吧。早点来。一早就来。你当然爱听音乐，我有好多录音带，我自己还做了音响，听起来特别过瘾……”我把地址写给了她，“你不会不来的，是不？”

“我肯定去。”

出了公园，我送她上了公共汽车，望着渐远的车身，我心中有了一种充实感。

我没有去上晚自习。我又买票回到了我们坐过的那条长椅附近。长椅上坐着一对比我年龄要大得多的恋人。

我觉得那长椅应属于我。因为我已经有了“她”。

2

那天一早就下小雨。还有风，风把雨丝扯断，把雨点摔到我们六层楼的玻璃窗上。我想乔莎不一定会来了。可她要不来，我就定不下心看书。看不下《量子力学》，也看不下《安吉堡的磨工》。她来了，我就能定下心看书吗？想到这个问题，我望着玻璃窗上自己淡淡的面影，微笑了。

我走拢窗前，甚而打开窗子，朝下望。一阵风灌进来，把我桌上的书吹得噗噗响，把零星的雨点甩到我的脸上。楼下人行道上浮游着彩色的斑点，那是打伞或穿雨衣的人，间或也有拐进楼门的，但我无从判断他们里头有没有乔莎。我想乔莎一定是打伞的，不知道为什么我觉得她应当打一把淡绿色的折叠伞。为什么这样的伞一直不来呢？

一直到这样的念头占了上风，我才关上窗子，回到桌边，想：下午天会晴的，她自然是天晴了才会来。看不下书，我就演算习题。习题真是个奇妙的东西，它使你变得冷静，从抽象走向抽象，你就忘记了声音、色彩和感情。

敲门的声音使我惊跳起来，我几乎是冲过去把门打开了。果然是乔莎！

我不记得当时是怎么把她让进屋里的。直到她坐到沙发上，手中捧定我递给她的一杯杏仁麦乳精时，我才注意到她服饰上的变化，她穿着一身暗金色的灯芯绒衣裤，敞开的西装领里，露出墨黑的开司米毛衣，这回的毛衣是无领的，把她的面庞和脖颈衬托得格外雪白。她带来的伞撑开晾在门厅里，那不是折叠的，也不是淡绿的，而是一把小巧的橘红色的南式纸伞。我开始觉得淡绿色是不相宜的，在这雨天，唯有暖色才能给人带来乐趣。

"你怎么才来？"我对她说，"我妈妈一直等到九点。她九点半要参加会见日本的一个什么代表团，中午的宴会还要作陪，我把一切都告诉了她，她说愿意见见你。"

"我也愿意见妈妈。哥哥，家里别的人，我都乐意见。"

"别的人没有了。我爸爸要活着多好！我姐姐比我早一年考上大学，她考到西安去了，放暑假才回来。我们家就这么简单。"

乔莎小口小口喝着杏仁麦乳精，转动着眼珠，打量着我的屋子。我把录音机接上音响，放美国作曲家乔治·格什温的《蓝色狂想曲》给她听。

我们俩真像一对亲兄妹，真的！我骑在椅子上，把胳膊叠放在椅背，就那么望着她，径直望着她那双大而黑、清而亮的眼睛，跟她自自然然地聊了起来，从音乐聊到文学，从乔治·桑聊到海明威，从最近的文学期刊聊到旅游杂志，从我们听到的难以证实的国外见闻聊到确实见过的难以接受的现实阴暗面……

说到兴浓处，我滔滔不绝地议论着："我们是幸运的。在祖国的这片大地上，我们算生活在上层的。我们有知识，有教养，并且，我们的前途有保障……"

"上层？"乔莎仿佛是瞪了我一眼，然后迅速地垂下了眼帘，久久地没有抬起。

"啊，你别生气。我的意思，不是说我们自以为了不起，高人一等，恰恰相反，我们应当永远记住，还有那么多、那么多的同代人，他们的物质生活也好，精神生活也好，都还是那么样地欠缺……我们应当为他们做点什么，即便现在还做不成，今后能做的时候一定要做！"乔莎猛地抬起了眼睛，啊，她在怎样地望着我啊，那双眼睛仿佛是晴阳下的泉眼，涌荡着金色的波环。她感动地说："晓钟哥哥，你的心真好、真好！"

我们不能总是坐着谈话。我请她参观我的藏书，我有两个新的玻璃书橱，橱里巧妙地排列着我心爱的文学书和专业书，并配置着一些雅致的工艺品：一座贝多芬的石膏像、一只造型奇特的白瓷天鹅、两个泥塑的傣族少女、一只妈妈从罗马尼亚带回来的玻璃猫、一盒京剧脸谱……她仔细地欣赏着这一切，最后，她对两三本文学书爱不释手，娇羞地问我："哥哥，借给我看看好吗？"

"妹妹看哥哥的书，还用得着说借吗？"

她把那三本书捧在胸前，甜甜地笑了。

然后她顺便翻检我的录音带，仔细地看我夹在盒盖里的小纸片，那些纸片上开列着曲目。

我为其中仅有的两盒俗气的流行曲磁带害臊了。人家古典芭蕾舞专业的学员，享受的是什么样的音乐教育啊！

"没有你需要的吧？也许，这盒小泽征尔指挥的贝多芬'第五'……"

"我拿去听听吧。录的质量好吗？我那台9930低音感很强。"

"就是李梓阿姨也不反对你妈妈给你买的那台吗？"

"当然。"

"你应当让李梓阿姨给你录一段外国电影里的台词……"

"那当然。不过，她老了……为什么不让我们年轻的来干呢？"

"你也想进入电影界吗？"

"想？我已经进入了！"

"已经进入了？！"

"当然。我本来想马上告诉你，因为还没有正式开机器。你知道北影正在筹拍《孔雀公主》吗？"

"《孔雀公主》？知道知道！"

"你知道谁演公主、谁演王子吗？"

"嗯……"

"李秀明演公主。唐国强演王子。"

"你呢？"

"当然是配角。名字暂时对你保密。上个月导演来我们班上挑演员，看上了我和欧阳竹，我们去试了镜头。大前天来通知了，不要欧阳竹，要我……"

"当然应该要你。"

"为什么？你又没见过欧阳竹。"

"她太古板。"

"对了。人家不要古板的。前天我正式到了摄制组。十来天以后就开机器，先拍摄影棚里的戏，然后出外景……"

"嗬，我妹妹上银幕了，真了不起！"

"是了不起吗？"

"当然。"

"哥哥，你说我能演好吗？"

"怎么不能？你准能演好！"

她把书和录音带都搁到了一个小巧的淡褐色的手提包里。然后，坚决地告辞。

"外头还在下雨。你在我这儿吃面吧。我会做怪味面。"

"不。我还有事。我要去副导演家里。"

"你什么时候再来？"

"下星期日。"

"如果你不来呢？"

"如果我不能来，我就事先给你写信。"

"如果你不来，我就去找你。"

"别。我们是不准交男朋友的。学校里准会议论纷纷，说不定欧阳竹就要召集团支部会，训我。要是班主任知道，那就更不得了。"

"天哪！这种日子你还要熬多久？"

"三年。一千天。"

"对了，你去拍电影，学校就管不着你了。我去北影找你。"

"学校跟北影讲好了，没我的戏，我还回学校。我们的练功是一天也不能停的。所以，很难说我什么时候在学校，什么时候在电影厂。"

"你会累坏的。"

"不。"乔莎脸上又出现了一个迷人的苦笑，我只怕闲坏了，不怕累坏了。我忆起了上回在公园里，她没逮着蝴蝶时的那个苦笑。两个苦笑在我脑海里重叠到一起，变得酒一般令人陶醉。

她走了。我等着下个星期日。

3

听到敲门声，我就冲过去，"嗖"一下打开了门。

门外站着个老太婆。我气冲冲地认出她是住在同一层上的邻居，仿佛还是个什么治保委员。

"这是你的信吧？"

我接了过来，说了声"谢谢"，便"砰"地撞上门，站在门背后，迫不及待地拆开了那封"寄自舞蹈学校"的信。

信是这样写的：

晓钟哥哥：

我星期日不能去找你了，因为我接到了妈妈的一封来信，妈妈不许我随便跟不认识的人来往。我想，至少得等到妈妈的下封信来了以后，我才能够再去找你。当然，我已经给妈妈寄去了一封长信，告诉她你是多么有修养、多么正派、多么好的一个哥哥。我想，她再来信时，一定会同意我跟你继续来往的。

　　祝你

　　快活！

妹妹乔莎

　　让她妈妈见鬼去吧！我咬住嘴唇，一口气冲下了楼。我没坐电梯，我是用前脚掌跑下楼的。我冲进了放公用电话的服务站，扑向了电话簿，很快便查到了我要打的电话，并且立即接通了。

　　"我找乔莎。"

　　"谁？"

　　"乔莎。"

　　"乔莎是谁？"

　　"你们那儿的学生。学古典芭蕾舞的。"

　　（"嘿，找乔莎的。你们班上有叫乔莎的吗？"

　　"谁？让我来接。"）

　　"我找乔莎。"

　　"乔莎？你哪儿的？"

　　"我是她哥哥。我有急事找她。"

　　"谁？"

　　"乔莎呀！乔莎在不在？"

　　"乔莎？……我们班没有叫乔莎的啊！"

　　"怎么没有？她是学古典芭蕾舞的。"

　　"古典芭蕾舞？我就是学这个的。我们这个专业没有叫乔莎的。"

"怎么没有？她是从上海考来的。去年他们上海一共来了两个，一个她，一个欧阳竹。"

"怎么回事？没有叫乔莎的，没有叫欧阳竹的。"

"她们是从上海来的。"

"我就是从上海考来的。我们才不止两个呢。我们里头没有叫这两个名字的。"

"你是几年级的？她们是一年级的，一年级还没上完……"

"现在只有一个年级，没有你要找的人。"

（"怎么回事？她们是学古典芭蕾舞的，三年制的专业……"

"三年制？我们是六年制啊，只有六年制，没有三年制……"）

（怎么回事，甭跟他啰嗦了！"

"他要找什么乔莎，咱们这儿没有什么乔莎。"

"找乔其纱请他去百货大楼……"）

"喂，我们这儿没有乔莎……"

对方把电话撂下了。

我不相信。我不能相信。这不可能。

我给北影打电话。我向总机要《孔雀公主》摄制组。这个摄制组果然没有休息。

"喂，我找乔莎。"

"您找谁？"

"乔莎。乔莎。乔莎。"

"您是哪儿？"

"我是你们摄制组演员的哥哥。我找乔莎。她是我妹妹。"

"乔莎？我们这儿没有乔莎。"

"没有乔莎？有的。她是学古典芭蕾舞的，你们请去配戏的。"

"我们这儿没有芭蕾舞演员。"

"请您问问。乔莎。她有个姨叫李梓，是上海电影译制厂的，李梓，李梓您总知道吧？"

"李梓跟我们没关系啊。你究竟找谁？"

"乔莎！！！"

"对不起，没这个人。"

我想把电话机砸烂。这不可能！我不能相信！不愿相信！不忍相信！

我一口气跑上六楼。我不坐电梯，我等不及。我开了门就扑向我的床铺。我把脸埋到枕头里。我把那封来信捏成一团。

待我稍微冷静一点以后，我就把那封信拍平，仔细地加以研究。

我忽然发现，邮戳上有"24 支"的字样。我想起来，我的一个中学同学，现在就在 24 邮政支局工作。"24 支"在西北城一带。那儿根本没有什么舞蹈学校。

妈妈照例不在家。我怔怔地坐着，满脑子是乔莎的各种印象。乔莎的"马尾巴"晃动着，她在对我笑。乔莎的纤纤素指翻动着《安吉堡的磨工》，她抬起一双秀媚的眼睛，望着我。乔莎打着橘红色的油纸小伞，在蒙蒙细雨中走着。乔莎在花径中扑蝴蝶，蝴蝶飞走了，她微微喘息着，苦笑，对我说："瞧，又扑空了！"……

我听见有人敲门。准又是那个老太婆。门本来并没有关拢。来人已自己走来了。

"晓钟哥哥！"

我"腾"地站了起来。

的的确确，是乔莎。

"哥哥，你收到我昨天发的信了吗？"

"收到了。我正生气呢！"

"别生气，哥哥。我这不是来了吗！"

"既然打算来，干吗还写那样的信？"

"就不许我们有思想斗争吗？"

她满脸娇憨，我的心几乎要软下来了。

我们各自坐到了一个星期以前的位置上。我审视着她。她又穿上了我们头一次见面时的衣着。我发现她的右颊上有小米粒大的一块红肿，这又使得我觉出她的面部轮廓并不那么和谐。

"哥哥，你怎么了？"

"我有点不舒服。真的。一早我就头痛。现在更厉害了。"

"你为什么不吃止痛片呢？"

"吃了。吃了也不顶用。"

"下次，我给你带点保管顶用的。"

"你能从哪儿弄到那么灵的药呢？从舞蹈学校的医务室吗？"

"我……"

"或者，从《孔雀公主》的摄制组吧？"

"当然……"

"可是，我刚才打电话问过了，无论是舞蹈学校还是《孔雀公主》摄制组，都没有一个名叫乔莎的人。"

我目不转睛地望着她，同时估计着她会作出的反应。她会蹦起来吗？她会大声争辩？或者，她将仰头大笑？……

乔莎微微别过脸去，两眼闪闪地望着屋角的什么东西，静静地，足有一分钟没有说话。她显得很疲惫，仿佛演员刚刚回到后台。

这令我很惊异。更令我惊异的，是她终于慢慢地转过脸来，坦然地望着我，请求说："哥哥，让我洗个脸，好吗？"

我不能拒绝。我把她带到厨房，指给她脸盆、香皂和毛巾，并且给她往脸盆里倒了热水。

她将起毛线衣袖口，低下头，很仔细地洗了脸。洗完，她又请求说："哥哥，有香脂吗？我想擦一点。"

我把妈妈平时用的一点化妆品指给她，她把两种香脂各挑出一点，在手心上揉匀，然后，张开双手，可怜巴巴地请求说，"有大点的镜子吗？"

我不想带她到妈妈的屋子里去，只有那里头才有带大镜子的立柜。我摇摇头，于是，她温驯地对着厨房水池上方的一面小圆镜子，非常细致地往脸上擦着香脂。我这才懂得，妇女为了美化自己，要付出那么多的心血。

回到我的房间，她坐到我坐过的那把椅子上，也像我那么反方向骑坐着。她把两只手伸到脑后，解开了系住"马尾巴"的带小球球的环扣，换上从衣兜里掏出的一个橡皮筋，然后把"马尾巴"盘了起来。这样，从侧面望过去，就构成了一种新的情影。

她把我弄得莫名其妙。我猜不透她在想些什么。

我在沙发上坐下来。我们交换了以往的位置。

我问她："你的家真的在上海吗？"

她淡淡地说："不。就在北京。"

"在北京西北城吧？"

她眉毛微微一扬："不错。在新街口。"

她说了胡同的名字。

"那么，李梓呢？"

"我从电视上见过她。"

沉默。

我似乎不应当问得太多。毕竟她无须对我承担什么义务。是我主动把她邀请来的。

"你不该这样。"我想起了那个并不存在的欧阳竹，不知为什么，我觉得这个并不存在的人仿佛就在我们旁边站着，而且我不能不随她的口吻来说话，"这是欺骗，是不道德的。"

她很平静。她站了起来。

"我该走了。原谅我吧，哥哥。"

我说不出话来。她还叫我"哥哥"！

4

在那条胡同中段，有几栋简易楼。

我打听出来了，她就住在那儿的简易楼里。

我是跟24支局的老同学打听的。我们一块在房山县插过队，我们的友谊是在土炕上用窝窝头凝结的。虽然我们好久没遇上,可还是一见如故。我把一切都告诉了他,他一拍大腿,肯定地说:"什么乔莎!那丫头叫李月梅,她爸爸大概在外地一个什么勘测队工作,每月往家里写信,都使一样的印着单位名称的信封。我前一阵子管送信,常到她家楼前去,每回总是她出来接,板着个脸,接过信就扭身进楼。……"

真希望他说得不准。可是我一走到楼前,跟遇上的头一个胖大嫂打听李月梅,她便立刻指给了我:"她住那儿。"

那儿是二楼的东边。这楼真是名副其实的简易。赤裸裸的红砖墙,夹在墙中的没有扶手的楼梯,窄窄的楼道,矮矮的天花板,以及照例砸得稀烂的公用窗的窗玻璃,配以厨房和厕所的混合气息,使我产生了许多的感慨。这是多么简易的事:盖简易楼,让人们简易地生活。最好再训练出一种简易的思维,简易的感情,不过,那我就不会闯到这个地方来了。我之所以来,究竟是出于好奇,出于思想,出于对奇迹的期望,还是出于怜悯,出于捉弄,出于对不寻常经历的渴求,连我自己也说不清。

我敲门。

屋里响起一个嘶哑的声音:"谁呀?"

门并没有关紧。我走了进去。我一眼便看到一位不算十分老的妇女,躺在床上,倚着高高的一摞枕头,满脸憔悴,惊疑地望着我。

"你是干什么来的?"

"我……我找姓李的……"

"啊,你是局里来的吧?"那妇女忽然满脸纹路都抖动起来,指着床前的一把椅子说,"坐,坐吧。你们早该来了。原来不是说上星期日来吗?我等呀,等呀,你们就是不来,我让月梅跟我一块等,死丫头她等到十点就又跑出去了……"

"我想跟您解释一下……"

"解释什么?有什么好解释的?"她激动起来,喉咙里咻咻地喘,拿起枕边的一叠用铁夹子夹住的信,晃动着,怨愤地说,"他每月来信,都说队里领导跟他打招呼了,只要这边调令一去,那边立刻就放。可是半年过去了,怎么样呢?你们局里连个屁也没放!"

　　我明白了一点。我看见她下肢是瘫痪的，这可怜的人！而且我判断出她就是李月梅的母亲，因为尽管她是这样地潦倒，而李月梅是那般地妩媚，她们俩人在轮廓、神韵上却有着那么多的相同之处。

　　正当我要把事情向她挑明的时候，门"砰"地被撞开了，进来了一个衣着邋遢的姑娘，她脸上的皮肤显得粗糙，头发蓬松，一手提着半网兜切面，一手托着半碗黄酱。

　　一对望，我们两个就都僵住了。

　　现在我确信世界上并没有乔莎，那不过是一个被表演得很好的角色而已。

　　李月梅把网兜和酱碗往饭桌上重重地一撂，瞪着眼问我："你跑这儿来干什么？"

　　我答不出。那瘫痪的母亲用拳头连连捶着床帮，呼哧呼哧地喘着，表示着她的愤怒。可是李月梅看也没看她，就把我拉进了里间屋。

　　那实际是半间屋。有一张单人床，一个破旧的床头柜，一张破旧的两屉桌，一只木凳，此外就几乎什么也没有了。我仔细一望，就看出在固定于两墙之间的铁丝上，挂着三个衣裳架，衣架上是我所熟悉的两件毛线衣和一件灯芯绒上装。两双显然是上街时才穿的鞋，一双半高跟的皮凉鞋，一双灰色的细工布鞋，掸刷得干干净净，摆放在衣架之下。我在她床前的桌上看见了我那三本小说，还有那盘等待着放到三洋牌 9930 收录机里转动的录音带。

　　见我的目光仍在屋中搜寻着，她便爆发般地把床褥子一掀——"看吧！"——床褥子下面压着那条灯芯绒的喇叭口裤；又弯腰把床头柜狠命地打开——"瞧呀！"——那里头搁着那个淡褐色的考究的手提包；然后，她又转身猛地朝屋角一指——"看呀！"——那儿靠着我看见过的那把红油纸伞。

　　我痛心地闭上了眼睛。待我再睁开时，她已坐到床上，双手撑着床铺，望着屋角，撇着嘴，一副满不在乎的神气。

　　"这不好，听我说，这不好……"我站在她面前，喃喃地说。

　　她的神态和语言都恢复了她的本色，她瞟了我一眼，耸耸肩，恶狠狠地说："有他妈什么不好？我爹调不回来，我妈瘫着，我待业，要我怎么个好法？！"

"人总得有志气，得能够经受住生活的磨炼……你可以自学……"

"谁不自学？！"她跳起来，拉开两屉桌的抽屉，掏出里面的书本，扔到床铺上。我看出里面有英语广播讲座的课本，有《青年自学丛书》中的几种，有一些写了字的本册……她捂住脸，仿佛在哭泣："太难了！我学不会！没人辅导！没人帮忙！没人要我！学了有什么用？！……"

"可无论如何你也不该跑到社会上骗人……"

她把捂住脸的手挪开，脸上闪着泪光，圆睁着眼睛反问我："我骗你什么了？！嗯？！"

"我不是说你骗了钱财，我是说，你不该装成你不是的那种人……"

"依你说，我该当一辈子什么人？凭什么我就不能当你不许我当的那种人？……"她紧攥着双拳，眉毛和嘴唇都痛苦地扭动着。

"一个人，总要懂得自爱……"我尽可能用柔和的口气，去打动她的心。

她猛地跳了起来，拼足全身气力反驳我说："自爱？哼，我倒是自己爱自己。可是谁爱我呢？你自己说过你算是'上层'的，你只爱跟你同一层的小姐乔莎，你发现我不过是简易楼里的李月梅，你就眼睛不是眼睛鼻子不是鼻子！别恶心我了，你跑到这儿来调查我，抖我的老底儿，伤我的自尊心，你缺大德了！你还配来训我！"

她一下子冲到桌前，把桌上的书和录音带擂到我手里，脸上的肌肉抖动着，指着门外，厉声地对我嚷："滚！你给我滚！我没有请你来！你出去！"

我不记得自己是怎么跑出那简易楼的，留在我耳畔的，是李月梅的哭骂声和她母亲尖利的呻吟声……

5

湖里的波光，竟还是那般粼粼。湖畔的长椅，竟时常虚席以待。可是那波光和长椅都不属于我了，因为我失去了乔莎。

大考结束了。我考得不错。暑假已经开始。我天天跑到公园来划船。

我把船划到湖心，然后，仰靠在船尾上，把双手枕在脑后，望着天上缓缓变化的云朵，冥思默想——对，冥思默想。

有时候，天上的云朵裂开了口子，玫瑰色和金色的光束从口子里射出，使湖上到处跳动着活泼的光斑。沐浴在这样的光氛里，我的心就变得非常宽容，非常温柔。

这时候，我的信念就格外坚定：我原谅一切应当原谅的，我为一切与我有关的虚伪和庸俗而自责，我要为改变一切应当改变的而努力。

1980 年 6 月 9 日

写于北京垂杨柳

蜜　供

在我们厂里，只有两个姑娘住单身宿舍，一个是我，一个是"鲁智深"。

什么？"鲁智深"？！别大惊小怪的，我已经说了，这个"鲁智深"是个姑娘。她名字叫卢枕云，比我大四岁，已经二十八了。她姓卢而并不姓鲁，却得了个"鲁智深"的外号，这是为什么呀？一开头，大伙这么叫她，不过是因为她长得丰满壮实，粗眉大眼，而且嗓门大、心眼宽，爱在是非混乱的情况下站出来讲公道话，后来，发生了那档子轰动全厂的"醉打山门"事件以后，她这"鲁智深"的外号就叫得更响了。

怎么个"醉打山门"？这就先得把我俩住的那间宿舍说说。

我俩住的那间宿舍，在厂办公楼的二楼尽东头。这是特殊照顾。因为厂里只有我们两个姑娘住宿，厂领导为了保证我们的安全，没让我们到宿舍楼去住，他们以为办公楼日夜都有人值班，保险。其实也不见得。

我们宿舍里，有一张上下铺的床，还有一张单独的床。因为原来是三个人在一块住。后来跟我们同屋的蓉蓉"出阁"搬走了，才剩下我们两个。三个人住的时候，"鲁智深"单睡，我睡上下铺的上铺。搬走了一个人以后，"鲁智深"就用命令的口吻对我说：

"嘿，小玲子，咱俩换着睡！"

我没明白她的意思，就说："你别动，我搬到下铺睡不就结啦！"

她甩着嗓门笑了："我早憋着篡你那个位啦！"

我说："睡上铺有什么好？爬上爬下的，烦死了！"她已经在动手卷铺盖："烦得死你，烦不死我！快，咱们来个各得其所！"

我说："行啦，要不，我搬下铺，你到上铺，你那张床还给总务科，这屋子还宽裕点儿！"

她冲我一扬下巴颏："去你的！我翻个身咔啦咔啦响半天，你乐意在下头听打雷呀？少废话，换！"

我就跟她换了。

换了两天，我才知道她为什么喜欢睡上铺。她有嗜好，就是看书。她这人最爱斜躺着看书，我多次提醒她：打上小学老师就告诫我们，不要躺着看书，这样毁眼睛。可她总是满不在乎地说："我从来就是这么个姿势，哪回查视力也没下过1.5，没事儿！"不过，睡上铺，离灯近，晚上看书确实比睡在她原来的地方强多了。她还做了个样式挺特别的纸壳灯罩，我一宣布睡觉，她便伸手把那纸壳灯罩安上，于是灯光只射向她那上铺的前半截，对我没妨碍，这样就省得我俩互相迁就。你看，她性子挺鲁，心眼倒细。

她看书有几个让人纳闷的特点，这里也顺便说说。一是她爱看书却几乎从不买书，她的书都是打各处借来的。二是她看书几乎从不记笔记，但聊起来却能引经据典，她不但记忆力惊人，而且经常有融会贯通、举一反三的见解。三是她看书很杂，却从不随潮流赶时髦。比如有一阵厂提倡读政治理论书籍，她却偏大厚本大厚本地读什么《子夜》、《约翰·克利斯朵夫》；如今厂里的青年人盛行读外国小说了，她却又常捧着马列主义经典著作津津有味地躺在那儿读，有一天我就看见她正读马克思的《〈黑格尔法哲学批判〉导言》，一边读竟然还一边呵呵地笑出声来。能这么读马列吗？真怪！

呀，说走题了。还是说"醉打山门"。那是今年夏天的事儿。那天热得不行。我俩都是中班，下了中班洗完澡回到宿舍，还是浑身冒汗，心里冒火。我俩把门反扣上，爽性就穿个马甲、裤衩，在屋里活动。没过多会儿，她就爬到上铺，看起书来了，我记得她看的是本《外国企业管理资料集》。我呢，坐在我俩合用的书桌前，一条一条地列计划。什么计划？得交代一下我的身份。我是厂团委的宣传委员，我列的是第三季度的工作计划。正列到第三条，她招呼我了：

"小玲子呀，劳驾，给我把茶沏上吧！"

她无论多热的天，都要喝滚烫的热茶。

我给她沏好了茶，递给她，她大大咧咧地对我笑笑，接过茶，把茶杯搁到她特制的固定在床架上的一个铁圈里，她那茶杯原是个果酱瓶，肚粗底小，搁到铁圈里恰好被箍住掉不下来。她就看一会儿书，欠起身来喝一口热茶。

不记得过了多长时间，我列完了计划，觉着燥热难耐，便拿脸盆到外间打来一盆凉水，别好门，脱下马甲，擦洗起来。

正擦洗着，忽然，只听见她一声怒骂："臭流氓！"同时便是泼水声和一个男人的"哎哟"声，紧跟着是从椅子上摔倒的声音和逃跑的声音。我惊讶地抬起头，只见她坐在床上，摇着头发，纵声大笑起来……

有关的情况就不多说了。第二天，那个蹬着椅子从我们宿舍门上的气窗朝里偷看的家伙，被保卫科给叫去了，他半边脸上全是热茶烫出的燎泡，真叫活该！

这就是"醉打山门"事件。"鲁智深"的外号叫得更响了。这倒让我觉着心里过意不去。团员们来宿舍慰问我和赞扬她时，我劝他们说："别'鲁智深'、'鲁智深'地乱叫，多扎耳朵！"

可她并不怎么在乎："没什么！鲁智深是正面人物！不过，我可是超龄团员了，你们都比我小，赶明儿都管我叫'鲁姐'吧！"

大家都赞成，顿时就"鲁姐！""鲁姐！"嚷成了一片。

她仰脖呵呵大笑，挺得意的。

我们俩就这么住了小一年，没闹过什么别扭，可也算不上很知心。我不大理解她。有一回问她："鲁姐，你怎么不申请入党哪？"她似乎想也没想，就嘎嘣脆地回答我说："再等等。"我好言相劝："你都二十八了，下够不着团，上够不着党，不怕人家说你落后吗？"她还是嘎嘣地回答我说："不怕。我才不落后呢。我等着十二大召开，看党章修改得怎么样。"嗬，她竟敢这么讲话！我再不跟她提这事儿了。她真够落后的，可她这落后跟一般人的落后也不一样。我真是常常闹不清她究竟是怎么回事儿。

　　上星期，我们车间头年退休的谭师傅病危住院了。他得的是因肺气肿而引起的肺心病，呼吸困难，幻视幻听。医院大夫跟家属和厂子方面明说：难以治愈，只能采取保守疗法，控制住发展。

　　当然啦，厂办公室、工会、我们车间，都派人去医院看望了他。我是代表车间去的。谭师傅瘦掉了半个人儿，脸上的每一处骨棱子都露了出来，眼睛像是掉进了坑里的两个螺丝帽；他不能平躺，只能斜倚着，嘿罗嘿罗喘得好痛苦；鼻孔里插着墙式氧气吸入器的管子，可嘴唇还是因为缺氧而变得发蓝；他一阵清醒一阵糊涂，清醒的时候就没完没了地念叨老八百辈子的事儿，还仿佛胃口特别好似的，又想吃这个又想吃那个，糊涂起来可就认不准人。

　　谭师傅老伴早去世了，他两个女儿都嫁到了外地，身边就那么个儿子。早就听说儿子儿媳待他不太好，可是我在医院看到的情况，大面上也还过得去，儿子儿媳给他买去了一斤苹果，也说了些个安慰的话。

　　反正有公费医疗和劳保制度保着，谭师傅的事儿，很快地大家也就都撂到一边了。

　　可是，前天下了早班，我回到宿舍，写了两个钟头的壁报稿子，也不见鲁姐回来。约莫到了下午四五点钟，她重手重脚地进了屋，到屋便大声粗气地抱怨说："累死我了！骑车跑了半个城，愣没买着蜜供！"

　　我莫名其妙地问："什么？什么东西值当你跑半个城去买？"

　　她大模大样地往我的床上一躺，抄起我枕边的《中国青年》杂志就当扇子扇，解释说："蜜供！蜜供都不懂，就是一种点心，长条的，金黄的，硬梆脆的，外壳包着糖浆的……"

　　"点心？"我很惊讶。因为我知道鲁姐是从来不吃零食的，她怎么会冒着"秋老虎"的炎威，骑车跑遍半个北京城，去买那么一种说到底并不怎么神奇的点心呢？

　　"你买蜜供，给谁吃啊？"我问她。

　　她还那么躺着，顺势把两只鞋都甩到了床下，一边央告我："好小玲子，劳大驾了，给我沏杯热茶吧！"一边拍着胸口，平息自己的喘息。

　　我就给她沏茶。她这才进一步解释说："买给谭师傅吃啊。我又去看了他，他今儿个情况出奇的好，喘得不那么凶了，脸上又有了血色。他跟我念叨，想吃蜜供，想吃得不行。他解放后翻了身，头一回领上工资，就买了一斤蜜供吃。他说那滋味美得不行。现在他什么都不想，就想吃蜜供。他说：鲁丫头呀，我就指望着你啦。我跟儿子、媳妇说，他们不理我这个碴儿。我跟厂里来看我的头头脑脑、车间代表说，他们光是劝我：好好养病吧，听大夫的话，医院的伙食不错，蜜供那玩意儿硬邦邦的，吃了怕没好处……反正也是不理我的碴儿。哎呀，我活不了几天啦。今儿个好点儿，这叫做'回光返照'，你当我心里不明白吗？我就这么点要求：吃一斤蜜供！你们怎么就不能应许我这么个心愿呀？……"

我把热茶放到床头柜上，笑着说："嗨！这老爷子也是，吃一斤蜜供，这算哪门子心愿？你也真会凑热闹，就那么认真……"

鲁姐"霍"地坐了起来，气鼓鼓地看着我，把我沏好的茶一推说："你少废话！还是什么宣传委员呢！你们成天喊的是什么口号？'从我做起！从现在做起！'可事到临头，你怎么不做呀？"

"嗨，那是指对'四化'作贡献，"我耸耸肩膀说，"你干吗扯到买蜜供上……"

"你呀！"鲁姐冲我斜斜眼，再不跟我争论了。

我也就回到桌前，继续写我的壁报稿。

可是，不一会儿我耳畔就响起了乒乒乓乓的声音，扭头一看，鲁姐把煤油炉搬到了窗前，擦着，并且又从床底下拉出了煤油瓶，搁到了窗台上。我不由问："你这是——"

她把头发一甩，望定我说："有一个人，他把一辈子的血汗都浇到了咱们脚下的这块土地上，他就要死了，他想吃一斤蜜供，咱们活着的人，有什么权利不理睬他的要求？！咱们要'四化'，要共产主义，说到头，为的是个什么呀？"说到这时，她眼里汪着泪水。

我实在不理解，蜜供和共产主义有什么关系？我正纳闷呢，鲁姐已经一阵风地出去了。

我把壁报稿写完时，鲁姐提着草兜回来了，她瞟了我一眼，便粗声粗气地说："你瞧着办吧。要是懒得管，就请你先出去活动活动！要愿意跟我一块做蜜供，你就给我打下手！"

这话让我挺不高兴，可我也不便跟她闹僵了，就点点头说："行呀行呀，你说吧，要我干什么呀？"

她从草兜里取出十来个鸡蛋、一瓶蜂蜜、一瓶议价花生油、一搪瓷钵子富强粉、一斤白糖、一小瓶香精、一个崭新的漏勺。想了想，她就命令我说："去，去图书室，借本《糕点制作法》来！"

我说："图书室能有那号书？"

她"扑哧"一声笑了，从衣兜里掏出自行车钥匙来，扔给我，几乎是嚷着说："那你就到新华书店给我买去！"

我还从来没到书店买过这号书呢。我最瞧不起那些买什么《服装剪裁法》、《新式家具》、《大众菜谱》的人了！我捏着她那带玻璃丝虾米的车钥匙，直犹豫。她见我这样，便顿了下脚，一把从我手中抢回钥匙，转身就走，刚出了门，又"砰"地把门推开，探进头来命令我说："你把鸡蛋全打到饭盒里，调匀了，不许落上灰！"也没等我答应下来，便"砰"地带上了门，只听咚咚咚一阵脚步响，人走了。

你说她这人有多怪？可我还真拗不过她，她人不在，威慑力量却丝毫不减。我叹了口气，乖乖地洗干净她平时打饭的大饭盒，调起了鸡蛋。

正调着，有人敲门，一听就知道是谁来了。我招呼说："进来吧！"他就进来了。细高个儿，小白脸，戴副秀郎架眼镜，比鲁姐可水灵多了，而且比她还小一岁，可他居然是鲁姐的对象。他们两个是在一块插队的时候好上的。他那个工厂离我们工厂不远。他是个钳工，手特巧，说起来好笑，鲁姐冬天身上穿的毛衣，竟是他给织的。他俩已经决定年底结婚。

他叫陈克，我跟他熟了，就管他叫"大 K"。他刚进门，我就对他说："来得正好。大 K，快帮着做蜜供吧！"

"做蜜供？"他用手指头托托眼镜架，侧着耳朵，仿佛没听清我的话。

我就用不以为然的口吻，把鲁姐的主意跟他说了一遍。听完了，他点点头，似乎已经心领神会，立刻卷起袖子，到脸盆那儿洗手，对我说："你调好了吗？我这就拿鸡蛋和油来和面。"

　　你看，爱情的力量就有这么大。鲁姐明明是心血来潮，可大K竟不以为怪。过了一会儿鲁姐回来了，看见大K扎煞着手在那儿和面，也并不以为奇，仿佛他就应该是那么个姿势似的。鲁姐宣布说："书店里没有跟蜜供沾边的书。我去卖点心的地方跟老售货打听了，知道了蜜供大概的做法。我问为什么如今蜜供缺货？他说许是食品厂嫌这玩意太费油，赚头小。咱们甭管那个，来，把这瓶油全豁上！"

　　他俩兴致勃勃地做了起来。还你一句我一句地哼起了一首歌。那歌词是首宋词。宋词我也读过一点，什么苏东坡、陆游、辛弃疾，也都知道。可他们唱的那首词是个叫什么贺方回的人写的，这就稀奇了。鲁姐一度把那词粘到过床头，是大K的书法，我凑过去读过，净是难认的字，因为没见过哪篇文章分析过这首词，所以我也闹不清那情调是健康还是不健康。曲呢，据说是在农村插队时，"四人帮"把世道搅和得最混乱那阵，鲁姐跟大K，还有他们共同的一个什么朋友，三个人一块谱出来的。他们把这首词从那时候一直哼到现在，究竟对头不对头，我也弄不清。反正他们唱出的词儿调儿，听着总有点不保险的感觉：

> 少年侠气，
> 交结五都雄，
> 肝胆洞，
> 毛发耸。
> 立谈中，
> 死生同，
> 一诺千金重！
> ……

　　鲁姐看我有点坐也不是站也不是，帮忙么不大积极，不帮忙么又有点抹不开面子，就停住哼歌，一巴掌拍到我脊梁上，说："行啦行啦，小玲子你玩去吧，到时候给你留几口蜜供尝尝好啦！"

我顺水推舟地说："好吧，我去看看壁报出得怎么样了。"

鲁姐呵呵笑着说："甭假门假事了。团委会锁着门，你们壁报组的那伙子全在打排球呢。你呀，就蹓蹓马路去吧！"

我脸发烧了。大 K 忽然招呼我说："小玲子，快来，把我兜里的票拿去！"

他两手都是面，欠着身子，等我去拿。我有点下不了手，鲁姐就用两根手指把他胸兜里的两张电影票夹出来，递给了我。

原来，大 K 本是找鲁姐一块去看电影的，是部新片子，这票挺不好弄的呢。

我拿着票，出楼找人一块去看电影。我心里升起一种异样的感觉。我忽而觉得自己是离开了一桩荒唐事，忽而又觉得自己离开了鲁姐他们才是荒唐。我头一回对自己失去了自信。

看完电影回到宿舍，鲁姐不在，整个屋子里弥漫着一股蜜供的气息。在我的床头柜上，在我平时打菜的小碗里，搁着一团金色的蜜供。我忍不住掰下一条尝了尝，嗯，味道还真不错。

我洗漱完了，打算赶紧睡觉，因为第二天又是早班。可是我看看表，九点五分了，怎么鲁姐还没回来？

我躺在床上，可睡不着。我预感到不祥。到十点五分的时候，我爬起来，穿好衣服，跑到值班室去打电话。电话打到医院，转了两个弯才叫来鲁姐，我听见她用一种我不习惯的声调对我说："小玲子吗？谢谢你来电话。你还算有良心。跟你说吧，谭师傅快不行了……"我一边听着她的声音，一边猜：难道她哭了吗？谭师傅跟她的关系没有多深啊，她怎么会这么动感情呢？……我一霎时不知道该跟她说什么，我不由自主地问："都谁在呢？"

"我和大 K。"她回答我，"大 K 给谭师傅儿子去了电话，他说来，可一个多钟头了还没到……"

"鲁姐，这也是没办法的事……"我劝她说，"交给大夫、护士吧。你明天也是早班，快回来休息吧。"

她没有回答我，而且，把电话挂上了。

我回到宿舍，不知道为什么心里非常不安。我抱拢双臂，在门窗之间来回走动着。

有一种意识，渐渐渗入了我的心灵，就是我应当重新认识和评价鲁姐。

我待不下去了。我跑出了工厂，朝医院跑去。毕竟入秋了，白天的热气已经散尽，夜风扑到肌肤上，使人感受到微微的寒气。一些小片的黄叶从人行道树上飘下来，落到我的肩头。我穿过空落落的街道，跑到了医院里。

一进走廊，我就知道事情已经结束。

正把谭师傅的尸体推往太平间。他整个被白单子罩住，煞白的被单无情地勾出了他瘦骨嶙峋的体型。在他的头边，搁着一只我所熟悉的搪瓷钵，钵里是金黄油亮的蜜供。

谭师傅的儿子在推床一侧，呜咽着。另一侧是鲁姐和大K，我仔细观察他们，他们脸上没有泪光，他们的神情与其说是悲戚，不如说是肃穆。

我迎了上去。鲁姐握住了我的手。她凑拢我耳朵边，压低声说："他的痛苦总算得到了抵偿。他吃了三口我们带来的蜜供，他长眠过去的时候，脸上还带着微笑。"这时大K试图把被单稍稍掀开一点，让我看看谭师傅的遗容，却被推推床的护士制止住了……

我和鲁姐在医院门口同谭师傅的儿子和大K分了手。我们俩默默无言地走回了工厂。一路上，我心头涌动着无数的话语，可总说不出口。

回到宿舍，我想提个头，跟鲁姐往深里谈谈。但她却忙着洗漱。洗漱完了，她爬到上铺，仿佛累得散了架，摆成了"大"字，呼出一口气说："小玲子，劳大驾，给我沏杯热茶。完了你让我睡。咱们明天再谈，好吗？"

瞧，瞒不过鲁姐！她准是从我眼神里看出来，我急着想跟她谈谈。

我知道，鲁姐是喝了热茶也照样睡得着觉的人。我认认真真地给她沏了茶，恭恭敬敬地递了上去。

鲁姐在上铺俯身接茶。她微笑地望着我。她的眼睛好大好黑好深好亮。

1980 年 6 月写于垂杨柳

银 河

她又在那家照相馆的橱窗前站住了。

年轻的姑娘在照相馆的橱窗前流连，可以说是一桩理所当然的事。匆匆过往的行人也好，在她身旁指点橱窗里照片的看客也好，并没有一个人发现她的异常之处。

其实她已经不算年轻，而且应当称为少妇了。相照馆的大玻璃橱窗反照出她的倩影：身材是颀长的，齐肩的烫发是浓黑的，白皙的瓜子脸，水葡萄般的一双大眼睛；她穿着入时的淡褐色宽条灯芯绒外套，那外套剪裁成短大衣款式，灯芯绒上的条纹取横式走向，使她原本略嫌瘦削的腰身显得丰腴适度，外套下露出劳动布窄裤腿，脚上穿着考究的灰色半高跟布鞋。仔细看上她两三眼的人，都会产生这样的想法：她的模样儿，实在不比橱窗里陈列的那些照片上的姑娘们差，何不请她也拍上一张，放大陈列其中呢？

她叫骆蔚兰，是春风电视机厂的插件工。几天以前，她到这条街上颇有名气的紫罗兰理发店烫完发，路过这家照相馆时，发现了那张令她吃惊的照片。她对谁都没说起这件事。但是连续两天夜里，噩梦袭击了她，当她从噩梦中惊醒以后，便再也不能入睡。她靠在高高的枕头上，透过窗帘的缝隙，望着两三颗闪着寒光的星星，心里涌动着复杂而朦胧的思绪。她几次下决心推醒甜梦正酣的丈夫，把这件事告诉他，然而终于克制住了。她从没有也不想对他隐瞒什么，她暂时没有说，只是出于一种自尊。那心灵深处装着耻辱与悔恨的抽屉，是不能轻易再拉开的啊！

那照相馆的橱窗里，最引人注目的是几幅著名演员的大照片，驻足观看的过客们，眼光几乎全都集中在那几位明星的面影上，并伴之以指点和议论。骆蔚兰对他们却简直视而不见。她痴痴地注视不已的，是橱窗右下角的一张黑白照片。照片上是一位年逾花甲的老伯，摄影师把他那花白的鬓发、匀称的面纹、端庄的神态、坚毅的眼神表达得恰到好处。整幅照片用高调处理，给人一种清爽怡静的强烈印象。

"是他，就是他……可怎么会是他呢？"

骆蔚兰用牙尖咬着右手握住的手绢，不停地寻思着。

终于，她下定了决心，以坚实的步伐走向了照相馆大门，推门而进。她进去以后，那两扇玻璃门还大幅度地交错摆动着。

2

"你取照片？"

"不，我想……跟你打听个事儿。"

"打听个事儿？什么事儿？"

"我想跟你打听一个人……"

"一个人？什么人？"

"你们外头摆着他的照片儿。就是那橱窗里头，紧南头最底下的那个老头……他是谁？"

"是谁？你问这个干什么？"

"我想知道。我以前认识他。后来一直没见着……你们知道他现在在哪儿吗？"

"你跟他是什么关系？"

"什么关系？反正有那么一点关系……"

"有一点儿关系？是你亲戚？"

"算亲戚吧。告诉我他叫什么，现在在哪儿？……"

"咦，怪了。是你亲戚，你怎么连名字都不知道？你是哪个单位的？"

"你管我是哪个单位的呢！我不过来问问，那照片上的老头……"

"你问他干什么？"

"你这是什么态度？"

"就这态度！"

"你们那'服务公约'上怎么写的？还'为人民服务'呢！"

"你一个人能代表人民吗？就不为你服这个务！"

"……"

"靠边点儿，别妨碍人家取照片儿……"

"……"

"你怎么回事儿？不取照片儿，玩去！"

"你别对我这样。男同志不该对女同志这样。要学会尊重妇女！"

"没学过。"

"嘿，咱们别这么俗里吧唧地没结没完行不？咱们是一代人，你应该懂得我。"

"你这人太个别！"

"咱们这一代，有几个不个别的？想用一个模子把咱们扣成一个模样儿，那算是难办了。"

"这话还差不多。"

"看来咱俩也许一般大。你也是'六八届'的吧？"

"我是'六九届'的。"

"你们比我们更倒霉，等于没上中学。"

"那可不是。'天天读'了几个月，就给打发到兵团去了！"

"你去的哪个兵团？黑龙江？内蒙？"

"黑龙江，兴凯湖边上。那儿原是个劳改农场。我们就住在原来劳改犯住的屋子里……"

"那你运气比我还强。我是内蒙兵团的。你们那儿再赖的连队也能打出粮食。我们那个连可好，年年收不回种子。待了九年我才转回来。不过，也不后悔。我学会了骑马，见了世面。"

"我在那儿待了八年半，可不，开了眼。你等等，人家要取照片……给！……你到底是怎么回事儿？你打听那老头干什么？"

"是我亲爹。"

"别胡扯！"

"几句话跟你说不清。你告诉我吧！"

"我们这儿有个规矩，要代顾客保密。尤其是搁到橱窗展览的大照片，那些人的情况我们不能讲出去……"

"讲出去有什么了不起？"

"有那么一些个臭流氓，看上人家模样儿俊，打听出地址就去犯贱，能不防着点吗？"

"防我干什么？我打听的又不是那些个'大美人'，我只打听那个老头儿……"

"也要防人找着他谋财害命……别瞪眼，我不是说你有这号歹心。再等等。……给，您的照片……亏得这工夫取照片的不多，要不，我这么跟你说话算违反工作守则，这月的奖金就得拉吹……你打听他究竟为个什么？"

"保证是出于好意。我想知道这是怎么回事——他怎么还活着？"

"这叫什么话！他身体棒着呢！每天清早在美术馆前头的空场上练剑……你干吗咒人家死？"

"他真活着？我没法子相信……"

"怎么回事？"

"得了，谢谢你了！我走了。"

"嘿，你别走呀。你这算怎么回事呀？"

"没事。以后照相，我专来你们这儿。咱们还能再聊。"

"这人……咳，瞧我，'保密保密'，到底没保住密！指不定她哪天清早就会跑美术馆去……"

3

红的。红的。红的。大块的红。小块的红。厚重的红。薄而透明的红。光面塑料的红。布纹塑料的红。涌动的红。旋转的红。溅溅的红。涡状的红。红得发紫、发黑的红……

眼睛。眼睛。眼睛。疑惑的眼睛。愤怒的眼睛。恐惧的眼睛。哀求的眼睛。绝望的眼睛。麻木的眼睛。充血的眼睛。死亡的眼睛。死而有灵的眼睛……

声音。声音。声音。狂欢的声音。躁乱的声音。呼啸的声音。嚎叫的声音。笑声加哭声。雷声。海涛声。从极远处传来而渐强，以至响彻穹宇的婴儿的哭声……

骆蔚兰浑身冷汗，陡然惊醒，她再也忍不住，扑过去紧挨着丈夫，用拳头捶打着他那躺卧时显得格外粗壮的胳膊。

丈夫只醒了一半。他迷迷糊糊地搂过骆蔚兰，含含糊糊地说："别怕，别怕，别这样。"

骆蔚兰紧偎在丈夫胸前，嘤嘤地哭了。泪水打湿了丈夫的背心，他这才彻底醒了过来。他用手掌轻拍着妻子的脊背，提醒她说："别伤了身子！不光是你……别犯糊涂，梦都是假的，假的，把它忘了吧……"

骆蔚兰仰起头，她只能看出丈夫那双闪光的眼睛。她便对着那双眼睛说："我瞒了你好几天。我夜夜做梦梦见他……"于是她把照相馆橱窗里那照片的事告诉了丈夫。

丈夫伸手拉开床头柜上的台灯，点燃一支烟，叼着，劝解着："那不会是他。你别胡思乱想。过去的就让它过去好了。不要让阴影总随着自己。咱们现在不是挺美满吗？你爸爸出国考察去了。我爸爸不仅官复原职，而且官升一级，妈妈又调到妇联主持外事工作。我刚明确了技术员职称，你的工作也还顺心。想想街上饭馆里还有伸手讨饭的人。多少我们这样的小两口，连间放双人床的宿舍也没捞着……我们何必自寻烦恼呢？睡吧，睡吧！"

"我想去美术馆前头看看。"

"傻媳妇，你听我话，别去。忘记这些事吧。就像我忘记那些个糟心事一样。"

"我是想忘记，可忘不了啊……"

"忘记吧，忘记吧，睡吧，睡吧。什么也别想了，睡吧……"

丈夫扔掉烟蒂，熄了台灯，很快便又发出了均匀的鼾声。

骆蔚兰把头枕回自己的枕头上，照例望着窗帘未遮拢处，隐约可见灰紫色的天幕上，闪着三两颗昏黄的星星。她尽量什么也不想，但实际上在想一切，而这一切又重叠混杂为一片，终于等于什么也没有想。

她就这样，望着那星星，直到天明。

4

"同志，我想……想跟您谈谈……"

"啊，要跟我谈谈！你影响了我练剑。我练到一半，扭身瞧见了你一双眼睛，再回过身去，这双眼睛还印在我脑子上……姑娘，你眼神有点古怪！你坐在这长椅上有半个多钟头了吧？你总望着我，总是那么个眼神，你让我纳闷啊！我到这儿练了一年多的剑，天天麻麻亮就来，遇上这样的事可还是头一遭！"

"同志，我是春风电视机厂的，今天上中班，上午休息，所以……"

"电视机厂？电视机，好东西啊！你上午休息，所以来这儿坐坐？你为什么不活动活动呢？也许，你是想跟我学舞剑吧？"

"不。我只是想跟您谈谈……"

"谈谈？跟我谈谈？你要跟我谈什么呢？"

"您别这么看着我！为什么像我这样的青年妇女，就不能在外头跟男同志谈谈呢？您坐下！对，坐在我旁边。我想找您谈谈，有好几天了……"

"好几天了？我可是今天才见着你……"

"我一会儿再解释。先请您告诉我，您是不是住在鸦嘴胡同 21 号？"

"鸦嘴胡同 21 号？！不，我不住在那儿……"

"从前也不住那儿？"

"从前？我从前也不住在那儿。"

"啊，这就对了。我是认错人了。对不起，我打搅您了……"

"现在我倒要打搅打搅你了，姑娘，鸦嘴胡同 21 号跟你有什么关系？"

"有那么一点关系……"

"一点关系？你认识住在里头的人？哪一家？"

"对，我认识住在里头的人，有那么一家……"

"姓什么？"

"不知道。别这么盘问我。别。"

"你真怪，姑娘！说来也巧，我也认识鸦嘴胡同 21 号里的人……"

"您认识？您认识？……"

"不错，我认识。我认识的那家姓张，你也认识姓张的吗？"

"不知道。我说不出，不过，您说说看，那姓张的长什么模样儿？"

"模样儿像我，比我年轻。"

"模样儿像您？比您年轻？"

"对。你见过这么一个人？在哪儿？什么时候？"

"我见过！见过！啊，我要是没见过他就好了！"

"姑娘，他委屈你了吗？这小子，他一定是瞒着我干了缺德的事……你怎么连他姓什么也没弄清楚？你们这些糊涂的年轻姑娘啊！"

"我糊涂，我恨我自己，可这能怪我吗？"

"别激动，姑娘。你该信得过我。我给你做主。你跟他是怎么回事？什么时候，在哪见着的？"

"我没法一下子说清楚。自从他死了以后——"

"死了以后？！姑娘，他怎么会死呢？他活得好好的……"

"他没死？啊，他没死！我听说有过这样的事：在火葬场里，打开冰屉，想把死人拿去烧掉，结果，那死人叹了口气，活过来了……"

"确实发生过这类的事。一般都是煤气中毒引起的，开头以为是死了，结果在冰屉里那么一冰，倒起了解毒的作用，慢慢又活过来了……不过这跟你打听的人有什么关系？他从来没有中过煤毒，更没有睡过火葬场的冰屉……"

"这就怪了。我亲眼看见火葬场来车把他拉走的！"

"你亲眼看见？在哪儿看见？"

"在鸦嘴胡同 21 号呀！"

"什么时候？难道……我们半个月没见面，他就出了事儿？"

"半个月？您半个月以前还见着过他？"

"当然。你最后一次见到他是什么时候？"

"……对不起。我明白了，您跟我说的不是一个人！您说的这位姓张的同志，他现在多大？"

"29 岁。"

"啊！不是他，不是他，我跟您打听的不是他啊……"

"姑娘，你为什么站起来？坐下坐下。不是他，我们也可以聊聊。"

"聊什么？没什么可聊的了……"

"你坐下。你神情很怪。你让我纳闷。你怎么了？好，你坐下。听我说，住在鸦嘴胡同 21 号的张春萌，他是我的侄儿。你到底认不认识他？瞧你的神情，我总觉得你还是认识他的！"

"不认识，真的不认识！"

"就算真的不认识，你也还可以坐在这儿，跟我再聊一会儿。刚才你让我坐下来跟你谈谈，我不就痛痛快快地答应你了吗？"

"……"

"我这侄儿很荒唐。他置了个电梳子，头发烫得比你鬈儿还多。没早没晚地总戴着他那 30 块钱买来的'蛤蟆镜'。他还置了个录音机,得工夫就听那些国外进来的'流行曲'……他还常把一些个奇装异服的姑娘带回家里，跳舞，打扑克……"

"这当然不好。他这人看来有点低级趣味。不过，只要他把工作干好，这也算不了多大的问题。"

"问题就在于他没把工作干好。他是个钳工，按说钳工最能练出手艺来了，可他干了这么好几年，净惹老师傅生气，什么手艺也没练好，整天'汤泡饭'……"

"他就不怕得不着奖金吗？"

"他不在乎奖金。父母落实政策以后，补了一大笔钱。他觉得那钱都该由着他花。"

"让他去花他那些个钱好了……这跟我有什么关系呢？"

"也许有点关系。"

"也许？"

"我还不能断定。"

"您为什么这么说？"

"我先要问你一个问题：你今天是偶然来到这儿，还是存心找到这儿的？"

"我在照相馆的橱窗里看见了您的照片，照相馆的人告诉我，您每天清晨到这儿来练剑，所以我就来了……"

"明白了。你是把另一个，和我弄混了。"

"看起来是这么一回事。"

"但是，你没白来一趟。你总算找到了一个线索。你知道鸦嘴胡同 21 号里住着个张春萌。"

"他跟我没有关系。"

"我先不作结论。不过，我想继续把他的情况，向你介绍一下……"

"我不感兴趣。张春萌这样的人我身边有的是，他浅薄他的，又不碍着我，我管他的事干吗？"

"他浅薄？我倒不这么看。他是我侄儿，我对他了解得比较深。他内心里其实也有很多复杂的想法。他以前并不是这样的，上小学的时候，他当过少先队中队长呢！他过 14 岁生日的时候，我给他带去了一个大蛋糕，他气得小脸儿喷火。他说他要学习雷锋叔叔，艰苦朴素，说我是用资产阶级思想腐蚀他，非要我把大蛋糕拿走，说是该送给他一个绣着五星的针线包才对……后来我还真依了他。可是他现在变成了这样！"

"这有什么稀奇？这种变化不用您讲给我听。我知道的比您多！"

"可你猜想得到，现在他那西服内兜里，总揣着把锋利的折刀吗？"

"……这也没有什么，不过是摆摆谱儿，拔拔份儿……"

"哪是什么摆谱、拔份儿，当然更不是为着削苹果，也不是为着自卫，而是为了……用他自己的话说：'报仇！'"

"报仇？！"

"对。这是一件让我悬心的事。我劝过他，骂过他，威胁过他——说要报告公安局，可他还是时时把那折刀搁在胸前的内兜里……"

"他的仇人是谁？"

"是谁？我说出来，你可要镇定……"

"为什么？……"

"因为，我感觉到，他要杀的，很可能，就是——你！"

"啊！"

5

热。

被车轮碾烂的、发散着刺鼻气味的柏油路面。流汗的大字报。树上的高音喇叭。许多张长着粉刺的脸。一尺长的红袖章。宽皮带上的铜扣环。金晃晃的铜扣环。

嗖嗖嗖！嗖嗖嗖嗖！

"拿起笔，做刀枪！刀山火海我敢闯！谁要不是跟我们走，管叫他去见阎王！杀！！！"

眼睛。迷惑与惊惧的眼神。

"我不是……"

"你他妈的少废话！"

嗖嗖嗖！嗖嗖嗖嗖！

血。殷红的血。

"他妈的！黑帮还流红水儿！打着红旗反红旗！"

仙人掌上开出一朵花。墨黑的花。那花从远处推至眼前。一片漆黑。

"别想了，蔚兰。别想了。"

"我不能。……当时我怎么就跟着跑进鸦嘴胡同 21 号了呢？"

"没人会来调查这个。你真是！"

"对了，那时候只要有人带个头，我们就跟着跑。我只记得领着我们去的是高二的倪敏。她说那家伙上午竟敢对抄家的小将顽抗。这就够了。我还需要什么说明和动员呢？我连他名字也没打听，或者是当倪敏说他的名字，我并没有记，还用得着记什么名字呢？他跟彭真、吴晗是一伙的，他炮制毒草，他是黑帮，这就够了……"

"行了行了。忘了这些事吧。现在提倡忘记这些事。睡吧，睡吧。"

"你睡你的。我不能。不能。"

"你们不要……这样！"

"你他妈老实点！

眼睛。震惊的眼神。

嗖嗖嗖！嗖嗖嗖嗖！

哐啷啷啷。砸玻璃的声音。脚踩在玻璃碴上的声音。

汗的气息。血的气息。糨糊的气息。对，的的确确，还有槐花的气息。诸种气息混合在一起形成的气息。

"不要……这样……哎哟！！哎哟！！！"

"让你他妈的反党！反社会主义！反毛泽东思想！"

眼睛。哀求的眼神。

"停停，停停……松开我吧……我要……死了……"

"你死有余辜！"

嗖嗖嗖！嗖嗖嗖嗖！

眼睛。愤怒的眼神。仇恨的眼神。绝望的眼神。没有了眼神。

"你他妈的甭装蒜！"

累。燥热。汗把绿军装粘在了背上。旁边战友嘴里喷出的秽气。

眼睛。仿佛就要弹跳出来的眼睛。

仙人掌上的花。焦油般黑。

"你怎么回事？你捂住脸哭什么？"

"我心里难过。"

"用不着这样。那时候打死人的不止你一个。幼稚,狂热,人民和时代都原谅了的。你何必折磨自己？"

"我心里难过,还不在打死了他,而是我一直弄不懂,我为什么会打死他？后来倪敏她们走了,为什么走了？好像说是又有个什么地方要去,那里有个黑帮还在逍遥法外,总之我没有听清,或许听清了没有去记。我记那个干什么呢？这个还没收拾好！我留下来对付！他妈的,狗黑帮！我饶得了你才怪！……"

"蔚兰,你不要这样！这样回忆下去没有必要,要朝前看,我们生活的路,在前头,前头！"

"我知道,知道。路在前头。可我是怎么走过来的！我弄不懂,我为什么一个人留在那间屋子里,把捆他的绳子收紧,不住地抽打他？我为什么会一直留在那儿,把他打得断了气？"

"因为你传染上了一种大疯狂。你以为那就是最最革命的表现。"

"不！你不懂,不懂。我不是为了表现自己最最革命。不是！我是忘我的。为了打他,我宁愿累死。你懂吗？我准备着他挣脱绳索,扑过来掐住我,我打不过他,我就牺牲。"

"因为你愚昧。你成了被一种邪恶力量驱使的机器人。"

"胡说。机器人是没有感情的,而我有着最强烈最丰富的感情。"

"强烈,而且还丰富？"

"非常强烈,我充满了对黑帮的仇恨。机器人是不会有这种强烈甚至是颤动的感情的。而且,这并不是一种简单的、浅薄的感情。我想起了小时候的事。在干部子弟学校里的事。有一回分煮豌豆,食堂的阿姨用木勺给我们往搪瓷碗里盛,她分得很匀、很匀,稍微瞧出不大匀,她就用那木勺调配……我一直觉得我们干部子弟是一个大家庭里的兄弟姐妹，我们的爸爸妈妈是这个大家庭里共同的长辈，我们这个大家庭里每个人都应当忠于我们的领袖，没有他就没有我们，就没有搪瓷碗里那些豌豆，以及许许多多其他的东西……可是，一下子，我们这个大家庭里出了奸贼，有了'针插不进，水泼不进'的'独立王国'，出了'三家村'，真他妈的反叛！我心里头跳动着无数颗滚烫的豌豆，我容不得这些个叛徒、奸贼！我高唱'鬼见愁'歌，我不但要誓与这些叛徒、奸贼血战，我还要同那些'黑崽子'们斗争！……就这样，你懂吗？我每挥一次皮带，都带出我一腔的仇恨与沸腾的思绪，我不是机器人！"

"回想当年，林彪、江青他们为了夺权，的确拼命煽动造反，可我记得他们也并没有公开号召人们把黑帮往死里打啊。"

"你尊重事实。我爱你，主要就爱这一条。让我们永远尊重事实吧！解释可以多种多样，结论可以暂时不作，但是事实必须尊重。我讨厌那些不尊重事实的说法。那年八月的这种武斗现象究竟是怎么出现的？不要简单地归结为某某人的挑动。林彪在他的讲话里没少重复'要文斗，不要武斗'。江青也没有提倡过打人，更没有提倡过打死人，'文攻武卫'这个话是后来才讲的，那时候她还没讲。这都是事实。别抹煞这些个事实。可是，怪，大规模的人身侮辱，打死人，逼人自杀，许多残酷的事，却在那时候大量地出现，并且一直持续了很久……"

"林彪、江青他们表面上也说'要文斗，不要武斗'，但他们对这种武斗现象其实是纵容的，他们应当承担罪责。党中央不是已经决定要公开审判他们吗？你就别再想了吧。难道你主张不算他们的账，倒算你这样的人的账？"

"我恨死了林彪、江青他们。他们的账当然要算。可是我不能不往深里想，为什么他们那么一煽动、一纵容，像我这样的干部子弟就首先疯狂起来？我们为什么那么容易受蒙蔽？为什么那么不管不顾地冲到第一线？难道不应当承认，在运动起来之前，我们已经具备了某种容易被他们挑动的素质吗？……"

"算了算了。蔚兰，你这么思考下去，是很危险的……"

"任何时候，严肃的思考也不应当为思考者带来危险，相反，不思考才是危险的……"

"不要空谈，蔚兰。张志新的思考难道不严肃、不深刻、不正确吗？可思考给她带来的是杀身之祸！"

"在中国，这种杀害思考者的事难道还会再出现吗？难道还能允许再出现吗？杀害思考者，就是杀死民族本身！"

"蔚兰，你成哲学家了……这思考多让你痛苦啊，看你额上的皱纹、脸上的泪痕！"

"是痛苦，可也幸福……"

蝉鸣。蝉鸣。蝉鸣。

哭声。哭声。哭声。

一张变了形的男孩子的脸。

"狗崽子！你他妈的老实点！"

"你不打，把你丫头养的也捆起来，一块揍！"

皮带。铜头皮带。皮带上的铜头。闪闪发光的铜头。

下垂的皮带。挥舞的皮带。落下的铜头。

"啊！啊哟——！"

太阳穴痛。只不过是因为累了。喊得太多太久。

一双倒过来的眼睛。呆滞的眼神。

"死有余辜！"

"死了就死了，不许哭！再哭就他妈的把你们也捆起来！"

电话盘。"我他妈的要火葬场！死了个黑帮！你们他妈的快点儿来！"

电话盘。旋转。旋转。旋转。转成一朵仙人掌上的黑花。分泌着黏液的黑花。

"奇怪，要不是今天他提起来，我简直不记得那个张春萌了……"

"谁提起了谁？"

"就是早上我在美术馆前头见着的那个老头。他跟我打死的那个作家，是孪生兄弟。他原来是个画画的，没他兄弟有名。"

"他提起了谁？你想起了谁？"

"他提起了那作家的儿子，叫张春萌的。跟我差不多大。他提起来，我才想起，打到一半，打得那作家半死不活的时候，他从学校回来了。他进了屋，一见那个情景，浑身哆嗦……其实我也记不大清他还有什么表现，是哭是叫，我根本就没注意。我命令他同狗老子划清界限，他好像木在那儿，不知道该怎么个划法。我就把皮带递给他，命令他用皮带揍他的亲爹……"

"天哪！你打哪儿学来的这种惨无人道的办法？"

"我说不清。真的说不清。我的兽性是怎么涌现出来的？谁也没有具体地教给过我。可是我在那种情况下，自然而然地就那么干了……"

"这真可怕。张春萌为什么依着你呢？那是他亲爹啊！"

"我连自己都弄不懂，怎么弄得懂他？他比我个子高，力气一定比我大。当时屋里只有我一个戴红袖章的，倪敏她们都走了嘛……可是他到底还是没有反抗，挥起皮带，打了他的父亲！当然，他犹豫，他不时紧闭着眼睛，当皮带的铜头落到他父亲身上时，他甚至被吓得蹦了起来，因为他父亲用那么一种没法形容的眼神望着他……可是他毕竟打了不止一下……"

"他心上的创伤一定比你还深！"

"不错。也许，就从那天起，他彻底地垮掉了。现在他成了同那以前截然相反的人。可是他也还有感情，有思想，并想有所作为——他怀里永远揣着一把折刀，他要找着我，并且把我杀了……"

"天哪，这是真的吗？"

"真的。这是绝对的真实！"

"蔚兰，你折磨自己还不够，你还要来折磨我……啊！停止吧，停止吧！不能再这么胡思乱想下去了！"

"怎么是胡思乱想呢？一切都很有条理……后来那作家的老婆回来了，她一进屋就晕了过去，醒来后便哭得死去活来……倪敏她们不知为什么又来了，大家一顿吆喝，她不敢哭了……我们叫来了火葬场的车，于是，那作家很快就烧成灰了，现在我才知道他的名字。原来我在兵团时爱得不得了的那本旧书，就是他写的。我打死了他，可他的书救活了我——我在七五年最苦闷的时候起过自杀的念头，是那本书，书里的人物，人物说的话，让我打消了那样的念头……这不是很滑稽吗？啊！"

"不要这么激动，蔚兰。这一切都已经成为往事。我们太渺小了。要把发生过的一切都弄懂，我们实在无能为力。"

"当然。我并不幻想立即弄懂一切一切。可是我总得弄懂我自己啊！我为什么会把他打死？为什么？为什么？"

"谁能答出这个为什么呢？"

"我！我还是能够的！你不要反驳我……我想明白了，我打他的时候，并不懂得什么叫死：我恨他，所以打他，并不知道打到什么程度就会致死；发现他死了，我的恨还没有消，所以我并没有什么害怕或恶心之类的感觉。其实当时我自己死掉，我也不会有多大的痛苦。死仿佛是件无所谓的事。今天他死，明天我死，死了就死了。"

"我不明白……"

"有什么不明白的？我们从小就受到那么一种教育。无论是革命英雄的死，还是叛徒的死，都被讲得很轻松，很简单。我们的电影现在不是还在这么拍吗？一阵枪响，战场上的敌人就龇牙咧嘴地倒下了，死得真容易、真好玩。现在小学生们还是跟我们那时候一个样，玩打仗，'嘟嘟嘟嘟'，快快活活地学着电影里的那些'鬼子'、'狗子'歪扭着倒下……"

"其实，每一个倒下的人，都包含着一部完整的悲剧……"

"我爱你，就爱的是你这种思想的闪光！"

"这是闪光的思想吗？也许会有人以为，我到了战场，不敢向敌人开枪呢。我会开的。但是，正因为我懂得双方的每一个士兵都是一条生命，这生命并不都是依自己的意愿才来到我面前和我拼命的，所以，我才更感到我有责任为消灭那种驱使他们来侵略、抢掠我们的祖国和人民的邪恶力量而进行战斗。我会打死那扑向我要我命的士兵，可是一旦他成为俘虏，我就会立即丢弃打死他的想法，我甚至还会怜悯他，爱他！"

"可是懂得这一点的人，不是太少了吗？现在还有那么一些愚蠢的宣传，让人们轻生爱死，把生命看成毫无乐趣的东西，把死亡看成简直是无所谓的那么一回事儿……我当年就是在这么一种潜意识支配下，把那作家打死的！"

不是鸦嘴胡同 21 号，而是自己的家。

大敞的屋门。屋门上的玻璃裂着大缝子，如僵住的闪电。乒乒乓乓的声音。什么东西"咕咚"倒下的声音。

怎么回事？

冲进去。

"妈！"

妈妈的眼睛。他的眼睛怎么移到了妈妈的眉下？惊恐的眼神。恳求的眼神。绝望的眼神。

"你们这是干什么？！我爸是红小鬼出身！"

"什么他妈的红小鬼！走资派！"

"你们混蛋！"

"你才混蛋！"

冲过去。

妈妈拽住了自己，妈妈的胳膊怎么变得如此有力？

"蔚兰，他们是造反派！"

是啊，"中央文革"支持"三司"，他们是"三司"的造反派！

同妈妈紧紧地抱在了一起，脸贴脸。痛哭。流在一起的泪水。流进了嘴角。苦。

搪瓷碗被掷到了地下，凉豌豆满地蹦着……

妈妈仰卧在床上。散乱的头发。眼睛。僵住的痛苦的眼神。滚到墙脚的"敌敌畏"药瓶。

"妈呀！"

豌豆为什么盛到了黑瓷碗里？

仙人掌上的黑花，怒放着，仿佛是一张讽刺的笑脸。

"你怎么又想起你妈妈来了？"

"她死得跟那作家一样地惨。我永远忘不了那天她对我的一拽一搂，和她眼泪蹭到我脸上的感觉。她那一声喊叫'他们是造反派！'够我思考一辈子的。因为'中央文革'支持'造反派'，所以我们都得服从，尽管这'造反派'甚至是要让我们死……啊，妈妈！可怜的妈妈！"

"你这么思考下去，还得了吗？夜很深了，思考，也需要有劳有逸……"

"好的。你先睡吧，让我再想一会儿，一小会儿……"

6

骆蔚兰走拢窗前，拉开了窗帘，推开了玻璃窗。

窗外是墨蓝色的夜。夜空中撒满星斗，一条银河微斜地在夜气中颤动着，闪烁着。银河啊，你是无数的问题，你也是无数的答案。从问题到答案，必须经过怎样的途径？在这途径上，人类必须体验怎样的痛苦，怎样的怅惘，怎样的磨难，怎样的觉醒，怎样的欢欣，怎样的彻悟……

丈夫终于睡过去了，这一次他鼻息很轻，不时磨牙、翻身，偶尔还喃喃地呓语着。他是在梦中思考吧？那是一种痛苦的、混乱的、无望的思考，骆蔚兰尝过那味道……

让人们在清醒中思考吧！面对着一天繁星，任夜风拂动着鬓发，让滋润的夏夜的气息拥抱着自己，可以想得很深，很远……

树枝在微风中摇曳，盆花在幽暗中吐香，蟋蟀在角落里颤吟，蝙蝠在夜空中舞动。骆蔚兰双臂交叠在胸前，倚着窗框，望着那深远而博大的星空、那神秘而具体的银河，静静地思考着。

她想象自己，敲着鸦嘴胡同 21 号的门。开门的是张春萌。她和他坐在屋里，就是那间他们挥舞过皮带的屋子，他们谈着。她同他一起思考。用不着忏悔，也用不着报复。如果共产主义不是为了使人性更趋美好，那我们为什么要信仰它？不能教条，也不必"修正"。事实。事实。事实。然后是深深的思考。他解开了上衣的衣扣，伸手从内兜里取出了那把折刀，把那闪着寒光的锋刃，展示给她。她接过来，感谢他赠予的这贵重的纪念品,这锋利的刀刃,应当对准的是那些调动、释放兽性的东西。"人应当更像人。"从我们这一代开始!……

忽然,有一种力量,在骆蔚兰身体里蠕动着。她把双手搁到了腹部,她感受到了那刚刚进行到一百多天的细胞分裂。一个胚胎,一个新的生命,正在这个曾经亲手戕害过一个有很高价值生命的母体内孕育着。获得性真的不能遗传吗?人类在几千年文明史中艰苦修炼出的美好的人性,就不能通过遗传基因传递给下一代吗?就算是这样吧,骆蔚兰,这变得格外理智而富于人性的年轻母亲,决定为自己的下一代,准备一种比自己当年身受的要正常而美好的熏陶。她的儿子也许将遇到真正的敌人而必须与之格斗,但他将不会去凌辱、消灭一个俘虏。这将成为整个民族更文明更健全的一种标志。

银河系在旋转。太阳系在运动。地球湿漉漉地徐徐调换着向阳的一面。在中国,在即将迎来曙光的北京城,在一处僻静的小院,在一间小屋的窗边,一个女子仰望着缓缓移动的银河,深深地思考着,思考着……

1980 年 5 月写于北京

1980 年 7 月改定于沈阳

月亮对着月亮

1

我在什么地方？说出来你别瞪眼——在破庙里。

别瞎猜，我可不是和尚。不跟你绕弯子了，直说吧，我是在我们厂的库房里值班。

我们这个厂子是由破庙改造成的。这库房据说原是庙里的什么"须弥殿"，你瞧那几根柱子，透着古色古香。

是呀，我们厂的厂房够寒伧的，可我们的产品就高贵了。凡是世界上最讲究最豪华的屋子里，大概都少不了这玩意儿，那就是——地毯。

我今年 22 岁，分到这么个厂子当洗涤工，转眼就四年了。我那活儿又累又枯燥。不过，下班出了厂门，一瞅见那么多待业青年在卖大碗茶，炸麻花，咱也就知足。

说实话，我还没谈上恋爱，那滋味儿留着以后再尝，反正我年岁确实也还小。我的生活乐趣是交朋友。友谊啊友谊，你们懂得这玩意儿吗？那滋味儿咱好有一比，比作回民饭馆里的一样名菜："它似蜜"！

眼下是春节，正该找朋友们痛玩一场。咳，厂里非排我大年初一到这库房里值班不可。得从这早上七点钟，值到晚上七点钟！值班表一排出来，我就满厂子转悠，求爷爷告奶奶地请人家替我一回，你想正赶上这么个骨节眼儿，谁肯替换我呀？

算我倒霉。我带上袖珍半导体，一大叠《大众电影》，坐到这儿值班来了。厂子里除了传达室和党支部办公室还有人值班，大概就没有别的人了。我们这三个值班的各据一方，连隔窗对望的机会也没有，真闷得慌！厂子里静悄悄，可厂外的街巷不时传来噼噼叭叭的爆竹声，搔得我心里好痒痒。

看看表，才七点四十。我怎么就跟在这儿待了一个世纪似的！时间这东西真古怪，人的心情能使它快如火箭，也能使它慢如蜗牛，乃至于凝固不动。

俗话说"每逢佳节倍思亲"，我可并不思念我家里的人。来值班以前爸爸妈妈还在唠叨我："心里要用到厂里的正事上，别总跟那些三朋四友闲逛荡……"教中学的姐姐也凑热闹，居然威胁我说："你那个'大拇哥'究竟是啥样的人？有工夫我们得仔细了解一下！"唉，我是"每逢佳节倍思朋"，而最令我自豪的朋友就是"大拇哥"。让他们了解去吧……

2

回想起结识"大拇哥"的经过来，真像吃烤鸭子似的有滋有味。

那是头年秋天。那天刮着风沙，我竖起皮茄克的领子，手里举着三毛钱，站在某个礼堂的门外，不顾沙子灌进嘴里，顽强地向每一个迎面而来的人询问着："您有富余的票吗？您票有多的吗？……"

礼堂里要演"内部参考片"。什么名儿不清楚，反正"内部参考片"总比"外部片"神。咱没门路，又实在想看，只好用这法子来弄票了。

谁理咱们呀！我把手里的三毛钱换成五毛钱，又换成了一块钱，最后举起来高声地嚷："我买退票！我买退票！"还是白搭。

正当我陷入绝望中的时候，突然，一张红喷喷的脸晃到了我的眼前，咦，这不是中学时候的同学"小驹子"吗？

"你有票退？"我喜出望外地往他手里塞钱。

"小驹子"把我的手推开，咧开大嘴岔一乐，问我说："你小子想看呀？怎么着，还在地毯厂当毯匠吗？"

我一个劲点头，只问他要票。

"要看电影还不容易，来来来，我给你介绍个朋友——""小驹子"把我手一拉，领我来到一个细高个面前。他看上去比我们顶多大个三四岁，戴着副变色"蛤蟆镜"，那上头还保留着外国字的商标。只见他右手不住地往嘴里扔瓜子儿。嘿，他可真有本事——他能在嘴里完成嗑瓜子全过程，舌头尖不停地出瓜子壳儿来！

"你小子叫谭景风？咱们交个朋友，乐意吧？"他笑吟吟地说，"他们都管我叫'大拇哥'。"

"他就是这个！""小驹子"竖起大拇指，兴奋地对我说，"他什么'内参片'的票都能弄来！"

果然，"大拇哥"把左拳一松，只见有五六张票夹在他的食指与中指之间。他抽出了一张递给了我："你先进去吧，我们再等几个哥儿们。"

我高兴得闭住了气。我一边连说"谢谢"一边把钱递过去，让"小驹子"一巴掌险些打落到了地上："去去去！散了场，你还在这儿等着我们就行！"

我入场了。十排三号，乖乖，多好的位子！而且，令我先是大吃一惊而后无比自豪的是，我瞧见了著名的大导演谢添，就是会表演"变脸"的那个鼎鼎大名的谢添……谢添的位子在哪儿呢？哟，二十三排边上，挨着通向厕所的太平门！

瞧，我能让谢添陪着我参考"内部电影"！电影稀里糊涂地就演完了，亮灯后，我见谢添直揉脖子，我是满脑瓜莫名其妙。我拿眼一扫，哟，"大拇哥"他们位子更好：七排当中！

不能不佩服"大拇哥"呀。跟他认识了没有两个月，我就从他那儿得到了不少方便，尝到了不少甜头。就拿过新年来说吧，澡堂子一大早前厅里就挤满了人，洗澡得排队等候，可"大拇哥"能带着我和"小驹子"穿过排队的人群，大摇大摆地在开业前走进门里去——原来澡堂子里的服务员"萝卜须子"也是他的朋友。"萝卜须子"让我们哥儿们几个在刚换得水的池塘里痛痛快快地洗了头轮澡，还不收我们的洗澡票。当我们斜倚到位置最好的卧榻上打扑克牌时，又有"大拇哥"在食品店里的朋友"阿臭"带来了一提包杂拌糖，我们每人分到一斤。我打开纸包一看，不禁目瞪口呆了：几乎全是三块四一斤的高级糖和裹着全银纸的巧克力。怎么一斤才收我们一块八毛钱呢？细一问，敢情是这么回事："阿臭"他们店里的杂拌糖，是由他们售货员头一天按比例用两三种高价糖和四五种中等、低等价糖混合配成。"阿臭"利用工作的方便，先用两三种高价糖配成几斤，留给我们这伙哥儿们，其余的再加以混杂，用以第二天卖给顾客，这样最后回收的糖钱，并不会出现亏损。我们出了澡堂子又直奔菜市场，大棚里买鱼的队真称得上是"九曲回肠"。我们照例不用排队，"大拇哥"把我们领到菜市场侧门。运鱼的冷冻车来了，从车上扔下了冻成一方一方的大黄鱼。菜市场里管把冻鱼方子运进棚里的"二拐子"也是"大拇哥"的朋友。他二话没说，扔了一方给"大拇哥"。"大拇哥"给了他二十斤的钱，便把冻鱼方子夹到自行车的后座上，然后我们笑骂着骑车来到"小驹子"家。在他家把那冻鱼方子劈分了——其实足有三十斤。不过不要紧，"二拐子"他们收进的款子也不会亏损。他们只要给二三十个排队买鱼的顾客每人少称上一两，也就把差额找补上了——大年过节的，买上鱼就是美事，有几个顾客真到"公平秤"那儿验分量去？我把糖和鱼拿回家去，只说是排队买的，妈妈爸爸姐姐哪想得到这里头有"猫腻"？还直夸我比以前勤谨，有耐心。

先头，我还当"大拇哥"是个干部子弟呢，后来从"小驹子"那儿问出来：不是。"大拇哥"的父母也就是一般的职员，"大拇哥"本身工作的厂子也平常，他无非是个普通工人。

我对"大拇哥"可算是服了。有回我们都随"大拇哥"去参加一个文艺团体的舞会，因为女伴不够，"大拇哥"就带着我跳慢四步，一边旋转着一边对我说："美滋滋吧？跟我交朋友有香的吃。记着我的话吧：有朋友走遍天下！可得注意，别交那没用的朋友！"

轻柔的乐声飘荡在耳畔，变幻的彩色灯光使我目眩神驰。我觉得从"大拇哥"那里听到一条深刻的人生真理。

3

正当我斜倚在值班的床铺上，一边听着收音机里的舞曲，一边想念着"大拇哥"、"小驹子"他们的时候，忽然有人叫我。

隔窗一望，原来是同厂的片剪工韩玉朴。他跟我同岁，阔脑门，大眼睛，头发天然带鬈儿，长得挺帅。他这人人缘挺好，好说话。一见是他，我就蹦起来去开门，欢天喜地地说："救星来了！你快帮我值这一天的班吧，明天你要我怎么报答都成！"

他哼着歌进了屋，眉开眼笑，用《送你一枝玫瑰花》的调子唱着说："帮你值班，不用报答……"

我欢呼着抓住他胳膊，简直不知道用什么语言来赞美和感谢他。

谁想他把我的手推掉，又用《花儿为什么这样红》的调子唱着说："今天我实在替不了你，替不了你呀……"

我后退一步，气得不行，把手一摔说："你干吗跟我开心？那你干什么来了？"

他这才解释说："今天我得跟长海研究个新的地毯纹样，要参考《文物》杂志。可我把去年《文物》杂志的合订本锁在那里头了……"说着一指屋里靠墙的小柜，便走过去用钥匙开锁。

他们片剪工序就在这库房的空当里进行，所以这儿也就算是他们那个班组的车间。他们每人都有一个装自己工具衣物的小柜，钥匙由自己掌握。

韩玉朴取出《文物》杂志合订本，锁好小柜，哼着歌就要出屋。我挽留他说："你替不了我，陪我杀一盘象棋再走也行呀。传达室于老头那儿就有棋，我去取还不行？"

他笑着指指屋外说："长海等着我呢，我们刚一块看完《泪痕》，这就要去他家研究新纹样……"

我朝门外一看，可不是，他那个好朋友侯长海立在门外等着他呢。侯长海个子又瘦又小，真是名副其实的猴儿！这还不说，他还架着一只拐，据说他小时候得过小儿麻痹症，拣回了命落下了残。侯长海见我看他，便对我微笑着点头，我只是冲他撇撇嘴。

没法了，我只好放走了韩玉朴，眼见着他和侯长海哼着《心中的玫瑰》，亲亲热热地走了。

我仰面朝铺上一倒，长叹了一声。同时心里涌出了这样的想法：真古怪，韩玉朴干吗要交侯长海这么个没用的朋友呢？

侯长海真是那种横着拧竖着绞也滴不出油水儿的角色。他爸是个扫街的清洁工

人，他妈是个街道工厂的辅助工，他本人分到装订厂专管检查成品盖戳儿。我原先
以为，大概因为韩玉朴是个书迷，所以他才找了这么个朋友，好从侯长海那儿弄点
子并没有毛病的"处理书"。后来我在新华书店遇上他俩花钱买《莎士比亚戏剧故事
集》，还听侯长海拍着书皮儿说："这书是我们那儿装订的。"才知道他俩是一对呆鸟。

当然啦，我知道他俩是邻居，打小就认识。上小学的时候，侯长海的腿架拐也
走不动，上学校时韩玉朴常背着他来去去。可这么多年过去啦，大伙儿都进入了
社会，以韩玉朴的条件，交上比"大拇哥"更神通广大的朋友也不难呀，可他业余
时间里，总还是跟侯长海腻在一块儿，你说这不亏得慌嘛？

有一回，我跟"大拇哥"、"小驹子"他们从一家甲级餐馆出来，那一顿我们起
码扫荡了十多样菜，可才花了五块钱——服务员"大锁眼"是"大拇哥"的朋友，"大
拇哥"帮"大锁眼"弄到过香港流行曲的录音带，所以"大锁眼"采取一种从规章
制度上解释得通的计价方法，便宜了我们这么一顿，还给我们提供了本来专供外宾
使用的雅座。那天的五块钱是我付的，花五块钱就能让哥儿们打着饱嗝儿剔牙，喷
着酒气儿逗贫嘴开心，也算是够值当的了！

正当我们嘻嘻哈哈地从餐馆出来要上车（不是公共汽车，是"大拇哥"的司机
朋友开来的"小面包"）的时候，我一眼瞧见韩玉朴和侯长海。他们俩各背一个写生
的画夹，兴致勃勃地边聊边走呢。我就横过去拦住他们说："嘿！往哪儿溜达呢？"

韩玉朴扶住我的肩膀说："瞧你醉的。我们要去看出土文物展览，打算临摹一点
古代器物上的花纹。"

真是稀奇古怪的爱好！我扬起眉毛扮了个鬼脸，讽刺他们说："你们这是'古
典式'的友谊，早该成文物啦！瞧我们，讲究现代派的味儿——用友情使自己生活
得更快乐！"

韩玉朴微微一笑说："酒肉之交古已有之，算不上现代派。我倒觉得我和长海的
业余生活挺有现代化的味道。不过咱们都别忙作结论吧，祝你得到真正的快乐！"
说完冲侯长海把头一摆，侯长海朝我腼腆地一笑，两人便继续走他们的路了，倒弄
得我有点下不来台。

　　"大拇哥"他们早已坐上了"小面包","小驹子"他们一叠声地催我快上车。上了车，"大拇哥"问我："二位是谁呀？"

　　我说了名字。"大拇哥"又问他俩的具体情况。听完侯长海的情况，"大拇哥"把头一摆说："没戏！"听完韩玉朴的情况，他倒挺感兴趣："他爸是果品公司的头头？认识认识他倒不错。说不定什么时候就有用。"

　　可是后来有一天中午在食堂吃饭，我跟韩玉朴说起"大拇哥"，建议他下班后跟我去看个"内参片"，顺便跟"大拇哥"见面聊聊，他却一点兴趣也没有，并且开口又是他那个侯长海："我们俩约好了去图书馆，借《中国美术通史》看。"

　　他们俩不知被什么迷住了心窍，搞上了地毯纹样设计。我们这个地毯厂是个小厂，自己没有设计师，织毯子就用大厂子设计室提供的现成纹样。那些个纹样反正也能销出去，出不出新纹样并不影响我们厂完成任务。可是韩玉朴把他和侯长海设计出来的"螭龟卷草纹"地毯图样拿出来以后，厂领导挺重视，织毯车间的老师傅们也愿意试织。结果，织出来的样毯在同行业各厂中引起了震动，负责地毯出口的土产畜产进出口公司还把样毯拿去给外国商人看了，外国商人也是大惊小怪，一下订了上百张的货。可这又算得了什么呢？韩玉朴只得了三十块钱的奖金，侯长海只得了封我们厂写给他们厂的感谢信，如此而已！他们俩用韩玉朴那点奖金，坐首都汽车公司的旅游专车去清东陵玩了一趟，回来后侯长海说得好像多了不起似的。其实要跟我和"大拇哥"他们得到的快乐、见到的场面、收取的实惠比起来，可真是小菜一碟了！

　　可他俩研究地毯纹样的兴趣还不见衰减。瞧，这不接茬又研究上了，大过年的也不消停消停。

　　一阵清脆的爆竹声打断我的思路，使我痛切地感觉到厂墙外就有活跃热烈的节日生活，我多么想投入进去，同"大拇哥"他们狂欢一番啊！可是看看表，停走了吧——怎么才八点二十？把表贴到耳朵上，坏小子，它就是那么慢慢悠悠地"滴答"着。

4

我翻了一气《大众电影》，也还是提不起兴致。难熬呀！

可是，到八点五十左右，奇迹出现了——你猜怎么回事儿？"大拇哥"找我来了！

他进了屋，先用舌头尖顶出一些个瓜子壳儿，然后便打个榧子，哈哈地笑着说："你们传达室那老头儿真逗呢，盘问我个没完，我总算把他给唬住了——我说我是你舅舅，中国评剧院乐队的，赶明儿能送他《三看御妹》的票，他才把我放进来……"

我高兴之余，也不免有点惊讶——"大拇哥"背着老大一个大提琴盒！他这是打哪来，背这玩意干吗啊？

"大拇哥"把大提琴盒搁到一叠卷好的地毯上，端详着库房四面，一边用他特有的方式嗑着瓜子儿，一边问我："你今儿个就跟这些个毯子做伴呀？"

我说："可不是闷得慌！多亏你来看我。你陪我玩会儿吧，咱们是杀棋还是跳舞——收音机里这时候准有舞曲。"

"大拇哥"摆着头，他的注意力全集中到了四壁挂着的一些挂毯上——那是我们厂的一种重要产品：有波斯式的几何图案，有传统的"和合万蝠"、"岁寒三友"等图样，也有仿国画的花鸟山水，还有个别仿油画的现代题材挂毯……大的十多平方米，小的不足一平方米。"大拇哥"边看边赞叹："不赖呀！够意思！"

我说："别看我们厂是所破庙，这破庙里织出的毯子专登大雅之堂，纽约联合国大厦，巴黎总统府，东京都市政厅……全铺得挂得有哩！"

"大拇哥"看完一圈，走到我那值班床上坐下，掏出包进口的"三五"牌香烟，动作优雅地递给我一支。我抱歉地对他说："我们这个地方不许吸烟，怕把地毯点着了。"他吹了声口哨，把香烟抛起来又接住，揣回兜里，倚到床上的被子摞上，双手交叉枕在脑后，两腿交叠，尖头皮鞋一晃一晃地对我说："景风，我要借块挂毯，你小子可别含糊！"

我坐在床边上，搔搔他的腿说："开哪门子玩笑！坦白坦白你们今儿个撇开我打算怎么玩？"

"大拇哥"原来并不是开玩笑。他重复地说："借我一挂地毯，我准在你七点交班以前送回来。"

我愣了。这怎么行呢？我们厂的制度绝对不允许啊！再说万一被人发现了可怎么得了？我不愿让"大拇哥"觉得我太"教条"，就退一步说："借，你也运不出去呀，挂毯又不是一根针一杆笔，揣兜里就能带走。你抱着毯子卷往外走，传达室的于老头准截住你。"

"我干吗抱着毯子卷走？""大拇哥"坐起身来，指指大提琴盒说，"卷起来搁那里头不就得啦！"

我过去掀开大提琴盒一看，原来里头是空的！敢情"大拇哥"带它来就是为了装挂毯啊！

撂下盒盖，我心里乱营了。

"大拇哥"拍着我肩膀说："你以为我会拐骗一块挂毯，拿走独吞了吗？放心，绝没那个意思。我只是要你小子帮我个小忙。"

我挠着头："咱哥儿们，别说帮小忙，帮大忙也是义不容辞的事儿，你要我个人的东西，任啥我也能给你，可这挂毯是公家的不是我私人的啊……"

"大拇哥"用手托托我下巴颏说："你先别发怵。咱们好商量。'小天鹅'你知道吧？上月舞会上跟你跳探戈的那主儿……"

我说："知道知道，'小子'早告诉我了，你们对上象了。她长得可真够天鹅的份儿啊，听说她家老头是个厂长哩，祝贺你啦！"

"大拇哥"推我一把说："别光说好听的！现在是你该拿出实际行动的时候啦！听着，今天下午她和她妈她姐姐要来相我。这三位女士全是金眼皮，喜欢个荣华富贵。所以，我已经从我们厂弄出一小桶汽油，说动'小驹子'他三叔借了我一套刚分得还没搬进去的房间，又靠'二拐子'和'大锁眼'给我准备了一桌酒席，'阿臭'、'萝卜须子'他们给我借了个四喇叭的三洋收录机和唐三彩瓷马摆投，加上我自己早就置备好的沙发、立柜、落地灯、活动式酒柜……配上拐几道弯弄来的花格子地席、蝶式吊灯、出口茅台酒和金鱼酒心巧克力，估计准能把她们唬住，席上就把事儿定下来，初五办事处一开门我跟'小天鹅'就去登记……可是我那墙上还缺样挂的，这不轮着该你成全我的好事了吗？"

　　说完这番话，他就站起来，一边嗑瓜子儿一边绕看四壁挑选挂毯。他挑中了一块根据东山魁夷画意识出来的横式挂毯，指着说："就借我这块吧，这色调正配我那全堂的布置——我搞的都是暖色！"

　　我犹豫不决，结结巴巴地对他说："这……这样好吗？'小天鹅'不是早晚也得知道……知道这好些东西……连房子全是借的吗？"

　　"大拇哥"转身望着我，满不在乎地说："当然早晚她得知道。可登记完了她就是我的人了，我鼻子底下长的什么？不会慢慢跟她解释？她会相信我的能力的。今天我需要借的东西，只要我不断地走门子，一二年里我们就会全有的。别忘了她家老头是厂长，那厂子你和'小驹子'他们不是都想转过去吗？人家比你们这集体所有制的福利高，有我这么个关系，今后你们到了那儿准能分上甜活！快把挂毯借给我吧，我可已经跟'小天鹅'吹出去有挂毯了！……你小子不愿投资，光想中彩，那怎么成呢？"

　　对这么个局面，我可是一点思想准备也没有。我想起"大拇哥'早就对我说过的"至理名言"："别交那没用的朋友！"过去我总以自己为本位来看待这句话。是哇，"大拇哥"这个朋友用处多大呀，没有他，我能看上那么多"内参片"吗？我能参加那么多的宴会和舞会，得到那么多便宜和乐子吗？可是，直到今天我才懂得，还应该以"大拇哥"他们为本位来看待这句话。他们跟我交朋友，也是为了图我的用处啊。我的用处体现在哪儿呢？显然，一块上餐馆开宴，撒出点钱去，那是够不上"有用的"……怪不得有时候"大拇哥"在闲聊中过细地问我们地毯厂的各种情况呢！前几天我就说起今天要值班的事，他把值班的地点、人数、环境……全打听到了。我当时没在意，现在才猛丁醒悟，他是早就计划好要用我了——是啊，"别交没用的朋友！"难道他给我那么多的甜头，单单是因为我能叫他声"大拇哥"吗？

　　我的心就像被两个球拍推来挡去的乒乓球，脑子里的念头就像"儿童运动场"里的转椅般旋转不停。答应"大拇哥"吧，又觉着实在不该犯纪律，拒绝"大拇哥"吧，又觉着实在欠他的情。唉，友谊啊友谊，这回你可不像"它似蜜"了，你像没渌过的涩柿子般麻口哩!

"大拇哥"坐到床铺上,哗哗剥剥地嗑着瓜子儿,眼珠在变色"蛤蟆镜"后转悠着,耐心地等待我作出决定。

我低头用手指头抠着床单上的玫瑰图案,倒好像那都是些污垢似的。

"大拇哥"等得有点不耐烦了,他啐了几个瓜子皮儿到我脸上,"开导"我说:"瞧你这份窝囊相!友情为重嘛!你琢磨琢磨,'朋友'的'朋'字怎么写的?月亮对着月亮,互相借光嘛!如今要生活得幸福,快乐,不就得靠多交有用的朋友,多借光吗?你赶明儿用得着我'大拇哥'的时候多着哩……咱们又不是犯法,咱们就是互相借借光嘛!"

他这么一说,我眼前仿佛真出现了个"朋友"的"朋"字,这"朋"字越涨越大,果然是两个下弦月互相对着……

可我还是下不了决心。我第一次感到了"借光"的苦味。"借光"真的永不犯法吗?借来借去,这不已经快要"过线"了吗?怎么是好?"大拇哥"见我皱着眉头不言语,便站起身看看表说:"是呀,你小子还嫩。就让你想想吧!我先到西单再办点事儿,提琴盒撂这儿,十一点我再来,到那时候你要还这么窝囊,咱们先把账算清,完了就谁也不认识谁!"

他走了。

我在库房里坐也不是,站也不是,走动着也难受。我时不时瞥一眼那大提琴盒,黑色的盒身让我联想起一团盘着的大蟒。

我不住地看表。时间啊,你为什么忽然又走得这么快?你这是跟我开的什么玩笑哟?怎么不知不觉就已经十点了?

5

谁的脚步声?难道是"大拇哥"提前回来了?

瞧清楚了来人,我的神经才松弛下来,那是韩玉朴。

他照例哼着歌,手里抱着沉甸甸的《文物》杂志合订本,见了我便笑嘻嘻地说:"解放你来啦！找你的'大拇哥'他们'蓬叉叉'去吧！"

见我满脸惊奇，他便解释说："长海他们家来了亲戚，长海得跟他们聊聊玩玩，我们的设计工作暂停。我不愿意回家，乱哄哄的容不得我看书，所以来这儿顶你的班。咱们一举两得，你得了热闹，我得了清静。赶明儿轮到我值班也不用你再替我。怎么样，下巴颏该乐掉了吧？"

我可乐不出来。我斜眼望望一旁的大提琴盒，这就引起了韩玉朴的注意，他瞪着眼大笑起来："哈哈……这是你变的魔术吗？怎么库房里添了这么个庞然大物？"

我怕他去揭盖儿看，忙拦到他身前说："我的一个朋友，评剧院搞伴奏的，刚才路过这儿，说暂存一两个小时，等会儿他就来取走……"

韩玉朴点着头说："原来如此，你放心走吧。你把他名字告诉我，等会儿他来了，我问清楚了让他背就是。我给看着，丢不了！"

我当然并不离去。韩玉朴上下打量着我，到这会儿他才稍微感觉出我有点反常。

我忙掩饰地说："还是等他来了我再走吧……你坐下呀，我一个人闷得慌，有你来聊会儿也真不错。"

韩玉朴从兜里掏出一张歌片来，兴致勃勃地说："咱们一块学这首歌吧，旋律忒美！"

我把他拿歌片的手打到一边："我可不是歌迷。你坐下，跟我聊会儿比什么都强。"

他和我都坐到了床铺上，我提起话茬说："你是个大学问。你谈谈，朋友的'朋'字究竟是什么意思？"

韩玉朴嘻嘻哈哈半正经半逗趣地讲解开了："'朋'字有好几种意思。一个意思是同一个老师教的弟子，引伸开就是相好的意思，古书上有这样的话：'同门曰朋，同志曰友。'另一个意思是当'比较'的'比'用，比如有个成语叫'硕大无朋'，就是大得没法子比的意思。古时候还有把'朋'当量词用的。当时贝壳就是货币，五个贝壳叫'一朋'。《诗经》里说'锡我百朋'，那就是五百个贝壳，多阔气，够买一台高级'三洋'录音机的了！另外，'朋朋'还被用来形容风声……不好的意思是'朋比'的'朋'，《唐书》上说：'趋利之人，常为朋比，同其私也。'你可别跟趋利小人一块儿'朋比'去啊，哈哈……"

我知道他是无意，可这话直刺我心窝，我的脸色变得很难看。因为韩玉朴笑到半当间自己止住了，眨眼望着我，我就单刀直入地问他："有个说法，'朋'就是月亮对着月亮，就是为了互相借光，只有这样才能生活得幸福，生活得快乐！你说说，你同意这种说法吗？"

韩玉朴重复着"月亮对着月亮"那几句话，微笑了："真新鲜！头回领教！月亮自己并不发光，要说借光，那是借的太阳光啊……"

"谁要你讲天文学！"我生气了，"你跟我直说吧，你跟长海泡在一块儿，究竟图个什么？"

真没想到，他脸红了，降低声音对我坦白说："我们想编本《京式地毯图谱》，还想写本《中国地毯史》……你可别给我们往外乱说啊！"

咳，这对我来说算什么答案呀！我刨根寻底地问："写这书又图个什么呢？稿费？出名？"

韩玉朴"扑哧"乐了，当胸杵了我一拳："你净想好事儿！我们八字还没一撇呢！"

我还是不罢休："你这个大月亮对着他那个小月亮，他净借你的光了，你不觉着亏得慌吗？我不懂，你们这号友谊究竟是怎么回事儿？"

韩玉朴不乐了，他的表情变得严肃起来。我想起了他在团支部里的职务：宣传委员。他是不是要摆出个团支部的架势，给我上政治课呀？我先给他打了"预防针"："你甭给我来一套一套的理论，你给我说点心里头的真实想法！"

他倒又被我逗得微笑了。想了想，他诚诚恳恳地说："我觉得，友谊，这也是一种高级的精神生活。它应当是高于人与人之间的物质关系的。我跟长海打小一块长大，我们谈得来，都爱好工艺美术，迷上了地毯设计……要比成月亮对着月亮，那我们就是两个人造月亮——同步卫星——我们愿意绕着地球母亲，一块钻研学问，一块发明创造、为祖国为人类作出贡献……我们在一块看展览、旅行、写生、看电影、看戏、弹琴唱歌、下棋练字、讨论问题、钻研学问……觉着特别幸福，特别快乐。跟你说吧，我们都起过誓，就是将来有了对象，成了家，我们也要一直好下去！

当然啦，我们也吵过架……"

我忙追问："你们也吵架？是你问他要什么他舍不得给你吗？"

韩玉朴把眉毛一扬："我干吗问他要东西呢！是这么回事，那回我们一块去图书馆，我借的那本书有点开线，那里头有幅插图把我迷得简直丢不开手。我看呀摸呀，忍不住就想把它扯下来夹到我的笔记本里去。长海看出了我的心思，瞪了我几眼才把我止住。出了图书馆，他斥我说：'多没教养，起那号念头！'你想我受得了吗？我就脱口而出地说：'你文明，你是瘸腿博士！'他登时变了脸儿，嘎噔嘎噔点着木拐飞快地离开我，一个人去赶公共汽车了。我赌气站在那儿没动弹，看见他没人搀着，好费劲地才上了公共汽车，车窗里闪着他变了样的脸，我这才悔得不行……晚上，我到他家跟他认了错，承认自个儿修养不够。他拿本书遮住脸，变了嗓说：'我也不该那么说你，说得太重了。……'我把他手里的书推开，他眼里转着泪花儿呢。你不是问什么是朋友吗？全部的答案我也说不出来，可我觉着，在一起能使自己变得更纯洁更高尚，这才叫真正的朋友……"

听了韩玉朴这番话，我心里涌出一股说不出来的复杂滋味，我又服气又不服气，又羡慕又嫉妒，又后悔又想挺住，又想再跟他深谈，又怕再往深想，又舍不得他离开又怕他留下……

终于，我粗鲁地对他说："行了行了，你走吧！我不用你替，反正今天我认倒霉了，这个班，我就值到底吧！你请吧请吧！"

韩玉朴微微偏着头，眉头抖动着，默默地望着我，显然是在琢磨：这是怎么回事呀？

我不能让他留在库房琢磨我，再说，十一点眼看就要到了，万一"大拇哥"跟他碰上可就麻烦了。我站起来先拉后推，由命令而恳求地对他说："你走吧你走吧，现在我想一个人清静清静！"

韩玉朴抱着他那《文物》合订本，依我的请求，哼着《友谊地久天长》的曲子走了。临走他亲切地对我说："景风，我希望过完节后，能再跟你讨论关于友谊的问题。"我使劲地点头，真心实意地答应了他："准的！我主动找你！"

韩玉朴的身影消失以后，我一看手表：十点三十二分，离"大拇哥"回来不到半小时了。我望望那大提琴盒，心头就像被人揪了一把。我双手插进裤兜，低着头来回地在大提琴盒面前疾走着。我感到自己正处在人生的一个三岔路口上，面前两个路口都立着月亮对着月亮的路牌：一条路上是"大拇哥"他们在对我招手，发散出烟酒茶饭的香味，回响着流行曲和笑声；另一条路上可以看到韩玉朴和侯长海携手同行的身影，他们前方是一座闪着光芒然而陡峭险峻的修养和事业之峰……

啊！请你们帮我来决定吧：该往哪边迈步？

快点回答我吧，现在还来得及！

1980 年 4 月写于垂杨柳

她有一头披肩发

他是在日光岩上遇到她的。

日光岩是鼓浪屿的最高处。站在日光岩上，既可以回望厦门半岛，也可以眺望大担、二担两个岛。

日光岩上有人出租望远镜，五分钟一角钱。为计算时间，出租者手里提一只闹钟，每隔五分钟响铃一次。

他想租，但望远镜正被别人占用着。

他本是随便地朝持望远镜者一瞥，但这一瞥，却使他怦然心动了。

那是一个年龄大概与他相仿的少女。腰身极为袅娜。厦门的姑娘们，据说是全国最善打扮的一群，从这一点来说，上海淮海路和广州海珠广场上的姑娘们，同她们一比也难免要逊色。这主要是因为厦门姑娘们不但穿的衣服料子好，多是港澳、国外带进来的，而且她们极善进行色调上的搭配，或浓如一片秋叶，或淡如一缕轻烟，或雅致之中忽以外露的尖领形成谐谑，或强烈对比之中却以一条腰带构成和谐……这位举着望远镜的姑娘，身上只穿了一件淡绿色的连衣裙，其余装饰一概舍去，却显得格外优美华贵，细加端详，就不难分析出，这主要是因为她有着一头黝黑浓密的披肩发，那不受发卡约束的长发，随着微风自然地掀动着，在阳光照射下泛着黑亮的波晕……

她久久地握着望远镜，并不变换角度，似乎是望着白鹭形的厦门岛那"鹭喙"

的尖突——那儿能有什么神奇的事物，值得她这样地倾心呢？

她望着远处。他在近处望着她。周围的一些国外游客都没有注意到他们。唯独出租望远镜的人在毫无表情地望着他们。那也是一个姑娘，不过她许是厦门姑娘中的例外，长得既无特点，穿着也极为平常。

闹钟响了，五分钟到了。有着一头披肩发的少女不无遗憾地放下了望远镜。租望远镜的姑娘指指他，对那长发女郎说："你给他吧！"

他却连连摆手："我不租了，不租了！"

出租望远镜的姑娘莫名其妙。长发女郎无所谓地将望远镜递还给她，连瞥也没瞥他一眼，便朝下岩梯而去。

下岩梯很窄，下面有人正往上登，所以她不时要侧身躲让，而她那一头秀发，便在每一躲让中极为可爱地抖动着。

他望着她的身影。当她的身影消失在通向古避暑洞的拐弯处时，他便突然拔脚下岩，他在窄梯上笨手笨脚地碰撞着上岩的游客，使那些游客不由得发出怨愤的"啧啧"声。

他终于从窄梯上下到了宽阔的山路上，小跑着穿过阴凉的古避暑洞，用目光四处搜索着。

短短的一分钟里，他竟失却了她。

他感到无比沮丧。

他已经 26 岁，他需要一个稳定的"她"。他自身的条件是优越的，有许多个"她"主动找上门来，希望博得他的欢心。他妈妈甚至已经代他定下了一个"她"，是爸爸妈妈老战友的小女儿。他并不讨厌"她"，因为"她"很聪明，正上大学，攻读耳鼻喉科的医术，门当户对加上学有专长，过去又常在一起玩，互相都了解。按理说，应当可以肯定下来了吧，他却至今拒不表态，使他妈妈想起来便要心绞痛发作。爸爸、妈妈都极其严肃地追问过他：究竟哪点儿不满意？他被迫讲出了真话，结果挨了一顿臭骂。

可是，他有什么过错呢？

　　他来厦门出差。他希望在这里，能有一次关键性的奇遇。这是他在厦门的最后一天了，正当他濒于绝望时，竟出现了这么一位绿菊似的披发女郎。

　　他热爱古往今来所有的关于一见钟情的故事。他相信，科学界很快就会揭示出类似这样的秘密：原来，一见钟情是异性间生理感应场的某种强烈吸引。一切社会学的恶俗解释，以及一切冬烘式的感情分析，都统统滚到一边去吧！

　　他与这位披发女郎之间，显然，就存在着一种神秘莫测的交相感应的引力。

　　他不可能失去她，既然他们已经接触过。

　　他快步走到了人群开始稠密起来的日光寺，在俗称"一片瓦"的佛龛前，有一些或真或假的善男信女在弥散的香烟中向观音菩萨揖拜。他向那边瞥了一眼，欣慰地证实了那一群中并没有她。他走出日光寺的山门，朝山下走去。

　　他在山道上拐了一个弯。啊，他看见了她。她正袅袅婷婷、不紧不慢地朝下走着。她那淡绿的连衣裙的下摆悠悠然飘动着，细长的腿下，是一双穿着珠贝色高跟鞋的轻盈的脚。她右肩上挂着一个乳白色的人造革挂包，有着银色的金属封口，她趄着一双胳膊，用两只小手护着那挂包。而最令人眩目的，自然还是那一头微微掀动着的披肩长发。

　　他尾随着她。心跳急促起来。显然，不仅是下山太紧迫的缘故。

　　鼓浪屿的这座骆驼峰并不高，她很快便走到了山下。在山下的一丛三角梅下，她站住了，似乎在考虑继续朝哪边前进。这么说，她也是一个悠闲的游客，并没有什么紧急的事待办。太好了。

　　她站了几秒钟，便索性一歪身，在三角梅下的一条石凳上坐了下来，仰起头，两手轻轻抚弄着她那一头秀发。他看见这镜头，全身的血都化作酒了。

　　机会不可再失。他简直是鲁莽地冲了过去，突然闯入她的意识，站在她的面前，喘吁吁地说："让我们，让我们认识一下吧！"

　　她被惊吓得一下子站了起来，本能地扭过了身去。

　　"对不起，真对不起你……"他赶忙道歉说，"你别怕，我不是坏人，我只不过，只不过想同您认识一下。"

少女回过头来，一张脸仍旧没有恢复血色，恨了他一眼。然而从一恨之中，她看出他的确是满脸憋得红紫，满眼愧悔与自责，两手在胸前互绞着，确乎不像一个流氓。她站在那儿没有动。血色渐渐回到了她的脸颊。她眼里消逝了恨意，开始漾着一种考察的波光。几秒钟后，她竟完全镇定了下来，用冷静的语调问他："你是谁？你这是什么意思？"

他解释着。事后他竟不记得都解释了些什么。他只觉得她的脸颊不是一般意义上的美，甚而可以说，是不符合一般的美的要求的：眼睛虽大，颧骨似稍宽；鼻梁虽直，下颏似又稍尖；兼以鼻梁边有着些微雀斑，竟使得她具有一种不美之美，而这样一副面颊，被她的一头披肩发衬托着，便使得她恍若是从天而降的仙女了。

天哪，仙女竟向他微笑了！尽管那仅仅是浅浅的、淡淡的、不露齿的一个朦胧的微笑，然而，这就够了！

他认识了她。或者说，她接受了他的认识。

他们一同到海滨的菽庄花园去玩。在著名的四十四桥上，听海涛拍打着桥下的岩石，看海鸥在海面上蹁跹飞舞，他们越谈越投机。啊，相见恨晚！

自然，他们先谈这鼓浪屿的风景，继而谈电影，谈小说，谈诗……怎么这样巧呢？他们都不甚喜欢日光岩，而更喜欢这菽庄花园；都并不佩服陈冲，而赞赏刘晓庆；都讨厌巴尔扎克，而迷醉于雨果；都欣赏不来惠特曼的《草叶集》，而又都会背诵朗费罗的这些诗句：

> 平静些吧，忧伤的心！且休要嗟怨；
> 乌云后面依然是阳光灿烂的春天；
> 你的命运是大众的共同的命运，
> 人人的生活里都会落下些无情的雨点……

他们走完四十四桥，在招凉亭小坐，便登上草子山，进入了补山园。在棕榈树的荫庇下，在白玉兰树的芳香中，他们逶迤而前，娓娓而谈，终于来到了著名的"十二洞天"。这是仿照苏州园林格局布置的一处假山，在有限的空间内，以巧妙的方法形成盘旋升降、七穿八达的一种无限的幽深丰富感。

他邀她一同去领略那迷宫似的假山。她在入口处却步了。

"不，"她忽然抬眼直视着他，微微退缩着，"不。"

"为什么？"他坦率地望着她，不理解她这突如其来的游移。

"我不要进这里头去，不。"她的脸颊蒙上了一层神秘的神色。

"你害怕吗？"他想了想，便转身说，"那好，我们就不逛这'十二洞天'。你也许是累了。我们到那边坐坐，好吗？"

她点点头。于是，他们便折回去，在一株乌桕树的伞冠下，坐在那残破的石凳上。

他探究地望着她。她低着头，长发覆盖着她的脖颈，她的睫毛显得很长，两手紧捏着膝上的乳白色挂包，紧抿着嘴唇。

"你怎么了？"他小心翼翼地问。

"我是头一回跟生人在一块玩。"她小声地说。

他不愿撒谎。他可不是头一回。但他宁愿这是头一回，并且，也是最后一回。

"我怕受骗。我更怕自己骗了别人……"

"你别这么说，"他真诚地向她剖白，"我可不是花花公子。我是很认真的。我都有点不敢相信，这么巧，我遇上了你……我明天就要回北方了，我建议，我们继续保持联系，我把我单位的地址，家庭的地址，都留给你……并且，我要告诉爸爸妈妈……"

"你弄明白我各方面的情况了吗？"她抬起头来，并不望着他，蹙眉凝注着对面山坡上的一丛巴茅草，问。

"当然，我们都还需要加深了解。不过，我……我喜欢你本人，这就够了。你能有什么把我吓退的其他情况呢？"

"有的……"

"有也不怕。"他信心百倍地说，"你要相信我，我是不受世俗的那一套约束的！"

"你知道我是做什么工作的吗？"

"做什么的都行。就是待业的，也没关系。"

"我是饭馆的服务员。真的。你刚才不是问，我在日光岩上用望远镜望什么地方吗？我就是用它找我们那家饭馆，我真把它找到了……"

"我不嫌你是饭馆服务员。真的。这有什么关系？再说，我们还可以想法子调换……如果你自己不愿意调换，我肯定无所谓。你和我都喜欢朗费罗的诗，这就够了。"

"我有海外关系……"

"那太好了。如今在一般小市民眼里，这是求之不得的好处呢！你怎么反而为这个担心？又不是四年前那种世道……"

"我姑妈在香港，摆摊卖沙茶面的。她可不是那种能给内地亲戚带什么录音机、电视机的阔太太……我问她要一样东西，她费了好大力气，还借了钱，去年才给我带回来……你知道那是什么东西吗？"

"咱们干吗说这些？我对她带什么东西给你没有丝毫的兴趣。咱们今后只需要她的祝福，那就够了，不需要她任何的礼品……"

"我身体不好……"

"那可以补养……"

"我得过病。插队的时候，我差点病死……"

"可你不是活过来了吗？你活着，而且你现在很美……"

"别说这样的话！你不知道，我……我有后遗……"

"我都不在乎！我跟你起誓，就算……就算跟你好了以后，我们没有孩子，我也不后悔！"

她仿佛吃了一惊，扭过头来望着他，大睁的眼里汪着泪水，脸颊绯红，咬着嘴唇，半响没有说话。

"咱们再散散步好吗？为什么非说这些严肃得让人受不了的话？这些话，可以以后在信里再说。"他建议。

她默默地站了起来。

他们出了菽庄花园，就在海滩上慢悠悠地散步。那片海滩叫港仔后浴场，如今已是深秋，尽管岸上的树还是那么绿，花儿还在轮番开，浴场却已经没有了游泳的男女。夕阳西下了，海天相接处，飘着镶银边的紫红色的云。正在退潮，掀动的海浪滚成一条变幻不定的泡沫的曲线。晚风挟带着湿润的桂花的气息，沁人心脾。

她低着头，在沙滩前缓缓前行，任微风吹动着她浅绿的裙裾，以及她那秀美的黑发。

他同她并肩前进，不时侧目注视着她苗条的侧影，特别是那飘拂的黑发。他真想挽住她那莹洁的胳膊，抚摸她那柔软光润的长发！然而，他不敢。

终于，她站定了，偏过身来，眯着双眼，仿佛在透视他，耳语般地发问说："你到底为什么愿意跟我好？"

"因为，你是我理想中的姑娘。我敢说我以前梦见过的，就是你……"

"你别花言巧语。我知道，你只不过是图我……图我长得漂亮！"

"我当然爱你的容貌，可我更爱你的灵魂！"

"我们才认识几个钟头，我们怎么可能看清楚对方的灵魂呢？"

"当然。所以我们才需要通信。我们还要争取再见……"

她收拢双眉，眉尖耸动着。他不知道她为什么那么痛苦，那么犹豫。倘若她是一个根本拒绝浪漫色彩的爱情经历的姑娘，她又何必这么长久地同他单独在一起游逛？

"我该回厦门去了。你呢？"她叹了口气，冷漠地说。

"我就住在这儿的招待所里。"他对她说，"可是，我可以陪你到摆渡码头去。我希望，在那儿，你可以告诉我你的通讯地址。"

在走出菽庄花园的时候，他已经把自己的通讯地址告诉了她。他决定走到码头再为她写一遍，以免她忘记。

她不再说话，任他把自己送到摆渡码头。码头上人很多，尽兴畅游完毕的游客们，都急着坐渡船离开鼓浪屿，到厦门市去吃晚饭。

他和她找了一个离开人群的角落。那里有一大幅商业广告，大概是宣传日本

TDK 盒式录音带的。他和她都没有瞧那广告一眼，他们只是对望着。

"人家都说，"她缓缓地说，"你们这样的干部子弟，要么要门当户对的，要么就只图漂亮……"

"我不是那号'衙内'，听我说……"

"先听我说，你们，要么门当户对，可不把妻子当回事，另外去找别的女人；要么只图漂亮，一时喜欢，可骨子里又看不起人家……"

他急了："我怎么办？把胸膛撕开，掏出心来给你看吗？"

她竟微笑了，一个凄楚的、神秘的微笑。她对他说："不用，很简单，我给你这个，我早准备好的，早准备着有一天遇上你这样的人，好让这样的人去慎重地决定……"

他看见她从那乳白的挂包里，取出一个密封的信封来。

他伸手去取。她拿信封的手本能地躲开了。望了码头一眼，这才一下子送到他的手中，并且郑重地嘱咐说："你必须等渡船走了一半，才能打开看！"

说完，她头也不回地朝码头跑去了。他看见她挤进了涌向渡船的人群，她的披肩长发，闪动着，闪动着……

他紧紧地捏着那只信封，痴痴地站在那里。渡船开动了，缓缓地离开码头，掉头，朝对岸开去。

他想从渡船上显露的人头中找到她的那一头披肩长发，然而没找到。她为什么要躲起来？难道她不想远远地望着他，观察他看信的表情？

天色晦暗了。海水的腥味使他增强着怅然的情绪。

他恪守着她的命令，直至渡船明显地驶过海峡中部了，才小心翼翼地撕开了那封信。

只见信上写着：

我也许永远得不到幸福，因为我必须向你坦白：我在得伤寒病的时候，把头发全掉光了。你所看到的头发和睫毛，都是我姑妈好不容易从香港给

我带回来的。你真的是你自己所说的那种人吗？如果是，我等着你的来信。我的地址是……

他没有看完。

路灯亮时，码头边有个买香蕉和福橘的老太婆看见，一个衣着讲究的小伙子，把一些纸片撕碎，并且掷进了海峡之中。

1980 年 11 月 26 日从鼓浪屿归来后写

洗　澡

有两个人，在他们的经历中，洗澡都曾改变过他们的命运。

一

夕阳映红了杜祖荣的脸庞。他提着带盖儿的草编筐，悠闲地走出机关。

"哪儿去？"

"哦，去洗澡。"

他住在机关的单身宿舍里。机关里没有开设澡塘，每月发给工作人员若干张通用澡票，因此他外出洗澡便是顺理成章的事。

但是，几乎日日、月月、年年如此，他每晚必去澡塘。于是，开始有人侧目了。

"我们地处北方，又不是广东，难道还非得每天冲凉不可吗？"

这样的非议分量有限，可以置之不理。

"今天散会都九点了，他怎么还要去洗澡？"

然而澡塘那时普遍营业至晚十点半，因此他照去不误。似乎也不甚荒唐。

刮风去，下雨去，炎夏去，隆冬也去。有一天傍晚下暴雨，还夹杂着蚕豆般的雹子，但在传达室里躲雨的人们，看见他依旧斜撑把雨伞，提着那必定装有肥皂盒、毛巾、立体梳子的带盖草编筐，匆匆地出大门而去。此时的澡塘里究竟除他而外还有多少怪客？人们打着赌。最大胆的估计也没超过两巴掌的数目。

"我们要把，嗯！业余时间好好地，嗯！计划起来，嗯！不要浪费掉，嗯！比如说天天都去洗澡塘子，嗯！那就不大妥当了，嗯……"某次会上，领导同志讲了这样的话。

他低下头。后面的人看见他那白皙的、一尘不染的耳根渐渐地红了。

然而，夜幕初降时，他又提着那"洗澡必备"的草编筐出了门。

舆论对他渐渐严厉起来。

"哼！资产阶级生活作风！"

"身上散发着资产阶级的香风毒气！"

他身上的确散发着一种与众不同的气味。有的人说是柠檬香皂的气味（他只用这一种香皂）。有的人说是一股子澡塘特有的气息。有的人闻之掩鼻，说是蒸煮过度的浴巾的味道，令人气闷。

事态的进一步发展，是单位保卫干部赵戈英，郑重其事地把他这一"怪癖"内定为疑点，决定进行秘密调查：杜祖荣每晚必去洗澡塘，除洗澡外还干些什么？是否有与别人接头的任务？

赵戈英是个比杜祖荣年轻的小伙子。有一天，下着牛毛细雨，街道上泥泞不堪，几乎人人身上都不出汗，在那样一种天气里，确实只有最感必要的人才会去澡塘。赵戈英躲在传达室里，杜祖荣提着草编筐出门以后，停了约两分钟，他才趑出门，不远不近地跟着杜祖荣，逶迤而前。令赵戈英吃惊而又欣喜的是杜祖荣并不是到附近的"广泉浴池"去洗澡，而是不惜坐几站电车，进入"清漪园"去入浴。为何吃惊？不用说明。为何欣喜？因为这证明他果然有问题。保卫干部赵戈英忘记了自己的职责：主要在于保卫没问题的人不受侵犯，却相反以为，自己的真正职责是在从没问题的人中深挖出有问题的人来。

赵戈英也进了"清漪园"。他发现到那里洗澡的人居然并不比他们估计的少。当然，他挑了个远离被监视者的榻位，进入白气蒸腾的池塘间后，他也尽量不让对方发现自己。

那洗澡成癖的杜祖荣是何表现呢？赤条条地下到了水温最高的池塘中，仰倚着，只露出头部，闭眼泡了起来。泡呀，泡呀，忽然，有一个长着络腮胡子、肤色赤红的胖子，也跳进了那池塘中。杜祖荣把眼睁开了。只见他二人招呼着。似乎十分熟悉，边说边聊，越聊越欢。

赵戈英真想过去听听他们聊些什么，但是，一来容易"暴露目标"，二来池塘间里水声、人声混成一片，就是离近了怕也难以听清，于是只好作罢。

"嗯！你的警惕性很高，嗯！他的问题你还要继续注意，嗯！这起码是，嗯！对思想革命化运动的一种消极抵制，嗯……"赵戈英汇报以后，领导作了这样的指示。

然而，"史无前例"来了。领导成了"走资派"，赵戈英成了"黑爪牙"，造反派当了家。杜祖荣虽然被眼前的世态吓懵了，倒还暂且无事。

开批斗"走资派"和"黑爪牙"的会。大热天，人挤人，又吼又叫，又嚷又跳。被斗者臭汗淋漓，斗人者流的也绝非香汗。

批斗会散了不久，杜祖荣就提着那个草编筐出了门。啊！还好，"破四旧"只破掉了"清漪园"的匾，挂上了"红卫澡塘"的牌子。当然，入池之前要先背诵语录，祝"万寿无疆"。但毕竟还有热水，有热水就好。他跳进池塘，觉得那水比往常更其温暖，更其值得珍惜。

又一个下午。"造反派"召开大型批斗会，会场上气氛森严，情绪激昂。由于"造反派"内部已开始分裂为两派，结果批斗会发展成了辩论会，一开就开到了晚上。散了会杜祖荣赶紧往澡塘子跑，但是，他跑到门口时，人家已经停业。这一晚他辗转反侧，难以入眠。

第二天，天不亮就有人找他，是一派的"勤务员"，动员他加入他们的那个组织。他说可以考虑。

一个小时后，另一派的"勤务员"来了，告诫他必须站在真正的革命造反派一边，才能不至于成为"实现全球一片红"的阻力。他心里想：怎么办呢？

下午就发生了夺权事件。一派抢走了单位的公章，另一派宣布那公章作废，另刻了一个"真正有效"的公章；而前一派又砸了后一派的"勤务组"办公室，"没收"了那枚"伪章"，于是后一派在当晚又加倍地报复了前一派，把两枚印章都夺了回去。

自然经历了一番乒乒乓乓、稀里哗啦，有人"轻伤不下火线"，有人"英勇挂彩"送入医院。还好，尚未有人"光荣牺牲"。

血红的夕阳掩映着杂物狼藉的战后场地，不见黄花分外香，唯有浊气冲霄汉。杜祖荣小心翼翼地踮脚穿过战场，直奔澡塘而去。原来澡塘也刚经历过"风云突变"。门口一片玻璃碴子，门侧一纸"夺权声明"，还有一块纸牌："暂停营业"。杜祖荣浑身骚动着一阵阵从未体验过的刺痒，只好灰溜溜地回到自己的宿舍。

两大"造反派"终于意识到，印章是虚的，关键在于麾下有多少人马。一派终于说动了杜祖荣，发给了他光荣的红袖章。他戴上了不到半天，另一派便刷出了《杜祖荣何许人也？》的大字报，他看到那每字一尺见方的大标题直发憷，自己也不知道自己"何许人也"了。

大字报颇有威力，因为赵戈英已经"反戈一击"，加入了另一派，以"确凿有据"的事实，说明"走资派"如何包庇了杜祖荣这个"浑身散发着资产阶级臭气、抗拒思想改造、形迹可疑的坏蛋"。

几天之内大字报升了几级。高潮是有一天用特大号字公布："已查明杜祖荣每天到澡塘去，是为了同现行反革命分子冯二有会面，他们几乎每天都要在一起发泄反革命怨气……"

冯二有便是赵戈英看见过的那位有络腮胡子的胖汉，此人确已被所属单位揪出，而且经过一系列触及皮肉的批斗和提审，最后确实写出了承认与杜祖荣在"澡塘"共同发泄反革命怨气的"坦白材料"。

杜祖荣找到本派"勤务组"，涨红了脸进行解释："我们就是一般的澡友，从未说过反动话……"但是这一派的"勤务组"经过紧急商议，还是贴出了开除他的公告。

开除就开除吧。可怕的是两派之争又从争夺"中间派"发展到了揪人竞赛。谁揪出的"反革命"多，谁就最革命。先是揪对方阵营中的，然后便发展到"大义灭亲"。

杜祖荣再次成为两派争夺的对象。不是争着发给他大红的袖章，而是争着往他脖子上挂黑牌子。终于，他还是被发过红袖章给他的一派率先揪出来了。他受的那些苦楚，凡与别人相同者一概从略不谈了。值得一书的，是往他身上泼痰盂水，然后绝对禁止他洗澡。

他自杀过两回，均未遂。头一回活过来以后，往他身上泼了尿；第二回活过来以后，往他身上涂了屎。

他和我们一样，终于熬过了那噩梦般的岁月。

现在似乎一切都复归了旧观。那位领导同志当然不是什么"走资派"，照旧"嗯"、"嗯"地讲着话，发布着指示。赵戈英经一再找领导同志道歉、认错、检查、谈心、发誓、鸣忠，依旧当上了保卫干部，不过他并不觉得自己在保卫工作方面有什么教训值得记取。"红卫澡塘"的牌子业已摘掉，"清漪园"的旧招牌又挂了出来。而杜祖荣也依旧每天提着他的草编筐去澡塘子，往那水温最高的池塘里一泡就是一个来钟头。

只是那长着络腮胡子的红皮肤胖子冯二有，不知怎么再也看不见了。

二

在同一个单位里，还有一位中等身材的大脑门同志。

他似乎从来不洗澡。人们的澡票用完了，往往都找他去要。他乐于把澡票送给每一个向他要的人。

如果说，杜祖荣的洗澡成癖很早就招来了"资产阶级生活作风"这类的谴责，那么，此人那不屑洗澡的"无产阶级生活作风"，倒也并未受到过赞誉。

开会的时候，谁都不愿意同他挨着坐。人们甚至时常直截了当地向他提出建议："翟力丁，你快去洗个澡吧！"

还好，由于他没有别的问题，总算在"史无前例"中平平安安地捱到 1973 年。

到了 1974 年，轮到他倒霉了。倒霉的原因，是发现了他这个从不洗澡的人有了"异常举动"。最先发现疑点的，还是那位赵戈英。当时"批林批孔"正进入高潮阶段。天公仿佛也在积极参加运动，那一年的"秋老虎"格外厉害，给大轰大嗡的运动一个劲儿地加着温。人们坐在一起开会，几乎全是短装扮。有的男同志上身常常索性光穿个背心。不穿裙子的女同志也往往忍不住使劲往上卷裤腿儿。

而翟力丁却永远穿着长袖衣衫。实在热了，他也略微卷卷衣袖。但是，你永远想不出他穿圆领衫或背心会是个什么样子。他出汗又似乎比别人更多，在他三米以外坐十分钟，他的气味就足以使你的胃口倒上整整三天。

当时是"工宣队"当政，赵戈英已不担任保卫干部。但运动本身既然号召人们检举一切"怪人怪事现象"，赵戈英凭着他多年练就的超级"警惕性"，当然便格外注意翟力丁的行为。

终于，赵戈英发现，在天气最热的那几天，每到晚饭以后，翟力丁便躲进他那间宿舍，好久都不出来。这倒还不稀奇，稀奇的是他总是严严实实地拉上窗帘。而隔窗谛听，可以听出屋内有哗哗的水声。

从不洗澡的人，如何反常地洗起澡来了？洗澡拉上窗帘，一般来说当然无可非议。但是，他住的那层楼全是男同志，几乎没有女同志从走廊路过，又何必遮得严严实实？

不久，单位里修成了淋浴室。一天傍晚，赵戈英有意邀请翟力丁同去淋浴，翟力丁只说有事要办，无论如何也不去。赵戈英几乎将他袖子扯破，他硬是挣脱回了自己宿舍。古怪的是，当晚赵戈英到他宿舍外观察，竟然窗帘严遮，水声哗哗。翟力丁若不是在洗澡，究竟是在鼓捣什么？莫不在销毁什么东西？莫不是正发出某种奇特的声波，供某地方的某种特殊的电子仪器接收？

他将发现的情况汇报给了"工宣队"。"工宣队"责成"革委会"下设的"保卫组"和"群专组"研究处理。当然，一研究，就断定此乃"阶级斗争新动向"。

于是乎设计好了"作战方案"。

先有"侦察人员"在傍晚时去侦察。侦察人员兴奋地回来报告："翟力丁又拉上窗帘了！"

继之，出动了"先头部队"，蹑手蹑脚地走到翟力丁宿舍门口，然后突然猛敲门板："翟力丁！快开门！有事儿！"

里面一阵慌乱的声音，似乎是盆子打翻了，水从门缝溢了出来。

砰！砰！砰！

"快开门！快开门！"

"好，等一等，等一等……"

啊哈，翟力丁的嗓音走了板！

按照预定方案，"先头部队"突然破门而入，"后继部队"立即紧跟而上。他们对室内无灯的情况早有应急措施，四只手电筒的光束猛然向翟力丁射去……

翟力丁一声惨叫，只见他还来不及穿上衣服，慌乱中把一块浴巾死死地包住上身，两眼圆睁，满脸惊恐，张开嘴呼哧呼哧地喘着气……

赵戈英冲上前，伸手把他身上的浴巾扯了下来。

哑场。

突然，赵戈英他们那五六个人不约而同地笑出声来。

笑声中，翟力丁颓丧地跌坐在床铺上。他痛苦地用双手捂住了脸。

原来，他左肩膀有一大片浓密的黑毛，直连到左腋窝和左上臂。从生理角度上说，那叫做返祖现象。这名称里虽然也有一个字和"反"字同音，却实在不好和"反革命"画等号。

翟力丁当即得到了解脱。赵戈英他们拉亮了电灯，劝他快些穿好衣服。对他"落实政策"说："你没事儿。我们全明白了。你应当理解我们的行动，阶级斗争必须天天讲、时时讲、事事讲。提高警惕性是永远需要的。"

从第二天起，翟力丁便得了个"翟毛"的外号。这外号很快传遍了全单位，乃至传到了单位之外。

熟悉并同情翟力丁的人都说，自那天以后，他的性格仿佛发生了一种显著的变化……

据新华社消息，中央首长在视察北京市新建的居民住宅楼时，对普遍没有淋浴设备表示遗憾。指出：今后应在建造时加上淋浴设备，便利居民洗澡。

这消息当然十分令人振奋。必需而短缺的东西，我们应当及早补齐。然而，那并非必需乃至多余甚而有害的东西，何时得以彻底消除呢？

                                        1980 年 6 月写于垂杨柳

写在不谢的花瓣上

亲爱的，你为何如此忧郁？

啊，不要这样，不要这样……

看，天边飘来的云，那么洁白，那么温柔，那便是我面对着你时的心境。听，树上传来的鸟鸣，那样纯真，那样烂漫。那便是我心中对你的赞美。

倘若世界上所有的泉眼都已枯竭，那么，请依偎在我的怀里，我心中的爱泉，将使你的唇喉永远滋润。倘若地平线上只剩下一缕霞光，那么，请你紧贴着我的胸膛，我心中的力量，将保护你安度艰难的黑夜。

亲爱的，舒展开你的眉头，听我说……

使你忧郁的，是那曾经藏在书架上，夹在《罗曼·罗兰文抄》中的那封信吗？

那时候，我的长诗《黎明照亮窗户》已经轰动，每天收到的读者来信有几十封之多。开始，你每日做工回来，洗涮过后，绯红着脸儿，兴致勃勃地拆阅那些来信。你为那些诚挚耿直的话语所打动，你的眼里，常闪烁着兴奋与感激的目光；你被某几封措辞尖刻，含有敌意的来信弄得惴惴不安，在已经安睡之后，你会突然凑到我的枕上，喃喃地问我："荷夫，他们会公开批判吗？会把你打成右派吗？"我抚摸着你松软的头发，安慰着你，劝解着你。你相信了我的话，你指着那搁放着来信的抽屉说："他们就是几个。支持你的，有那么多……他们要害你，那么多人，能不管吗？"你安心了，你在我的怀中睡去，轻轻地打着鼾……

渐渐地，你不再每信必看。我把认为最有趣的信读给你听，你就满足了。你常常是一边洗衣服一边听我读信。在我们那间值得纪念的不足十平米的小小居室中，在我们那张铺着用旧布补缀过的凉席的床边，在我们那盏唯一的十五瓦的电灯泡下，你甩甩耷拉到额前的头发，双手用力地在搓衣板上搓揉着，仰着头，望着我，听我读……

那一天你还没有回家。我拆阅着当天下午抵达的信件。那是一封从湖南寄来的信。好大的一个信封。拆开后掉出来的是一张少女的大头照。那少女确实长得美丽。她不仅轮廓娇俏，而且两只眼睛里饱蓄着灵气。她的来信并不长，写得热情奔放、干脆利落。她说她爱我的长诗《黎明照亮窗户》，尤爱我新发表的组诗《喂，请开窗》。她由我的诗而爱及我的人，她拜倒在我的脚下，她要嫁给我，而不管我是否已有爱人。她说只要我一声呼唤，她就将不惜一切代价，赶到我的身边，吻遍我的每一根手指……

我的心乱了。不是因为我接受了她的爱慕，而是我不曾预料到会出现这样的事情。我已经 36 岁，而且身材矮胖；我不仅已经结婚九年，而且女儿已经上到了小学三年级；我的手指短粗，右手的食指和无名指还被廉价香烟熏得焦黄……我不懂那位湖南安琪儿为什么不能仅仅喜欢我的诗，而非要来吻我这肯定会使她扫兴的手指？

我把那封信装好，扔到了抽屉里。读完了当天所有的信，我把需要回复的留在了桌上，把其余的也都扔到了抽屉里。我铺开稿纸，想写回信，但不知为何无从下笔。我承认，那张少女的照片总在我眼前晃动。我坐在那张可纪念的破旧的两屉桌前，望着窗玻璃上雨水溅出的渍印，犹豫了一阵，我就拉开抽屉，取出了那封信，我从书架上抽出了那本《罗曼·罗兰文抄》，把信夹在了里面，把书搁回了书架，使它夹在另外两本罗曼·罗兰著作之间。

你回家来了。你是工人，最最平凡的三级工。你们那家工厂坐落在一条最不知名的胡同里，属于集体所有制性质。你那些从家庭妇女转为工人的同伴们，至今弄不清彩色电影是如何拍成，她们坚信那颜色都是用水彩笔染上去的，她们争论着，哪部片子的色儿染得更好一些？她们既害怕已经到来的"寡妇年"，不是开玩笑而是严肃地禁止自己女儿出嫁。她们也为即将到来的猴年而揪心，有一位还曾单单从这一点出发，叫你劝我在猴年里务必停笔。啊，亲爱的，你就从那工厂回来了，头发上还挂着一些飞絮。

你照例询问来信的情况。我向你汇报着。你觉察出了我的不自然，你用疑惑的眼光打量我。但是你很快就发现留给我的花卷还在碗里放着，原来我因为忙于写诗又忘了午饭。你释然了，同时开始唠叨……

那是枫叶飘落的秋天。我兴冲冲地从外面回来。我刚参加完一个关于诗歌如何更好地反映人民心声的座谈会。我在会上发了言，回来的路上，我已经打好了大半首诗的腹稿，我打开门就想把涌动在胸中的句子倾泻给你，然而，拉开门以后，我愣住了。

你站在什物凌乱的屋中。显然，你是想趁我不在，一个人来一次大扫除，让我回来后享受现成的"窗明几净"之乐。然而你的工作热情半截子上便被冷冻了。你呆呆地站在书架旁边，你身前的椅子上摊着那本《罗曼·罗兰文抄》，你手中捏着那张大照片和那封信……

啊，亲爱的，倘若密密的雨丝抽打在芭蕉叶上，芭蕉叶必然发出瑟瑟的声响；倘若圆圆的卵石落到湖中，湖水必然漾起层层的涟漪，你就应当听信我的解释……

我本是不愿伤害你，而我却深深地伤害了你。

夜晚，星光泻到我们的床上。你把女儿菊菊紧紧搂着，离开我一尺多，你两眼闪闪放光，像是在勘测我的心灵，你静静地怨我说："干吗瞒着我？干吗要瞒着我呢？"

你痛苦。随着我新作的发表，你不仅要继续为我担"打成右派"之忧，还要独自承担着另一种忧虑……

啊，亲爱的，你更不必为那秋末的晚餐而忧郁。正如构成香山红叶的主要成分是黄栌而非枫树一般，构成那次晚餐的主要气氛，是纯洁的师生之谊而非暧昧情绪……

那一天秋意极浓。蜂蜜色的阳光，把窗外豆藤上的干叶照得筋络分明。我正坐在窗前，写着那首后来引起争论的《赠我的长发弟弟》，这时响起了叩门声。

我预料到，这将是又一位文学青年。

果然，是一位地地道道的文学青年。

她是一个短小精瘦的姑娘。她长得实在不漂亮。她脸儿黄黄的，额头上甚至有着两条不抬眉也可辨认的皱纹。她穿着工作服，径直从她做工的工厂里来我家。她从肩上取下一个油渍斑斑的帆布书包，从书包里取出一个油纸包，又打开油纸包，从里面取出一扎雪白的诗稿，双手捧到了我的面前。

尽管在一百次以上的接待中，我已经练就了一颗坚硬和不易点燃的心。尽管我像对待许多初次来访的文学青年一样，对她宣布了这样一种逻辑："因为我其实并无指导别人的资格，又因为我这创作假的每一小时都很宝贵，所以我无法与您长谈；并且我即使读过了您的大作，也未必能发表出什么有价值的意见；为两下里都不徒费时间、精力，请您还是打破对我的迷信，别寻师傅的好！"然而无论是我的冷淡还是我的坚辞，都不能丝毫减弱她拜我为师的决心。她安安静静地坐到我对面的凳子上，有条不紊地对我讲起了她对我自《黎明照亮窗户》以来所发表的每一首诗的评价。她讲的不是那些我已经听腻的阿谀，也不提那些我不屑一答的浅薄问题。她的某些见解，甚至使我更加懂得了我那些从心中自然流泻而出的诗句。

我不由翻阅起她的那扎诗稿来。一股奔腾的才气从纸面上、从字里行间冲出。我怎能不息掉烦躁与轻视的情绪，同她促膝而谈呢？一只蜜蜂，不知是何时飞进屋里的，嘤嘤地兜着圈子飞着，不时飞到她那薄薄的、发黄的辫子上，翅儿加速抖动，定在那里，仿佛在啜吸她的诗才。

啊，她读过普希金，读过莱蒙托夫，读过惠特曼，读过泰戈尔，甚至读过波特莱尔……她说她喜欢闻一多、戴望舒、艾青、郭小川……

我们就那么忘乎所以地谈着、谈着。

忽然，我瞥见了桌上的闹钟，不由得"啊呀"一声，我想起了你临上班时的嘱咐，我早该淘米、煮粥、买咸菜……

我于是向她宣布了我急需完成的任务。我抱怨说：没有办法，我经常得为洗衣服、买煤饼、倒脏土……一类的事奔忙。多亏还有个奶奶，住在不远的胡同里，总算能给我们照看菊菊，否则，我的诗情将被生活琐事消磨得一滴不剩。

　　她太懂得诗，因而就太不懂事。她坚决地说："我来帮你。以后我每星期来你家两次，帮你洗衣服、买菜、干杂事。只求你跟我像今天这么样，谈一会儿诗。"

　　她不走。她帮我淘米煮粥。我去买来了榨菜和猪肉，她就帮我切、炒。亲爱的，当你回来的时候，你惊讶地发现，吃饭的小炕桌业已摆好，饭菜齐备，而且我和她已经坐好，只等你洗了手，坐过来，便可开饭。你望望我，望望她，一朵淡淡的灰云飘到你的脸上，你不声不响地坐到了炕桌的另一边。

　　她管你叫"师母"。我敢说她真正是无邪的。亲爱的，至今我仍坚持这样的看法。她太无邪，因此就显得太邪乎。她见我愣愣的，不怎么吃菜，她便往我碗里挟榨菜肉丝。你看见了，你垂下眼皮，你闷闷地吃着。亲爱的，你为了支持我写成《黎明照亮窗户》，付出了怎样的艰辛；然而当黎明确实照亮我们的窗户时，你却遇到了这种你所不曾料想的事情：并没有人把我打成右派，却有虔诚的姑娘往我饭碗里挟菜……

　　亲爱的，我还记得，你更不会忘记，那个秋夜，窗外下着淅沥的细雨，老鼠在我们的床脚下跑来跑去，一只老蟋蟀从我们的碗柜下头不时发出嘎哑的鸣声。我们都没有入睡，我们长久地沉默着。后来，你叹了一声，怅怅地说："看来，也许你跟那样的崇拜者一块过，更有意思……"我觉得你伤害了我的自尊心，我烦躁地翻了个身，把背对着你，气冲冲地说："对对对对！你、你、你……你懂什么啊！"我听见背后传来了嘤嘤的哭声，可是我始终没有再转过身去。啊，亲爱的，请原谅我，就像叶片应当原谅露珠的滚动，就像池水应当原谅浮萍的飘移……

　　第二天，我写了一封长信，我诚恳地请求那位女诗人不要再来，并且一并寄还了她那些美丽的诗作。我真怕她仅仅懂诗而丝毫不懂人间之事，我怕她叩门，甚至怕她回信。啊，她真是一位通达事理的诗人。她再没来叩门，也没有来信。当然，这也很难说，因为没过多久，我就在新住宅区分到了一个两居室的单元，我们立刻搬了过去，并且不轻易告知别人住址。

　　亲爱的，我看出来，当我们迁到新居，当我们用我有限的稿费，买来令我们无限满足的最普通的书柜、"一头沉"书桌和最便宜的沙发以后，没过多久，你就更加忧郁。你同车间的大婶、大嫂们，或诚挚或讽喻地给你讲述着《铡美案》、《活捉王魁》一类的戏文，她们所强调的并不是那故事的结局，而是陈世美和王魁离异秦香莲、敫桂英的必然性。你回来向我学舌，宽厚地微笑着，摇头，表示你认为那都是小家见识，然而从你闪烁的眼波中，从你编织毛线衣的停顿、发愣中，我知道，我清楚地知道，你心头弥漫着什么样的酸雾。亲爱的，我懂得你，你爱的不是一只蜗牛，尤其不是蜗牛那华丽的外壳……

难道，我真成了一只负载越来越重的蜗牛了么？

猴年到了。太阳黑子活动频繁。美国圣海伦斯火山大爆发。一些地方奇旱，而另一些地方暴雨成灾。我的事业却蒸蒸日上。我获得了没有期限的创作假。我的第一本个人诗集已经出版。第一版印了八万册，书名就叫《黎明照亮窗户》。报刊上一片赞扬声。当然，有人反对，不过他们并不写文章发表，因此一般淳朴的读者并不知道我还面临着实际威胁。我被邀请出席着一个又一个的座谈会、茶话会、见面会、大型和小型的宴会。我得一遍又一遍地对本国的和外国的采访者讲述"我是怎样写出《黎明照亮窗户》的"。到头来弄得我再也读不下这首诗的任何一行。报上提及我名字的报道越来越多，而我发表的诗作越来越少。读者开始摇头，批评家开始叹气，而新闻界也终于感到我是一只已经榨干的柠檬，于是他们扑向了谭真珠——那是一颗因发表《从今不再瞒》而升起的新星。可怜的真珠，她现在每天都得重复讲述"我是怎样写《从今不再瞒》的"，直到别人和她自己都听得发腻了，然后再被另一颗新星所取代。

就这样，光阴匆促地从我身边掠过。春天怎么如此短暂？丁香花是什么时候开的？当我注意到时，伞状花絮已落一半。榆叶梅随开随谢，粉红的花瓣和柳絮搅在一起，在沙风中游荡。雨云是那样地罕见，因之每当有一片白云变浓发灰，燕子便欢愉地低飞，用翅膀去扫摩水面。夏天在旱象中到来。不过我们时常在居室的水泥地面上洒水，因此并不感到十分炎热。而阳台上的"死不了"也不惧怕干旱，虽然我们时时忘记浇水，它却慷慨地轮流开放着腥红、嫩黄、墨蓝、粉褐的花朵……

亲爱的，你目睹着我匆匆地写，匆匆地出席一个什么活动，匆匆地从外面回来，接着又是匆匆地写……你没有正式发表过任何意见，但是从你眼波的流动中，从你嘴角的颤动中，我看出来你在为我叹息。你一定在纳闷，放着平稳保险的技术员工作不做，非要奔命地写、写、写，究竟是为什么？诗，念起来是好听的，回味起来是动人的，被人称颂时也是幸福快乐的，然而一旦被人当做热门货抢购，当做名牌产品推销，当做虚有其名的东西被人訾议，岂不是太无聊、太无趣、太可悲了吗？

你一定是渴望着共同复归于以往的那种淳朴自然的生活。在春末的那个静夜，在落地灯勾出的光圈中，你娓娓地引我回忆我们那间十平米的小屋，那屋的地面是砖铺的，靠门的地方，有两块砖碎成了两半，有一块还陷下去半寸，往往使客人进屋来个趔趄，而我们竟久久地顾不得找来整砖重铺……那窗外的豆藤，该枯死了吧？那天花板上的水渍，不是很像一幅非洲地图吗？那邻家的大花猫，该还是常爱跳到小屋的窗台上，在玻璃上蹭它的胡须？……我们曾是不打扰人，也不被人打扰的。而如今……

啊，亲爱的，在炎夏来临之际，鄢迪闯入了我的生活。打扰了我，更打扰了你。

我和她完全是偶然相遇的。那一天你上中班，晚餐是我一个人吃的。晚餐后我下楼散步，渐渐走出了楼区，来到了那条浑浊的小河边。附近工厂排出的废水使小河失去了一半的诗意，但毕竟还有另一半：岸坡上茂盛的杂草，在杂草上飞飞停停的蜻蜓，不时跳进水中的青蛙，从杂草中挺出的一两株无名的野花，成团的雾一般的蜉蝣，以及对岸被紫色暮霭衬托得格外爽目的树木与村舍的剪影……

正当我眼睛只感受线条和色彩，耳朵只感受声响和颤动，鼻腔只感受气息和湿度，皮肤只感受凉风的吹拂，而息掉了一切思绪的时候，忽然，一种自然以外的声音传入了我的耳中，那是一个略显沙哑的、轻柔的女声在吟诵：

你轻柔地来而复去，

从一条路，到另一条路。

你出现，而后又不见，

从一座桥到另一座桥。

——脚步短促，

> 欢乐的光耀已经黯淡——
> 青年也许是我，
> 正望着河水逝去；
> 在如镜的水面，
> 你的行踪转瞬流淌、消失……

我不禁转动着脖颈，寻找那吟诵者，于是我看到了一位妇人。她身材颀长，严格来说，要比我高出两指之多。她那烫过的头发黑得发亮，可以看出，那是染成的。她的面容使人联想到一朵风吹既谢的白荷花，显得高贵而忧伤。她穿着一件家常的短袖衬衣和一条短裙，都是经过多次洗晾后才会有的那么一种浅黑色。当我把目光投向她时，她对我报以一个淡淡的微笑。奇怪，她仿佛早已同我熟识，她直截了当地对我说：

"在这里散步，总不由得会想起这类的诗来。"

我便问她：

"这是谁的诗？朗费罗？叶赛宁？"

她走近我身旁，手里捻着一根兔尾草，淡淡地说：

"维森特·阿莱桑德雷。西班牙诗人。他拿走了 1977 年的诺贝尔文学奖金。"

啊，亲爱的，请你理解我，我确确实实是一下子就被她的学识，她的风度，以及笼罩着她的那种神秘感慑服了。我只觉得那是一个优美的梦，而她是梦的核心。这梦使我焦躁不安的心灵得到平抚与慰藉，犹如溪水淌过干涸的沟渠。

我们相识了。我们在河边散步、交谈。我们一起走回楼区。她先邀请我到她那里坐坐，我也邀请她到我那里坐坐。我们都没有接受邀请。我们分手了。

当天晚上，你回到家里。你看见我正在撕毁刚写成的诗稿，你责备而爱怜地望望我，默默地到厨房洗好你为我买来的蜜桃，默默地送到我的书桌上。你叹了口气，为我，也为你自己。诗人原来竟如此难当，他已发表的诗作越轰动，他便越难写出新作，他便越痛苦，越不能懈怠，因而便离正常人的松弛而自然的生活越远。唉唉，为什么古今中外，至今还有那么多痴心人来追求这种职业，这种生活？

第二天傍晚，我又去了那河边，又见到了她。天边闪着电光，带腥气的黑云朝近处涌来。我们快步走回了楼区，她邀请了我，我没有拒绝，我去了她家。刚进到她家那个单元，急雨便扑了下来，窗帘飞动着，窗外凉爽滋润的气息驱散了室内的余热，使人心里非常舒服。

她家的书架上摆满了书，其中有很大一部分是文艺书。长条案子上摆着色碟和笔洗，大口罐中插满已画和未画的宣纸卷。墙上是带印象派意味的风景油画。打开了录音机，屋角的音响中传来了浑厚丰满的声音，绝不是"迪斯科"或"阿波罗"，典雅和谐，那是配器上吸收了电吉他的古典乐曲。在茶几上我发现了一张剧照，嵌在精致的古旧镜框中，那是《汾河湾》或《武家坡》中的一个场景，我辨认出来，那分演柳迎春与王宝钏的，恰是多年前的鄢迪。

然而她从来没当过文学家、画家、音乐家、京剧演员。她丈夫也不是。他们两个都是某一个机械工业部的技术干部。丈夫还兼着局一级的行政职务。丈夫出国考察去了。她在养病。他们在十年浩劫中遭遇很惨。但是犹如雷击后的枯树可以复出新枝一般，他们两三年里就恢复成了这个模样。窗边的吊兰已然垂下了半米多长，茉莉花绽开了十几个雪白的花瓣，散发出恬静的幽香。不要再写关于他们这种人悲欢离合的小说、诗歌和剧本吧，我在心里说，他们得到的补偿已经够可以了！我想到了我们住过的那个小院，那些三代同堂的小平房里的人们，那些小吃店里炸油饼的，成衣铺里舞熨斗的，铅丝厂里编纸篓的，翻砂车间抡大锤的……他们在十年浩劫中没有被揪斗过，没有上过干校，没有停发过工资……但是他们过去住小屋子，如今仍住小屋子；他们过去没吃过四鲜烤麸和午餐肉罐头，如今仍无能力买来品尝；他们过去与巴尔扎克、贝多芬无缘，如今依旧不知道托尔斯泰、小泽征尔；他们珍惜副食购买本上每人一两麻酱的供应，他们排大队等候购买便宜的西红柿……我的诗，应当更多地贡献给他们，为了使他们也能过上鄢迪这般的生活，我们当尽自己的一把力……

坐在鄢迪家的沙发上，我把心中想到的这些和盘托出了。她抽着香烟，那烟是把一支半截的接到了一支完整的上头，因而显得格外长，她噏吸时也便显得别具风度。她点着头，赞同我的观点，补充说："是呀是呀。翻开最近的文学期刊，连那些插图都大同小异，全是一些像我们这样的知识分子的头像，背景上不是飞动着一串天鹅，就是一些橄榄枝、郁金香之类的图案……你写吧，走出你那被黎明照亮的窗户，走到最下层的人民中间去，到他们的那些小房间里，到他们的蜂窝煤炉子和炸黄酱碗之间，去寻找诗意美……"

我写了。这便是不久后发表出来的《院门虚掩》、《我是一块蜂窝煤》、《炸啊，炸油饼》……那十来首新作。这些新作给我带来了新的赞扬、新的批评、新的争论。我丧失了一些原来的读者，我也增添了一些新的读者，有人斥我"转向"，有人判我堕落，也有人夸我进步。然而我仍旧是我。

你改成了上晚班。凌晨你肩着霞光回来，我正酣睡。而当你拉上窗帘睡觉时，我却下了楼，到鄢迪家去了。你翻过我珍藏多年的《罗曼·罗兰文抄》，你当然知道罗曼·罗兰和玛尔维达·梅琛葆之间的忘年之谊。我也是这样来看待自己同鄢迪之间的关系的。当然我不配自比为罗兰，而鄢迪也不宜类比为梅琛葆。梅琛葆是歌德的后裔，她曾是罗兰当时尚不能望其项背的前辈文学家赫尔岑以及作曲家瓦格纳的至友；鄢迪却绝非鲁迅的后人，也不曾认识茅公或冼星海等文艺前辈。尽管我理智上明白这个，可是当我走进鄢迪那完全用冷色处理的典雅的客厅时，我在感情上却不能不把她视作"我的梅琛葆"。

她已读过我的新作，并且画好了一大幅写意的"枣葵图"来体现我的诗境。那画好的画还陈在案上，两侧用玉镇镇住。端详着那画，我感动了。而她犹如一竿风中的潇湘竹，在我身旁微微摇曳着。我们对视。移开目光。双双在沙发上坐下。

我们谈了几句。停顿。沉默。她依旧是把半截香烟接到整支上，那么徐徐地抽着。不知为什么我们忽然谈到了《老残游记》，并且争论起来。后来她宽容地笑了："就算你对。丢开这个吧——请念一首你的新作。"

于是，我就给她背了头晚刚写成的《写在古老的胡同口》。念完，她霍地站了起来，走到窗前。她扔掉烟蒂，抱拢双臂，久久地望着远处。这时我清楚地听见了鸽哨的声音。这声音使我心中漾出了更丰厚的诗意。然而我忽然意识到时间已经不早，你这时该已起床。我应当为你熬一点粥，粥里加一点红枣。亲爱的，你近来比以往更瘦弱，你们厂里的活路实在太累了，尽管实现现代化的标语早已贴到了你们车间的墙上，而你们那道工序离现代化的标准依旧很远。为了成全我能有个安静的写作环境，你随我搬到了这里，你上下班却要多费两个小时。我们又一点也不会"走后门"，因此虽然时常商讨说应当把你的工作换到附近，但行动起来却又不知该向何处迈步。附近工厂的干部都不读诗，与其送他们一册《黎明照亮窗户》，不如送他们一册《大众食谱》……想到这些，我便向鄢迪告辞。

"为什么？不要走，你多坐一会儿……"她从窗边移到我的身前。天哪，她眼里满蓄着泪水。《写在古老的胡同口》对她竟有如此的震撼力，这真出乎我的意料。接着，我还来不及说话，便发生了那至今令我回忆起来还难以向你解释的事情——鄢迪一下子抓起我的右手，闭着眼睛，挨个地吻着我的手指，这时，两粒大而晶莹的泪珠，从她合拢的睫毛中滚落到了她的面颊，随即又滚落到了我的手指上……

我这才醒悟过来。鄢迪绝不是梅琛葆。罗曼·罗兰那时候25岁，而梅琛葆已经73岁，他们之间相差48岁，已经不可能产生异性之间的爱情。可是鄢迪只不过大我10岁，她对我的爱慕是不可能仅仅停留在听我念诗的。我现在能够理解那位湖南姑娘的来信了。我毕竟是一个男人。原来女人并不是一定要求男人的手指是修长、白皙、柔软、芬芳的。亲爱的，你现在应当明白我后来为什么要求你吻我的手指，因为我觉得那倘若能体现出男性的力与智，便首先是应当贡奉给你的……

我记得自己清醒地抽回了手，并且清醒地同鄢迪告了别。回到家时，你还没有醒来。我坐在床边，凝视着你。你在睡梦中更其纯真，更其莹洁。我握住了你的手，你便醒过来了。于是我向你叙述了所发生过的一切。起初你还睡眼惺忪，愣愣地望着我，仿佛在听我念一首含意朦胧的诗作；后来你抖抖头发，睁大了双眼，带着一种稚气的惊恐，听我倾诉；最后，你垂下了眼睑。我讲完了，你仍旧收敛着睫毛，沉默少许，才抬起眼睛，迷惑而惶乱地问我："怎么办呢？你打算怎么办呢？"

我握住你的手，你的手冰凉。我把那手贴到我的颊上，我的面颊是温热的。我对你说："这不过是一个插曲。我请你相信她是一个很好的人。但是我会给她写一封信的，她会明白并且同意我的意思。我对你的爱情是坚定不移的。这既不是因为要尽法律上的义务，也不是因为有道德上的约束，而是因为我们的爱情之树，它的根扎得是那样地深……你以为我会忘记你那八十七步吗？永远、永远、永远也不会忘记的！……"

我把你拥在怀中。你像风中的花朵般抖动着。我吻着你。你的热泪滴落到了我的胸膛之上。

啊，亲爱的！倘若天上只剩下两颗星星，那就是你和我，我们要固执地互相吸引，倘若地上只剩下两棵树，那也是你和我，我们的根须和枝条都要顽强地互相纠结……

记得十二年前的那个傍晚，我决定结束自己的生命。那是一个闷热的傍晚，从囚禁我的那间小屋的窗栅望出去，可看见面目狰狞的雨云，正在张牙舞爪地攒聚、翻腾。一场暴雨将不可避免地来临。

囚禁我的原因非常单纯。在通向囚禁我的小屋的那条通道的墙上，刷着一条白漆的标语。那是一条很值钱的标语，因为每一个字至少得耗去半桶白漆。他们为什么要用白漆刷那条标语？我怎么也弄不明白。至今也还是茫然。也许，那仅仅是因我们那个小小的研究所的仓库里，恰巧有十多桶白油漆，而在那个岁月里，白油漆除了派作这类用场，也实在别无他用。那白油漆书写的标语，字体是很道劲的。那是我曾经最尊敬的张工程师的书法。当然，他是被迫去书写那条标语的，两年前他曾给我来信，深致愧意，并告知我那条标语已被彻底铲去，那堵墙重新刷过，不再有一点痕迹。然而那条标语实际是漆在我的心上的，除非我躯体陨灭，它将永存，并且永远显示着张工程师杰出的书法："叶匪荷夫猖狂反对江青同志罪该万死！"

这两年里来访问我的人，几乎都要提出这个问题："当年你是怎样反对江青的？"我的回答总是令他们扫兴："当年我并没有反对过江青。"是的是的，我绝不是什么反对"四人帮"的先行者。十二年前把我揪出来，说我猖狂反对了江青，不过是因为查出来我在1960年发表在报纸副刊的一首寓言诗中，有一句"青青的江水，颠倒着岸边的景物"。我向"专案组"一再解释,当时我甚至不知道江青是谁,我怎么可能写诗"谩骂"她呢?然而,他们有一个极为强硬的逻辑:"你为什么不写成'清清'而写成'青青'?!"是的,我至今自己也还纳闷,当时为什么不将"青青"写成"清清"?……他们有了这样一首"反动诗"作为我罪状的"主干",自然不难凑齐其他的材料,使我的"反江青"行为成为了一棵阴森森的大树,连我说过"歌剧《白毛女》是不朽的作品"这样一句话,也被解释为"猖狂攻击江青同志培植的舞剧《白毛女》"……啊,不必赘述这些,这些都还不是令我绝望的因素。我在那个阴湿的傍晚之所以想结束自己的生命,并不是因为冤屈难伸,甚至并不是因为被剃掉了眉毛,遭遇到非人的折磨,而是因为我觉得自己失去了我最最需要的东西,那就是任何一种形式的爱——父母对儿子的爱,兄弟姐妹之间的手足之爱,朋友之间的爱,当然,还有最最浓烈而醇郁的情爱……

当我被囚禁在那间小屋中时,我的父母——一对老实而胆小的老知识分子——已经被用闷罐车运去了湖北干校。我的哥哥和姐姐——都是些解放后毕业的大学生——也统统被下放到农村,接受改造去了。我昔日的朋友,特别是本单位的,也都同我划清了界限;当然,事后他们又都来找我,告知我他们当时所承受的压力,希望我一定谅解。我也诚心诚意地一一谅解了他们。然而当时的我,除了接受提审、批斗、侮辱、折磨,实在是得不到一丝一毫的爱怜。在一个没有爱的世界上,我有什么必要继续生存呢?

亲爱的,有一点我得向你坦白——当我被揪出来之后,我思念得最多的,是我的父母,我的哥哥姐姐……关于你,我只是偶尔在心中痛楚地闪出几个镜头,然后便强制自己关闭了记忆的闸门。因为,我觉得在那样一种情况下,我同你之间的感情纽带,是最容易自动消亡的。父母兄妹,不管他们将怎样对待我,我们之间也改变不了血缘关系。而你,当时还不为单位里的其他人所知,甚至还不为我的父母兄妹所知。我们是在六六年春天那个玫瑰色的星期日里邂逅的,我们在大疯狂般的世态中,从台风的风眼里寻找宁静的间隙,进行着我们的初恋……忽而我没有赴约,你当然很快便会打听出我被揪出的消息,你对我不必承担任何义务,我对你也不该怀有任何企求，我们犹如旋风中的落叶，虽然一时碰撞在一起，但终究会各飞东西。所以，当我在那间小小的囚室中哀叹没有爱来慰藉时，对你是既无盼求也无怨愤的。

那个傍晚我决心死去。当时我们那个单位已经有一支不小的劳改队，劳改队的成员都是经过轮番批斗以后戴上"帽子"的定案"牛鬼"。至于我，还得经历半个月以上的每日三场的游斗（除了本单位斗，还要借到外单位斗，以巩固人们对"江青同志"的尊崇），才有希望从单人囚室中转到劳改队中去——那竟一度成了我的最高理想。但是后来"专案组"时时喝告我，依我的"恶攻"罪行，我是属于"扭送到公安部门，可以法办的"。这样，我竟连到劳改队中去的希望也破灭了。我决心反抗。我本来并不曾反对江青。但是我不明白，即便我写了一句诗，谈了几句话，反对了江青，为什么我就得受地狱般的煎熬？她是一个人，我也是一个人，为什么她就如此至高无上，而我就虫豸般低贱？而且我已成了俘虏，要杀就快杀，为何对我百般辱弄？与其反复鸣冤："我没反对过江青！"不如高呼一声："我就要反对江青！江青该死！"然后立即自杀，倒也痛快。主意已定，我就寻觅自杀的方法。他们防范虽严，但我终于得到了一个机会。在我那天中午去厕所的时候，我瞥见路过的垃圾箱旁，混杂在溢出的垃圾之中，有一片半锈的剃胡子刀片。当我上完厕所被押送回来时，我巧妙地佯装跌倒在垃圾箱旁，趁押送者别过头去掩鼻避秽的一瞬，我把那刀片拾起，藏在了掌心之中。我打算在当晚的全所批斗大会召开之前，当他们来提我上场时，先高呼我想好的口号，然后立即用那刀片割断我的大动脉……

当我下定了这样的决心之后，我竟变得非常冷静，非常清醒，非常镇定。所以我竟可以久久地朝窗棚外望去，望着那条白漆的标语，望着那条窄窄的通道上空显露出的天空，和那些在空中翻腾的乌云……

啊，亲爱的！倘若宇宙间真有仙女，那你就是最神圣最美丽的仙女；倘若人世间真有奇迹，那你身影的出现便是最伟大最神妙的奇迹！

我永远不会忘记那金色的一瞬：你，突然出现在通道的入口，你在那入口处站住了。头上是阴鸷的乌云，腥风吹乱了你的短发，闪电照亮了你面前狭窄而恐怖的道路……你后来告诉我，你是混进我们单位来的，直到你走入那条通向囚禁我的小屋的通道之前，人们并不曾注意过你。当你来到通道口上时，你一下子便明白了——我正关押在尽头的屋中，因为有那条白漆的标语，因为有那样的监狱式的窗棚……

啊，当我发现你的身影时，先是猛地一惊，全身的血液仿佛都凝住了，随后，我的心就被痛楚地挤压着，血液一下子又仿佛沸腾起来。亲爱的，我看见你两眼盯住了那条白漆的标语。是走过那条标语，来到我的身边，还是退回去，在无人知晓的情况下，再默默地混出研究所去？你内心里经历着一场伟大的斗争。啊，亲爱的，你很快地便作出了抉择，这是一种终生的抉择，一种无法更改的抉择，你一步一步地向我走来了……

啊，亲爱的，我数着你的脚步，一步，两步，三步……我真怕你中途停下呀！我又真愿你赶快转身遁去——因为我虽然处于极度的迷乱与兴奋之中，也还未丧失理智，我知道，你这时一定已经引起了外间屋那些值班者的注意，他们可都是些揪人成狂的家伙呀！

二十五步，二十六步，二十七步……那甬道怎么如此漫长！天上扯着闪，响着雷，只是还没有泼下雨来。你的头发和衣角都被吹得掀起来、舞动着，然而你坚毅而勇敢地行进！

那一共是八十七步。只要我身上还流淌着一滴血，只要我还存在着一丝意识，我就忘记不了这个数字：八十七！

你走完八十七步，来到了外间屋的看押者们面前。

"你是干什么的？"

"我来给叶荷夫送东西。"

"你是他什么人？"

"我是他爱人。"

一个炸雷响了过去。最初的一批雨点砸了下来。

沉默。

看押者惊呆了。他们都知道我并未成婚。他们甚至不知我已有了对象。

"究竟是他什么人？！"

"我是他爱人。"

你的声音竟然那样平静，那样自然。

"胡说！他没有爱人！"

"他有。我是他爱人。"

暴雨泼了下来。我双手紧紧地握住窗栅。我震颤着，仿佛一股电流通过了我的全身。啊，我有爱人，我有人爱！我有人爱，我有爱人！

"你什么时候跟他结婚的？"

"我们还没来得及登记。我是他爱人。"

"他是现行反革命！"

"我给他送东西来了。不是许送东西的吗？"

雨下着。扯闪。闷闷的雷声。

沉默。

"你叫什么名字？"

"李淑玉。"

"什么出身？"

"工人。"

"你哪个单位的？"

"红卫地毯厂。"

"你住哪？"

"东方红四条十号。"

"你为什么要跟现行反革命结婚？"

"我是他爱人。"

"你到这来，我们要向你们厂里的革委会反映。"

"是的。电话是四十七局 8993。"

"你要检举揭发他的反革命罪行。"

"如果有，我一定揭发。"

"你要老老实实！"

"我给他送东西来了。"

"什么东西？"

"一斤蛋糕，一斤白糖。"

"你知道你这么干，会有什么后果吗？"

"知道。"

"你为什么跟反革命分子划不清界限？"

"我是他爱人。"

"你为什么还不走？"

"我要跟他说一句话。"

"不行！"

"我只说一句话。"

"你要说什么话？不许订攻守同盟！不许进行反革命串联！"

"我只说一句话。"

沉默。

忽然，中间的门打开了，一位看押者粗暴地对我嚷道："叶荷夫！你的臭娘儿们要跟你说句话！你他妈的老实点儿！"

我跟跟跄跄地迈出了门槛。你离我三米远，隔着一张桌子。你睁圆了眼睛，那么沉静，那么爱怜地望着我。我忘记了你的身影、你的面庞，只记得你那一双莹洁清澈的眼睛。啊，亲爱的，你这双眼睛永远照耀着我，永远滋养着我，永远庇护着我。我听见一个温柔而厚实的声音："荷夫，你要活着，你别死！"啊，亲爱的，你就说了这么一句话，只有九个字。你是怎么被他们推搡出去的，我又是怎么被他们推搡回去的，我统统都记不得了，我只记得我扑到了我那肮脏的床铺上，放声痛哭了起来。我哭得胸膛一阵阵发紧发痛。我哭，是因为快乐。我快乐是因为我有人爱。我有人爱，所以我不必去死。我不必去死，所以我就变得真正清醒起来，我就觉得我那自杀的想法并不是勇敢而是胡闹——我要活着，我不死！我要活着，给江青他们的好世界上添一点缺陷；我不死，我要等着看江青他们的恶报！……

我活过来了。

我活得很好。

现在有许多人爱我。"我爱你的诗"，"我们爱你这样的诗人"，"请接受一个文学青年真挚的敬爱"，"我热爱你，就像热爱家乡的椰子一样"，"你教我懂了爱，我爱生活，爱祖国，爱乡亲，也爱你"，"我们的口号不仅应当是真、善、美，还要加上爱！我爱你这爱的播种者"……还可以从来信中摘录出更夸张、更过火、乃至令人起鸡皮疙瘩的语言来。我得提防着被"爱"的狂涛淹死。

然而，我的爱情，是完全奉献给你的。

这很容易被解释为感恩报德。你一定也这样想过。我知道，你不需要我的报恩。我知道，你需要的是我真挚、持久、涤尽了功利性因素、深入骨髓而又莫可名状的那种爱情。我知道，我能做到的，心甘情愿，至死不渝。

据说人类越接近高度文明，便越允许旧爱的消亡与新爱的勃发，允许自由离异与自由结合，那时的道德观念和婚姻制度都是今天庸人所难以理解的。我祈祷这样的理想终能实现。然而生活在现实的时空中，我仍笃信这样的观念：爱情应当是坚贞不贰的。梁山伯与祝英台，罗密欧与朱丽叶，即使到了极度文明的社会，他们的爱情也将具有某种典范性质。真正的爱情，必是永恒的。

亲爱的，这便是我写给你的诗。它是写在永不凋谢的爱情之花的花瓣上的。

啊，亲爱的，你不要再那么忧郁，你看着我的眼睛，我也看着你的眼睛，我们便看到了一个共同的宇宙，那里运行着万世不灭的星辰，在熠熠闪光，在凝聚着创造力，在孕育着新的生命……

1980 年 7 月 10 日

写于北京垂杨柳

电梯中

电梯门合上了。

开电梯的胖姑娘揿了一下有"10"字的方钮，方钮亮了。能感觉到电梯在向上移动。胖姑娘懒洋洋地坐在操纵盘下的电镀椅上，看报纸上的影剧广告。

好，只当胖姑娘不存在。

她望着他。一刹那间，她觉得世界上只存在着她和他。

他微笑着。他的头发花白了，但仍旧那么丰茂。他额头、眼角、耳边的纹路，细碎而明显，但他的面庞总体来说还是那么神采奕奕。他腮帮和下巴的胡子尽管刮得非常干净，但留下了一片均匀的淡墨染出般的印迹。他的喉结仍是那么尖锐结实。

她把眼光移开。她受不了他那双眼睛里射出的光，那并不是谴责、嫌弃、轻视、怀疑的光，恰恰相反，那眼光里充满了宽容、关怀、尊重、信任。惟其如此，她受不了。

电梯在向上移动。

她和他是在人行道上邂逅的。

她一眼就认出了他。最近报纸上还登载了一篇记者的专访，附有他的照片。近两年来，他的照片经常出现在报刊上。有一回电视里还出现了他的大特写，并且有他一段录音讲话。她痛楚地意识到，这正是他。

他也一眼就认出了她。虽然她老了许多，而且消失了昔日的活泼，但是她的轮廓，她走路的姿势，还是使他一下子就认出了她。他遇上她，内心里涌动着真诚的快乐。

他就住在前面新建的高楼里。他邀请她上去坐坐。她答应了。

他们都感到有许多话要谈，但是他们一时又并没有说什么。进了电梯，他们只是相互微笑地对视着。

她望着电梯一角的电话。电话机是鲜红色的。

那号码盘在旋转吗？她眼里浮出了一朵鲜红的西番莲。是的，当他们都在大学里读书时，他们的宿舍楼前面，的确种得有许多的西番莲。是盛夏，柳树上的蝉儿一声声地长鸣着。静静的中午，她溜出了宿舍，穿过暗魅魅的走廊，拐弯，下楼，出楼……呀，满眼白晃晃的阳光。

世界成了一张漏光的胶卷。刺眼地白。

要等到她在湖边的那个隐秘的角落里寻到他时，眼里才能重新充满律动着的线条和色彩。

一球蒲公英。他放到她的嘴边，她尖起唇儿吹了，噗、噗、噗，绒毛儿逆光飞散，闪着银斑。有一根淘气的颈毛飞回来迷了她的眼。她偎在他的怀中，该他尖起唇儿吹了，噗、噗、噗，她轻轻地笑了，睁开流泪的眼睛……

世界成了一张雄健美丽的脸。脸上写着一个字：爱。

……电梯停住了。是五层。进来了两个小姑娘，中学生。

电话机为什么要搞成鲜红色的？

电梯继续上升。

"这些年你是怎么过来的？"

她知道他得问这个。

她却并不需要问他。他自己写过文章，发表在一份发行量极大的杂志上。还有记者的专访，对某些细节渲染得淋漓尽致。还有一篇小说，是个二十几岁的新起作家写的，那主人公分明是以他为模特儿的。她读得很仔细。

他是受难者，是蒙冤的天才，是韧性的勇士，是幸运的强者，是无数青年崇拜的诗人。

而她呢？

"非常简单。我从大学提前退学以后，一直在一个机关的总务科当职员。"

"你为什么提前退学呢？"

"理由是家庭生活困难。"

"这是全部原因吗？"

"当然不是。自从你被戴上'帽子'，勒令退学送去劳动教养以后，我就觉得上大学没有什么意思，特别是学我们那个专业……"

沉默。

电梯又停了。两个女学生走了出去。好。

电梯门斯斯文文地合拢来。

电梯继续上升。

那个二十几岁的新起作家写的那篇小说，使她深深地激动，也使她深深地失望。

激动，是因为那个男主人公。的确像他。他当年的那些诗句，今天回忆起来，依旧火辣辣的，可以使卑鄙者发抖，使懦弱者振作。

失望，是因为那个女主人公。不曾存在过那样一个人。她在高压下背弃了他？她在自责中沉沦？倘若真的如此，世界和生活就都还算单纯。

依旧是盛夏，柳树上的蝉儿依旧一声声长鸣着。依旧是静静的中午，她溜出了宿舍，穿过暗魅魅的走廊，拐弯，下楼，出楼……呀，满墙斑斑驳驳的红纸绿纸。

世界成了一张涂写得乱七八糟的大字报。看不懂。

她追到校门口，那辆运送他们的大卡车已经开动了。扬起一些尘土。

她看到了他的后脑勺。那使她生出无限爱怜的后脑勺。这后脑勺没有向前拉直，也没有向后旋转。

她知道他不会怨恨她。没有人知道他和她的特殊关系。没有人要求她特别为他表态。自从事态明朗以后，他没有找她，她也没有找他。

蒲公英的绒毛儿逆光飞着，旋转着，升沉着，远了，远了……

她告别了那个后脑勺，告别了她隐秘的初恋，告别了对世界的天真的看法，告别了温柔和羞怯。

她努力忘掉他。她也的确曾经几乎忘掉了他。

什么在响？哦，是电梯顶棚上的风扇。

什么在响？哦，是银行里的算盘。

她的丈夫，一个浑身都显示着与世无争的会计，当年正是在银行里，搓着手，谦恭地微笑着，由介绍人介绍给她的。当时环绕着他们的气氛，就是一些不紧不慢的算盘声。

她丈夫中等身材，站在高个子面前不会使高个子尴尬，站在小个子面前也不至于使小个子惭愧。她丈夫体躯清瘦而不干瘪，五官端正而不俊秀。那是个谨小慎微的好人。

"小点声，你小点声……"丈夫时常望着与邻家之间的隔墙，提醒着她，"小声点好。"

1958年，银行里和学校里都补划了右派。丈夫买回来一罐臭豆腐，小心翼翼地拈出一块搁到瓷盘里，压低嗓门对她总结说："少提意见，少发言，别得罪领导，别管闲事，别胡思乱想……"他就用那臭豆腐下酒，嘬着滋味，害怕，然而满足。

1960年，人们都听说了关于彭德怀的事。丈夫带回一包蜜枣来，珍惜地一颗一颗地摆到瓷盘里，对她的小声询问和议论只是不住地摇头，最后抬起眼睛，可怜巴巴地哀求她说："咱们没听过传达，是不？咱们不该知道的事情不该议论，是不？"他递给她一颗蜜枣，提醒她吐核时要小心——那枣核两端非常之尖，弄不好会刺破嗓子眼的。

……他们平平安安地活过来了。她为他生了两个女儿。在十年大动乱当中，他们没有被抄家也没有去抄别人的家，没有被揪斗也没有揪斗过别人，没有下干校也没有被扣发过工资，既不是"保皇派"也不是"造反派"，甚至也不是"逍遥派"，因为他们没有一天敢于不去上班,他们服从一切人的领导:文革委员会、工作组、红卫兵司令部、军宣队、工宣队、革委会、"新党委"……他们随着大多数人挥动红宝书,呼口号,家里该挂什么像时挂什么像,该摘什么像时摘什么像……

只有一点没有变,就是他们居住的那间小屋。只有 14 平米。从女儿出生到送女儿去农村插队,从女儿从农村回来到分别当了售货员和售票员,一直是那么狭小,那么低矮,那么潮湿,那么陈旧……

然而这电梯是新崭崭的。

他如今天天享用着这新崭崭的电梯。

他曾经连 14 平米也没有。他曾在冰天雪地里受过苦。他曾只穿条裤衩,在地层深入抢镐刨煤。他曾满身虮虱,并被人看做形同虮虱之物。他曾有过小小的起复,接着又陷入更大的沉落。他行过万里路,他凑过厚厚的一大卷生活之书。他曾大声哭过,他也曾大声笑过。他在最沉沦的时候,也曾获得过同情与信任;他在最痛苦的时候,也曾保持着坚韧与希望。人们始终记得他。他也始终没有失去自我。

当他重新回到诗坛上来时,老读者毫不犹豫地向他欢呼,新读者即刻便记住了他的名字。正如罗曼·罗兰所说:"累累的创伤,便是生命给予我们的最好的东西,因为在每个创伤上面,都标志着前进的一步。"他战斗过,他历经过苦难,他的生命便获得了崭新的价值。

然而她呢?

蜷缩着,像一只钉螺。她保全了自己,然而,没有伤痕的生命是一个软体。

现在,她站在他的面前。

她避开了他的眼光。

她的眼光落到他的脚上。

哦,他穿着一双皮鞋。

她的丈夫也有一双皮鞋。那双皮鞋小心翼翼地穿了 12 年。

满屋子是搬移过的箱子、纸盒。

她问:"你这是干什么?"

丈夫永远是和蔼的："找那剩下的半管鞋油啊。"

"我记得剩下的不多了，已经不是半管。"

"不是半管，也是鞋油啊。"

"难道你要翻遍全屋，非找着它不可吗？"

"尽量找吧！"

"再买一管不行吗？"

"不用，反正我闲着也是闲着，慢慢找吧。"

他没有雄心，没有壮志，没有理想，没有抱负，没有气魄，没有情趣，没有想象力，也没有求知欲，甚而至于连脾气也没有。他上班机械地完成工作，下班就闲着，为了消磨这闲着的时候，他便细细地烹一条鱼，慢慢地擦一口锅……乃至于极为耐心地寻觅一管失落已久的旧鞋油。

然而她曾经……怎么说好呢？也算是爱吧——爱他的安全。确确实实，他是安全的。

鞋。皮鞋。皮鞋在路上行走。很宽的路。许多的鞋。移动的鞋。迈进的鞋。蒙着尘土的鞋。破裂的鞋。

"你怎么了？"

"没有怎么。"

"坐不惯电梯吗？"

"对，坐不惯。"

"你这些年没怎么受苦吧？"

"没。"

"那好。"

"不好。"

"为什么？"

"灰色的。不，简直就没有色彩。"

"怎么？"

"人总得追求真理，追求光明，追求幸福……"

"你不幸福吗？"

"不。"

"为什么？"

"应该是这样。你们这座楼，在今天的中国，应该算是座幸福楼了吧。住着你这样的诗人。住着苦尽甘来的老干部。住着睡过牛棚可是忠心耿耿的科学家……应该先让你们住这样的楼，我们是不配的……"

"为什么？"

"不是我们天性平庸。我们是给吓傻了的……"

"吓傻了？"

"可不。我看见了你的后脑勺，可是我没有追着喊你……"

"喊我？"

"喊你。告诉你，我等着你。"

"那你得付出多高的代价！"

"可我现在付出的比那还高！"

"……"

"我这并不是悔恨。首先应当悔恨的，是把我和我丈夫这样的人吓成庸人的人……"

"十楼到了。"

电梯门客客气气地开启着，终于开至最大。

他走了出去，等了等，转过身，惊异地望着她。

"我不去你家了。"她说，又对那胖姑娘，"请把我送下楼。"

胖姑娘愣着。

他径直望着她的眼睛。

蒲公英。噗、噗、噗，蒲公英的绒毛逆光飞动着，闪着银斑。绒毛旋转着，升沉着，远了，远了……

"我不去你家了。因为，该说的我都说了。"

"可我还有该说的没说哩。"

"我会从你的诗里读到。再见。"对那胖姑娘又一次重复，"请把我送下楼。"

胖姑娘揿方钮。电梯门缓缓地关上了。

电梯迅速地下降。

她闭上眼睛，倚在电梯壁上。

开花的原野。一球蒲公英。又一球蒲公英。一球又一球的蒲公英。风吹过来了，腾起，腾起，腾起。蒲公英的绒毛向四面八方飞动着，飘升着，旋转着……

1980 年 7 月 18 日写于垂杨柳

门外一株合欢树

从窗缝泻入司机老赵和公务员胡婶的逗笑声。这说明爸爸在家。

爸爸一定是清晨才回来的。可以想见他的倦容。此刻，他或许已经进入浴后小憩了吧？

爸爸刚开完一个重要的会议。会议的消息业已在刚才电台的新闻广播中报道。我是为了对表才打开床头柜上的收录两用机的。没有听完报道我便改放录音，我翻了个身，使自己枕得更舒服些，一边听着德彪西的象征派音乐，一边继续看手中的小说。

我听见屋门响一下。谁这么讨厌？我不想起床，不想洗漱，不想吃早点，当然更不想听妈妈或者别的什么人的唠叨。

我听见一声呼唤。这声音令我诧异。我本能地把手中的小说塞到了枕头底下，转身坐了起来。

进来的是爸爸。他穿着银灰色的对襟毛线衣，拖着草编拖鞋，大约刚刚刮过脸，他身上发散着一股清爽的剃须膏的味道。

他坐到我床边的电镀折椅上，把录音机的放音量旋小些，问我："这是什么音乐？"

"法国印象派音乐大师德彪西的'海的素描'。"我告诉他。一边镇静地穿着衣服。

他便又把音量调大些，谛听了一阵，微笑着说："这就是姚文元咒骂过的德彪西吗？啊，'海的素描'……"

在我站起来穿裤子的当口，爸爸从枕下翻出了那本我从他书柜里偷出来的《金瓶梅》。

我注意观察着他的表情，"先发制人"地说："我23岁了，爸。该让我懂得世界上的一切了。"

爸爸摩挲着书皮，犹豫地说："可是这本书，你们青年人……"

"我们青年人并不都是一种状态，一个水平，"我截断他的话，冲动地说，"您以为我是为了琢磨那些'此处删去一百二十九字'的地方，才来读这本书的吗？"

我以粗鲁的动作穿上毛线衣，准备同爸爸辩论到底。但是他拍着书皮，回忆了一下，蔼然地说："我偷看《金瓶梅》的时候，比你还小一岁。"

他没有再说什么，只是把《金瓶梅》又塞回到了我的枕下。我忍不住微笑了，心里顿觉松弛了许多。

"你每个星期日，都是这时候才起床吗？"爸爸站起来，替我打开窗户。一股润泽的早春气息扑进了屋来。

我乐于在这一点上做自我批评："如果没有人来叫，那就比这还要晚。"

爸爸严厉地望了我一眼，我赶紧跑到盥洗室洗漱去了。

洗漱既毕，回到屋里，只见爸爸依然站在窗前。他双手背后，望着窗外什么地方——也许是院东那几竿绿竹——并不转过身来，问我道："今天你是怎么安排的？要温习大学里的功课，还是要去会你的朋友？"

我回答说："都可以安排。也可以都不安排。"

爸爸转过了身来，平静地嘱咐我说："那好。上午你陪我出去转转，下午再温习功课。"

我颇为吃惊，一霎时无以应对。

爸爸让老赵把小轿车停在了一条小街街口的空地上。老赵什么都没有问，这当然是他的一种工作习惯。我也什么都没有问，因为我已经不是小孩子了，何必沉不住气。

"陪我散散步吧。"爸爸只说了这么一句,便领着我款步朝小街里面走去。

这是一条很僻静落寞的小街。弯了几弯,出得小街,眼前顿时开阔起来。原来呈现出一片湖水。我很惊异于湖冰融化得这么早。湖边的铁栏不大完整,一般粗的白杨树环湖而立,几只麻雀啁啾着追逐于尚未发芽的树杈间,晴朗的灰蓝色天空,倒映于还浮着残冰的湖水中。远处的铁栏边有几个人在垂钓,近处的湖岸上有几个儿童在放最简易的"屁股帘"风筝。一阵抖空竹嗡嗡声传来,夹杂着几声爆竹响。

这里的空气是清新的,气氛是恬静的,但是我不理解爸爸为什么这个时候要带我到这里来散步,因为倘若他图的仅仅是清新恬静,他尽可以让老赵把我们送到玉皇山一类的地方去。

我望着爸爸仪表堂堂的侧影,默默思索着。我前一阵看了不少新出现的文艺作品。有许多作品试图刻画和我爸爸级别相同或稍高稍低的干部形象。而我看了总忍不住哑然失笑。这些角色或者被表现为离开小轿车就活不下去,或者被表现为硬要同普通群众一起挤公共汽车。因此我总有一种看"卡通片"的感觉。事实上像爸爸这样的干部是一种非常复杂的角色。昨夜他还在某个神圣的地方开会,那可能是近24小时内世界上最重要的会议之一;今天上午他却来到这最平庸的地方散步,并且带着同他隔膜甚深的儿子。

我在爸爸左侧稍后的部位上与他持保着同速,同时轻轻用口哨吹着《让雨把我淋湿》,心中发誓绝不头一个开口。

到底还是爸爸首先同我讲了话。他的话很怪,我听见他问我:"这一向你晚上睡得好吗?做梦不做梦呀?"

我怀疑这问话里潜藏着某种深意,考虑了一下,才慎重地回答说:"我一般都是'黑甜一觉',偶尔也做梦,可是一睁眼,就把梦全忘光了。"

爸爸走近湖边铁栏,朝对岸眺望着。对岸的天际轮廓线是一座新建的高楼和一片灰瓦旧房勾出的"凸"字形,并不怎么爽目。

爸爸并不看着我,盘问说:"你妈妈告诉我,你谈上恋爱了。那女孩子果真比丹丽强么?"

丹丽是爸爸妈妈老战友耿伯伯的女儿，我们俩同岁。小学一年级的时候，爸爸妈妈同耿伯伯耿伯母带着我俩游故宫，进了泰和殿，我和丹丽高兴地在光滑洁净的青砖地上各翻了一个筋斗，两家的家长都笑弯了腰，耿伯伯望着金漆宝座说："退回四十多年，你们这样大闹金銮殿，是要杀头的哇……"说完又笑得喘不过气来，于是我同丹丽嚷着："谁敢杀我们的头！"又各自翻了一个筋斗……

我们俩小学一直在一个班。没等上到小学毕业就赶上了"大革命"。耿伯伯在"大革命"还没进行到一半的时候就"畏罪自杀"了，耿伯母打入了不许回家的"劳改队"，有一段时间丹丽就住在我家，我妈妈总算每天能从"牛棚"回来，眼里挂着血丝，照料我们一下……

但是这一切都像一场已经过去的噩梦。如今的丹丽，女式军装敞开的衣领里露出鹅黄色带黑花纹的毛线衣，她已经是一名作风泼辣的见习军医，衣兜里总揣着听诊器，到了我家，妈妈总是百依百顺地任她听了前胸听后背，迷信于她那些一套一套的医学术语。妈妈也曾建议她给我听听心肺，她便命令我撩起衣服，我给了她一句难堪的话，她便举着拳头咯咯咯地笑着绕桌子追我……

爸爸妈妈，加上耿伯母，自然都希望我们能恋爱、结婚。我不知道丹丽对我的"抗议"和嘲笑里是不是也包含着这样的意思。

可是我必须这样回答爸爸："她不一定比得上丹丽。我愿意和丹丽做一辈子朋友，却不愿意和丹丽结婚。我不爱丹丽，我爱她。"

爸爸双臂张开，扶住湖栏，依旧朝对岸眺望着，继续问我："这个'她'什么地方打动了你呢？你该不是一时的冲动吧？"

我眼前浮现出了"她"的面影，她的家庭和本人身份都比丹丽低微，她同我的感情是在农村插队时潜伏、在上大学后萌发的。尽管校领导用了许多愚笨的办法来禁止同学们谈恋爱，像我和她这样的恋人却班班皆有。其实恋爱是不应也不能禁止的，应当禁止的是荒废学业，而明智的恋人是不会因恋情而放弃事业上的奋进的。我不知道爸爸是否懂这个。他应当比我们大学里的那些冬烘先生们高明一点。

对于爸爸的提问，我本想作出否定性的回答，我的性格却促使我偏作出了肯定性的回答："我也说不清'她'哪点儿打动了我。我爱她，纯粹是出于一种冲动。"

爸爸把脸转向了我，微眯着眼，深入到斑白鬓角的鱼尾纹抖动着。我万没想到，他对我的话是这样的反应："你真爱她就好。人年轻的时候，这种冲动很难避免。"

我们继续散步。湖边的树木都还没有抽芽。赤裸裸的枝丫使各种不同的树木看起来那么相似，有如雷同化的电影般令人生厌。我不明白，爸爸为什么对眼前那些没有叶片的树木充满了辨认的兴趣。"这是一棵槐树，唔，国槐；这是一棵歪脖柳，它怕有一百岁了；那边那棵是什么树？你认认，认得出吗？"

爸爸所指的，是一株立于沿湖小院院门的树。这株树有水桶般粗，不甚高大，树冠上的分权长而平直。

"是臭椿吧。"我漫不经心地说。

"不。"爸爸用手掌抚着下巴，认真地辨认着，终于肯定地说，"对了——这是一棵合欢树，又叫马缨花树。到了夏天，它的叶子昼张夜合，能开出马缨般的花儿，又红又香……"

我懒洋洋地在他身后站着，等着他往前继续散步。可是爸爸看完树又看那陈旧而整洁的小小院门，看完院门又看那青瓦灰墙的住房后身，最后目光集注到墙上桌面般大的玻璃窗上，那是老式的嵌死了不能开启的玻璃窗，因为临街，所以有个木头盖板，现在是白天，那木头盖板用一根木棍斜撑着，以使阳光泻入窗内。玻璃擦得很亮，因而可以清晰地看出屋里窗台上摆放的一盆蟹爪莲，肥厚的洋红花朵成圈下垂着，传达出一种小康的家庭气氛。

"来，我们进去——你不口渴吗？我们去要杯水喝。"

我很惊异爸爸会有这样的想法，这样的提议——并且会有这样的行动！他已经迈步走向了小院。

我跟着他。

小院静悄悄。这里的居民大约并不在星期日这天休息。也不见儿童们在院中嬉戏。爸爸敲着南屋的门。那便是有后窗对着湖边通道的屋子。

门开了，主人把我们让了进去。这位主人是个满脸皱纹但衣着很整洁的老太婆。这种老太婆几乎每一个胡同小院里都有，我懒得仔细打量这种既俗气又难看的角色。爸爸倒似乎在很仔细地打量她。

"您二位打电话？"老太婆淡然地问。

爸爸和我这才注意到进门的屋角有一张小杌子，上头放着一台电话机，电话机上方挂着个小黑板，小黑板上写着些号码和难以认清的草字。啊，这家管着传呼电话，对，院门上原钉得有"公用电话"的黄牌牌，我们刚才没有注意。

"对。我打个电话。"我忽然心血来潮，走到电话跟前，想了想，便给不是丹丽的那个"她"挂了个电话。她那边的也是传呼电话，就在她家隔壁，我听得见接电话的人在尖声叫她。

在我拨电话的当口，爸爸已经同老太婆坐到折叠圆桌两边谈起话来。"她"来接电话了，我顾不得听爸爸和老太婆是怎么攀谈的，只顾同她对话。我们头天才见过面，所以除了废话实在没有什么好谈，但我们却又舍不得很快撂下话筒。

世界上没有打不完的电话。我终于搁回了话筒，掏出四分钱来，投入了电话机旁的小木箱中。

待我回转身时，我不免稍稍有些吃惊，我发现爸爸和那老太婆的神色都有点异样。他们双方似乎都在竭尽全力地观察对方。老太婆固然是出于好奇和警惕，从爸爸的穿着和风度上，她大约已经得出了正确的判断：这是一位"微服出行"的高级干部。她有点手忙脚乱地给爸爸斟着热茶。爸爸可能是长期没有这样地深入到一个最平凡的市民家庭了，他对老太婆和整间屋子的考究兴趣未免显得有点过分。

我在一旁静听他们的谈话。开头，我认为那都是些例行的套话。无非是爸爸问她在这儿住了多少年，家里几口人，房子够不够住，生活上怎么样……老太婆的回答勾勒出了一个北京最平凡的市民家庭的毫无浪漫气息的变迁：当她还是一个"丫头片子"的时候，她家就住在这儿了。她父亲是个厨子，母亲是个摆小摊的小贩。当生活把她推到家庭的中心位置时，这里外两间小屋曾经住过八口人：瘫痪在床的父亲，精神失常的母亲，她和掏粪为业的丈夫，他们的两个儿子，她的尚未成年的弟弟和妹妹。那时候里外屋的多一半都被铺板填塞着，几层关系的八口人就那么混沌地在铺板上吃饭、睡觉、吵架、嬉笑……新中国的成立确确实实给这个市民家庭带来了恩惠：她的老父老母寿终正寝，后事办得不错；弟妹长大成人各有工作，迁出另过了；虽然他们又陆续添了一儿一女，但合家六口人关系不那么复杂，住得松快些，手头也富余些了。

北京的市民家庭有一种古怪的习惯，他们不将家庭照片存放在照相簿中，而是用很大的镜框，将大大小小的照片密密麻麻地陈列于墙上，作为一种同年画配套的装饰。老太婆说话当中，便指点着镜框中的照片，请爸爸和我去观看。镜框中最大的照片是一张"全家福"：女主人和一位高颧骨、眯缝眼的老头端坐当中，后面拱卫着年龄不等的三男一女。老太婆指着照片上的大儿子骄傲地说："我们老大解放前满世界捡煤渣，连条不露腚的裤子都没穿过；解放后托共产党的福，上了学，一直上到大学毕业，毕业以后分到东北的矿上当技术员，头年给提了工程师。如今媳妇也有了，孩子也有了，住着楼房，独门独户的单元，比我们这儿强多了。"接着又介绍老二："上的师范，毕业以后分到门头沟教书，有了对象，不常来家。"又指指最小的闺女说："头年中学毕的业，待分配呢。在家腻烦了小半年，要不是走我老伴他们清洁队的后门，如今还当不上基建队的临时工呢，虽说是个闺女，在家粗活没少干，这整天地和泥她还顶得住。"我见她唯独不介绍那看去同我年龄相仿的老三，不禁指着相片问道："他呢？"

老太婆脸色一暗，嘴角边的皱纹抖了几抖，叹了口气说："实不瞒你们，他在天堂河农场。进去快四年了。"我当然知道天堂河农场是一种什么样地方，"进去"又是一种什么样的字眼。可是爸爸遇上这种情况却比我迟钝多了。他没明白老太婆的意思，追问着："他在那儿干得怎么样？安心吗？"

老太婆瘪瘪嘴说："不安心又怎么着？判的五年，还有一年的熬头呢。"

爸爸这才明白了这位老三的命运。他询问老三"进去"的缘由。老太婆坐回到椅子上，絮絮地说："我也不知道该怨谁。他没赶上他大哥那样的好日子：系着红领巾，戴着青年团的牌牌，正经八百地念书知理……他懂事没多久就遇上了'史无前例'，学校里不上课，时兴把痰盂扣到老师们头上，学生斗先生，左邻右舍有被扫地出门的，有被捆到树上挨揍的，这门外湖边时不时有投水自尽的……我们老三也就把人命看轻贱了，动不动就伸长脖子，瞪着眼骂人，一句话不合适，就敢舞刀使棒。我和他老子说他他不听，大哥二哥劝他他不改，妹妹见他犯狂就知道呜呜地哭……果不其然，有天他出去晃荡再没回来，公安局通知我们，把他给铐走了——他跟几个哥儿们在公园里胡闹，也不为个什么新仇旧恨，不过是人家挤了他们一下，他们就动刀子捅人，把人家捅了个重伤……唉，这些事甭提啦。我也不明白，解放后日子本来过得好好的，干吗非搞个'史无前例'。我盼我的儿女都能像老大老二一样，成个栋梁，谁曾想老三折进了天堂河，老疙瘩毕了业又没处安置……"

爸爸认真地听着老太婆的倾诉，眉心挤出了个"川"字。他眼里似乎流动着一种思考的波光。我可是没觉得有啥稀奇。这类的家庭我早有接触，我知道许多比这老太婆讲述的更具戏剧性的家庭轶闻。

爸爸站了起来，仔细地环顾着屋中的家具陈设，亲切地问："你们生活上没有什么困难吧？"

"我们没什么可抱怨的。虽说如今涨价的东西真不少，我们也还算过得乐乐和和。您请进里屋看看……"我和爸爸随着老太婆进了里屋，里屋比外屋小，但家具陈设要好得多。老太婆自豪地指着小衣柜上的九时电视机，告诉我们："这不，大号的新电视我们买不起，人家买了大号的新电视，这小的就转让给我们了，还少收了二十块钱。如今我们也能看个电视了，我最爱看评戏和相声……"我注意到那电视机上苫着自家用钩针精心钩出的镂花织物，显然，这是她家最昂贵的物品之一，代表着她家物质生活和精神生活所达到的一个高峰。

爸爸开始告辞了。首先为老太婆的热茶致谢。老太婆注视着爸爸，眼里不知为什么忽然增添了一种狡黠的闪光，我听见她问爸爸："您常到我们这湖边遛弯儿吧？"

爸爸回避着老太婆那过于好奇的眼光，含糊地说："过去常来，如今工作太忙，顾不上了……好，打扰您了，回见！"

趁把我们送出小院的当口，老太婆以"机会难得，不可失之交臂"的气概，提高音量对爸爸说:"同志,您准是在大机关办公的主儿,您给我们成全一下——这湖边的铁栏杆坏了好多,豁着大口子,夏天一下暴雨,能把人滑到湖里淹死,我们提了好几年意见也没见来人修理。解放的头几年,把这儿的烂水泡子淘净,装铁栏杆连栽白杨树,归里包堆三月就完事了,那时候多利落!如今铁栏杆坏了好几年也修不起来,您说像话吗?您给使使劲,催他们快来修理!"

爸爸点着头:"好的好的。我记住这件事。"

爸爸离开了小院后走得很快。我望着他魁梧的背影,默默地跟随着他。

我们几乎把整个湖绕了一周。在一株伸向湖面的大柳树旁,居然还残留着一张破损度不甚大的长椅。爸爸坐了上去,并打个手势让我坐到了他的身边。

爸爸不用任何导语,单刀直入地对我说:"昨天晚上,我梦见过她。"

"她"当然是指那老太婆。我本来呈现萎靡状态的精神为之一振,伸直了腰,我目瞪口呆地望着爸爸。

爸爸掏出了镀镍的烟盒,拿出香烟,点燃吸着,目光越过灰蒙蒙的没有波纹的湖水,射向对岸那门口有株合欢树的小院,更准确地说,是射向那小院屋墙上的方形玻璃窗。

"三四十年前,我有过那样的冲动:爱她,娶她。"

我仿佛不认识爸爸了,或者说,我仿佛才真正认识了爸爸。原来他这样一个人,也曾有过罗曼蒂克的情史,而且在经历了几十年轰轰烈烈、五光十色、悲壮离奇、严肃高级的政治生活之后,还能在一次睡眠中,出现有关这个湖边小院的梦境,并且幻演出当年的女郎情影……

"那时候,我在城里搞地下工作,我的公开身份是印刷所的校对,我几乎每天都要打这儿——那时候是臭水泡子,恶气熏天——路过。我每天要从那合欢树下走过,每天要从那窗户前走过——那时候那扇窗户是纸糊的格子,只有当中间一小格镶着书本大的玻璃。有一天我偶然地一瞥,正瞧见那玻璃里边有个瘦瘦的姑娘,睁着两只好大好亮的眼睛,往外看着。我和她一对眼,也就赶紧把目光移开了。可是那双又大又亮的眼睛，不知怎么的总偶尔要闪闪地出现在我的心上。记得是个闷热的夏天，马缨花开得正盛，'知了'拼命地叫唤着，我都走到这水泡子边上了，才发现身后有条讨厌的'尾巴'。怎么甩掉呢？趁拐弯的机会，我一气小跑起来，可是眼前是条直道，附近也没有岔出去的小巷，倘若他们也拐过弯来，我就难以甩掉他们了——这时我眼前猛地出现了那棵合欢树，我想也没想，本能般地一步跨进了院去。仿佛在等待我似的，她飞快地出了屋，一把把我接了进去。我只觉得满屋子都是人，一股子烂棉絮发霉的气味。她也没跟我说话，只是把我拽进里屋，把耷拉到铺板下的破单子一掀，指指那下头，让我钻进去。我就钻进去了。她移来两个破陶罐挡住我，又把破单子耷拉得更低。我朦胧地听见她家里人在问她什么话，她厉声地命令说：'都听我的！'……不一会儿，那两个特务果然找到院里来了，先是在院里吆喝，然后到别的人家搜寻，最后闯进了她家。我听见她镇静地应付着。而特务暴躁地宣称：'眼见着他拐到你们这边来了，准窝藏在你们这左近，都得让我们搜搜！'这时候有老人呻吟，有小孩啼哭，我听见她尖着嗓门对那两个特务说：'搜吧搜吧，不怕招上麻风病你们就搜吧——爹，咱们家来客人啦，您还不快出来迎迎……'我听见特务们在问：'她家是有麻风病吗？'大约是站在院里观望的邻居在回答：'可不。我们早让她把她爹送济贫院去，省得招上我们，她非当二十五孝……''他们家连好猫好狗都不进，还能藏得住大活人？'那两个特务果然不再搜寻，骂骂咧咧地走了。我从铺底下出来以后，才认识了她家其余的人：瘫痪的父亲，失神的母亲，弟弟和妹妹……她指着我躲藏的那个铺上的父亲说：'他不是麻风，您别怕。'我握住她的手，真心实意地感谢她，并且问：'你为什么要救我？'她脸红了，低下头说：'我每天见您打这外头过，我看得出您是个好人。'我跟她告别以后，就向地下党汇报了出现的情况，从此以后我改变了职业，搬了住处，不再每天从那儿过了，可是当情况不那么紧急时，我也曾回到那儿看望过她一家。我觉得，我为之奋斗的事业，就是为了使她和她一家那样的群众，能过上幸福的生活。从她家里出来，我心里头萌动过这样的念头，我应当爱她，甚至娶她……"

爸爸手上的香烟白白地燃烧了好长一截，燃过的烟灰并不立即掉下，仍旧连在未燃的部分上。袅袅的白烟掠过了爸爸的脸庞。爸爸的表情是复杂而难以形容的。

我似乎有许多话要问要说，可又问不出说不出。

"再后来，冲动过去，我渐渐地把她和她那一家人都淡忘了。今天我才重新找到了她。她还住着那两间房子。当然，房管局给修理过，小有改进。可这不符合当年我的理想，我是要让她和她那样的城市贫民，不到成为老头老太婆就住上新楼的……更没想到她那老三进了劳改农场。我们夺了反动派的权，搞了三十多年，可她家还只能看别人转让来的小尺寸旧电视，她的老疙瘩闺女还得继续待业……我们对不起她和像她家一样的普通老百姓。我们如果再不总结教训，那我们还算什么共产党人？"爸爸说到这里，声调里显露出一种真诚的沉痛感。

我的心难得地被打动了。我仿佛是补充似的说："可她和像她一样的普通老百姓，并没有怨恨你们。他们还盼着你们给修湖边的铁栏杆，像解放那时候一样，三个月里做许许多多的事情！"

爸爸站了起来，他弹掉烟灰，猛吸了一口，大步朝通向小轿车停放处的小街走去。我跟随着他。我几年来头一次觉得自己的心和他的心紧贴在一起。

汽车在繁华的街道上行驶着。我和爸爸没有交谈，各自想着心事。我们大概想得不会相差太远。

我想，待那株合欢树叶盛花茂之时，我还要去那个小院……

1980 年 3 月 4 日写于垂杨柳

最后一只玉鸟

　　我还不知道有这样的忧伤，
　　当我们在春夜里靠着舷窗。
　　月光像蓝色的雾，
　　这水一样的柔情，
　　竟不能流进你
　　重门紧锁的心房……

　　戴帆随口吟着这样的诗句，推开纱门，走上阳台。

　　夏日的午后，从这五楼的阳台望下去，碧润园的一角恰似一幅色调凝重的油画，几株麟躯虬臂的古松，伟傲地挺立着，它们后面，是一片混杂的阔叶林，榆、柳、枫、槐交相杂错，或离或聚的树冠，虽然都是绿色的，但在偏斜的日光照射下，呈现着不同的绿感，不但有浓淡深浅之分，也有燥湿厚薄之别，而微风拂过，种种绿色都在晃动起伏之中，映入眼帘，沁入心窝，唯有"诗意"二字，差可概括。

　　忽然，一声极婉转的脆鸣，从林中飞出，旋即断续起落着圆润嘹亮的鸣声，时远时近，时高时低，时快时慢，时沉时飘……

　　那金阳照映下的树林如是诗歌，这鸟鸣便是"诗眼"。诗歌评论家戴帆倚着阳台的栏杆，闭眼陶醉在这浓郁醇厚的诗境之中……

> 我为你扼腕可惜
>
> 在那些月光流荡的舷边
>
> 在那些细雨霏霏的路上
>
> 你拱着肩，袖着手
>
> 怕冷似的
>
> 深藏着你的思想……

戴帆脑海中漂过这些诗句，犹如褐色的、补缀过的风帆，缓缓地移动在灰蓝色的、镜面般的闽江之上。月是故乡明，水是故乡清，帆是故乡美，人是故乡灵。一个月以前，他返回闽南时，在盛开着白玉兰花的大树下，同写出这些迷人诗句的诗人交谈过，那诗人其实是个刚刚二十多岁的南国姑娘。他给她打气说："别怕人家说你诗里有淡淡的哀愁，哀愁虽圣贤亦难排除，只要不是食利者攫取不得的哀愁，都有其合理性……"女诗人弯腰拾起一朵滋润芳馥的玉兰，递给他，微笑着说："哀愁，也是一种人情美，对吗？"

戴帆倚在阳台上，微微地点着头。在故乡，在那他觉得变得狭窄、变得古旧了的小巷里，在走过卖鱼丸和卖沙茶面的小摊以后，在芒果树和月桂树弥散出的气味里，在三角梅从围墙里溢出的拐弯处，他意外而又切盼地遇上了她……

的确是她。她的头发竟已花白，额上细细的皱纹高耸着，然而她的眼睛仍旧那么明亮："啊呀，是戴帆——你！"

当然是他——戴帆。那时候，他们同在一个中学上学。刚解放，他戴着八角帽，她穿着列宁装，他们在打腰鼓的行列里，始终排在一个横面上。后来他们一块报名参了军，却被分配在两支进军方向完全不同的队伍中。离别时，他和她去游了鼓山。鼓山灵源洞的山涧中没有流水，然而涧外的松涛代替波声激荡着他们的心。在那隐秘的角落，那里有一株山兰艰难地从石罅中生长了出来，伴着一株柔弱的毋忘我；一只奶黄的蝴蝶从他们头上静悄悄地飞过，他望着她，她也望着他，他们就那么对望着。他讲到参军的事，她也讲到参军的事，他又讲到参军的事，她也又讲到参军的事……涌泉寺的钟声响了，他们从那隐秘的地方走了出来。他们就那么分手了。一分手就是三十年。他打听过她，她也打听过他。都得到过消息，都曾想提笔写信，却都不曾写出。他结了婚，她也结了婚，他们都有了自己的事业，自己的家庭，自己的后代，都有缠绕在自己周围的蛛网般的人事关系，都有万千与对方无关的极其浓烈的喜怒哀乐。他几乎忘记了她，她也几乎忘记了他。他们相互没有必须承担的义务，他们相互也没有应当偿还的感情。然而在那个平凡的、由琐屑的生活景象构成背景的傍晚，他同她相逢了……

她问他怎么出现在这里？"来开个诗歌座谈会。顺便到少年时代生活过的街巷走走。"他问她正往哪儿去？"正从教书的中学出来，回家去。"他望着她，她也望着他，他们就那么对望着，他讲到开座谈会的事，她讲到学校里的事，他又讲到开座谈会的事，她又讲到学校里的事，难道他们非讲这些不可吗？他们忽然都闭嘴不讲了。芒果树和月桂树的气味更加浓郁，传来卖鱼丸和卖沙茶面的摊贩的吆喝声，他们身侧的围墙上，茑萝藤倔强地攀援着，似乎想同墙内溢出的三角梅枝条会合……她没有请他去家里做客，他也没有请她去招待所会面，他们就那么客客气气地分手了。然而他忘不了她，她也忘不了他。在这个复杂的、喧腾的、流动的世界上，他和她都只能生活一回，他们的生活轨迹，难得交叉一次，然而他对于她，她对于他，有着不可磨灭的意义。

清亮的鸟鸣，一声接着一声。这是心灵的回响。啊，淡淡的哀愁……

> 我已经忘却了
>
> 忘却了
>
> 黄潭河边我的小路
>
> 春天的山茶飘香
>
> 冬日冰凌满树
>
> 板桥下有
>
> 嶙峋的怪石
>
> 喧闹的飞瀑……

　　戴帆不知不觉地下完了最后一级楼梯。他抛开了书桌上平摊的稿纸，他卸下了对约稿者承诺的义务，他的潜意识支配着他，他要到楼后去，到树林中，找到那只给了他心灵那么多感受的小鸟，他只求那小鸟让他看上一眼，哪怕仅仅是一眼。它有着怎样的翅膀？怎样的胸脯？怎样的眼和怎样的喙？……

　　他刚刚迈出楼门，突然，他险些被滑得屁股着地，当他从趔趄中稳住自己后，低头一看，才看清原来踩着了一块已经有点干缩的西瓜皮。这个趔趄使他心中洋溢的诗意顿时减少了一半。他用脚把西瓜皮踢到单元门一侧的垃圾出口处，于是楼墙上歪歪扭扭的粉笔字赫然落入了他的眼中："打倒小羊子！""张红超是我儿。"……他叹了口气，忙把眼光移开，这一移，就移到了上面，于是他比以往更加痛楚地注意到，凡处于楼道位置的玻璃窗，几乎没有一扇是完整的。

　　他就住在这样的楼里。这里是华夏大学最令人羡慕的一角，是一般教职工宿舍中质量最高的单元楼所在地。他缓缓地踱着步子，绕过楼角。他又一次想到，这座楼里，真正处于教学第一线的中年教师，实在并没有几家，大多数都是行政部门的干部，他们当然也应该有较宽敞的住房，但作为一所学府，应当优先照顾的，究竟该是哪一种人呢？他注意到楼上的阳台，有一半以上，已经用各式各样的方法，改造成了有窗的小屋。他想起了从部队里一起考进大学的战友小马，小马考取的是清华大学的建筑系，现在已经是建筑设计院的一个室主任了。他不明白，小马他们为什么要固执地这样设计楼房？人们目前不可能做到都爱惜公用过道的玻璃窗，你们就该改变刻板的设计方案，不要再在公用过道设计上玻璃窗；人们目前也不可能做到都把阳台当做真正意义上的阳台使用，你们就该干脆把阳台设计成与单元相联的小屋；你们明知人们还远不能普遍地使用带红外线烘干设备的洗衣机，那就该在阳台上设计出晒晾衣物的支架，以免像现在这样逼得住户用各种方式"自力更生"，把丑陋的木条或树棍粗野地捆扎在阳台栏杆上……

　　一阵风吹来，带来了啁啾的鸣声，这鸣声使戴帆止住了绝无诗意的思绪，一颗心重新变得温柔起来。他款步朝前面的树林走去。

　　那是华夏大学历尽沧桑后仅存的一些树林。多么可贵的树林啊！这碧润园墙外的小河沟，原来每逢夏日便长出绿盾牌般的慈姑叶，沟坡上的草丛中这里那里窜出蓝白粉紫的野花，虫儿跳着，蝶儿舞着，人从沟边走过，青蛙便扑通扑通跳进墨绿的水中，小孩子可以从沟里钓到小鱼，有时甚而能捉到通体透明的小灰虾。然而十多年过去，小河沟里的水已变成了一种赤红色，泛着一种发出恶臭的泡沫，那是附近一个什么化工厂排出的废水。沟坡上残存的杂草永远蒙着一层灰尘，消失了最后的一些诗意。碧润园附近的一处树林，前几年被砍伐一空，在那里盖起了一个名字很长的机构大楼，不知为什么，那机构已经开始办公很久了，而建筑过程中堆积的渣土与锈铁烂木，还有一些或大或小的预制板与水泥管，总撂在那里没有人收拾，每逢雨季之后，人们就在墨浆般的泥泞之中搁上一溜红砖，小心翼翼地踮着脚尖踩踏而过。人们埋怨着，咒骂着，有的因而还给报纸写了信，而且被郑重其事地刊登了出来，好心的编者，还给加了语气很重的按语，然而那里的景象，至今仍无根本性的变化。道旁栽上了一些杨树，但附近农民的山羊啃，过路的汽车刮，顽皮的孩子揪住树身打秋千，活过来的只剩下一半，瘦骨伶仃，实在没有些许的诗味。如果能乘飞机从空中鸟瞰这一带地方，那么，碧润园显然形同沙漠中的绿洲。小鸟不就是一架自然界的飞机么？它一定惊奇地发现了这些可贵的绿洲，因而落在了林子中，婉转娇啼。它打算在这里营巢常住吗？啊，小鸟，你在这里常住，你就把葱茏的诗意，持久地维系在了我的心中……

我的快乐是阳光的快乐

短暂，却留下了不朽的创作

在孩子双眸里

燃起金色的小火

在种子胚芽里

唱着翠绿的歌

我简单而又丰富

所以我深刻……

那鸟，是一种什么鸟呢？戴帆蹑步进入树林，循声求迹。啊，从那株垂柳之中，小鸟一闪而出，又一闪而没入那边的槐树之中。它有着莹黄的胸脯，淡绿的翅羽……它是云雀？是百灵？是黄鹂？是歌鸲？戴帆对于鸟的常识，主要来自诗歌而不是来自生物学书籍，而生物学家们经常地指责着诗歌作者：画眉不可能出现在你写的地方，夜莺的鸣声绝不优美……可是戴帆听着那鸟儿撩拨人心弦的鸣声，并不想去翻查生物学辞典，他只想任自己心头自然而然涌出的诗意，泛滥、泛滥……

那莹黄的胸脯，像玉石般光润闪亮，我就叫它玉鸟吧！碧润园多年没飞来过这样的鸟，没有过这样的啭啼了！戴帆深呼吸着，享受着每一声脆鸣，期待着下一声接应。人在世界上需要诗，需要诗情、诗意、诗境、诗的韵律与音响……在鼓浪屿的海滨，在棕榈树的荫庇下，戴帆和那年轻的女诗人讨论过这个问题。他正在写一篇评论她的诗作的文章。有人批评她的诗："太朦胧，令人气闷的朦胧！"就算渴求明朗永远是正确的吧，然而朦胧也并非错误。在感情的透明度上，应当没有对错之分，只有清浊浓淡之别。戴帆忆起了他平生第一次感情经历。那是一次强刺激。还是上初中的时候，他读了一本 40 年代很流行的长篇小说。他被书里女主角的悲惨命运深深地打动了。那时他才 14 岁。他产生了一种模模糊糊的冲动，他觉得自己应当在生活中发现这样的弱女子，爱她，并且像骑士般地去解救她。而这样的女子竟然真的出现在他眼前了——班上新来了一个英语教师，她长得并不美丽，矮矮胖胖的，并且架着副眼镜。至今他仍旧搞不清她当时有多大年龄。14 岁的少年是不会推测别人的年龄的。她脸色总是那么苍白，讲课时，每领读完一个单词，总要微微咳嗽着，用同样苍白的小拳头揉揉她的胸口。每当她提出问题，回答者胡乱回答时，她便脸红起来；而当荒唐的回答引起哄堂大笑时，透过她的镜片，竟可以看出她眼眶里汪着泪光。戴帆因此努力地学好英语，主要是为了她，特别是为了主动回答好她提出的每一个问题。有一天的英语课，她突然没有出现。有消息说她病了，而且病得不轻。放学了，戴帆心里形容不出的惆怅。他走到闽江边上，望着那些破旧的、拥挤的篷船，泊在污浊的紫水中，喘息般地颠簸着，心头便浮现出一幕比一幕凄惨的画面，大体上按那本小说的情节发展，但女主角，一律是英语教师的形象。他对她有说不出的爱怜，他觉得他应当承担一种义不容辞的责任。他把做小职员的父母难得给他的一点零花钱，积攒了许多天，本是为买另一册小说的，全数拿出，才买了一只北方运来的鸭梨，用手绢包好，鼓起勇气，按打听到的地址，找到了英语教师的家中。门打开了，他被引进了一个摆着花盆的天井，旋即又被引过一间小巧整洁的客厅，拐了个弯，才进入了英语教师卧床静养的寝室，他大吃了一惊，因为映入他眼帘的一切：家具、蚊帐、摆设，完全不符合他的想象，与他自己家里比，要阔气多了；而最触目惊心的，是床边小杌上的果盅中，赫然叠放着许多的鸭梨，每一个都比他带去的大，也都比他带去的光洁……英语教师对他的出现也很吃惊，当他颤抖着，把那只鸭梨从手绢里解脱出来，递过去时，英语教师不是流着眼泪感激，而是快活地笑了，她的身边忽然出现了好几个人，至今回忆起来，戴帆仍弄不清那究竟都是她的什么人，丈夫？父亲？哥哥？弟弟？姐姐？母亲？保姆？……朦胧，非常朦胧，戴帆不记得他们的数目、面貌和言谈，只记得他们传看着那只鸭梨，笑着，赞叹着。英语教师脸色很红润，没有戴眼镜，两只眼睛鼓出来，完全没有了逗人爱怜的神韵。她似乎说了些感谢的话，鼓励的话，或者还有别的什么话，反正，就是没有戴帆期望过的那些话……戴帆不记得自己是怎么被送出那个家庭的了，更加朦胧，朦胧到晦涩的地步，直到街灯燃亮，戴帆才意识到自己已经沿江走了很远，而手中，仍是一只鸭梨，那是英语教师从果盅中取出来，送给他的鸭梨，比他买的那只鸭梨大，而且更其黄润，发散着淡淡的梨香……原来她很幸福，有许多人爱护着她，她并不需要骑士，甚至不需要一只用手绢细心包裹好的、带着骑士体温的鸭梨！痴痴地伫立在闽江边上，望着点点渔火，戴帆把那只鸭梨抛到了水中，鸭梨在空中划出了一条优美的弧线，在河中激起了一圈又一圈闪着银斑的涟漪……就这样，戴帆埋葬了自己的第一次感情体验，这是什么感情？爱情？同情？友情？师生之情？永远说不清。朦胧，然而并不令人气闷。在这无法翻译的鸟鸣声中，回忆起少年时代的这种往事，也是一种诗。倘若把这一切都驱赶出诗的领域，诗坛该多么单调！

我真想聚集全部柔情，

以一个无法申诉的眼神

使你终于醒悟；

……

我真想，真想……

我的痛苦变为忧伤，

想也想不够，说也说不出。

脚底下被什么东西硌了一下，戴帆低头一看，是一个被抛弃了好久的果汁罐头筒，一半已经被埋进了松陷的泥土中。啊，真不该低头，这里竟有着那么多的垃圾：撕破的、被雨水淋过又被阳光晒过的报纸，不知道属于什么玻璃器皿的闪光的碎片，沾满泥点的横卧在落叶中的空啤酒瓶，一张变了形的红桃 K 扑克牌，以及许许多多发了霉的果核和瓜子皮……这唯一的一片绿树林，本应让它保持纯洁、美丽，是谁，却使它也蒙上了污垢？不懂得诗的人们啊，你们悔改吧！戴帆抬起头，小心翼翼地绕过那些垃圾，继续寻找着那只玉鸟。玉鸟为什么不再鸣叫？是因为疲劳，还是因为惊警？

忽然，戴帆听到了一种刺耳的声音，那声音足以使世界上所有的诗歌魂飞魄散。他为那声音而脸红，而且恳挚地祈望这树林，这玉鸟，能够谅解人类心灵的不平衡状态——

"丫头养的，跑他妈哪儿去了？"

"你他妈的傻蛋！在他妈的那边呢！"

一瞥之中，他看出是两个小伙子。都是同他住在一栋楼里的。他们似乎都已经有了职业，并不是那些令人无限同情的"待业青年"。其中矮胖的一个，穿着一条绝对不适合他身材的深橘红色的喇叭裤；而另一个身材适中的，戴着一副"蛤蟆镜"，原是相当漂亮的，一张开嘴，却闪现着一排发黄的牙齿。也许，那林中"野餐"的痕迹，便是他们留下的吧？他们又来了，他们今后还会常来。世界原不是单属于诗人和诗歌爱好者的。他们愿意漂亮，这本可以成为一种诗情诗意的发端，然而他们却不懂得量体穿衣，不懂得刷干净牙齿，不懂得谈吐和风度的文雅才是真正意义上的漂亮。

离他们远一点吧。或者，他们不过是偶然窜进了树林，晃晃就走……戴帆朝前快走了几步，又一回头——啊，他呆住了。他的心狂跳起来，他全身的血液都涌向了太阳穴，他分明看见，那两个小伙子手里，都拿着一管打鸟的气枪！

原来，不止他一个人在寻觅玉鸟，人家，那两个猎人，也在寻觅玉鸟！他要寻诗，人家要杀诗！

他跟跟跄跄地迎着那两个小伙子走过去，气喘吁吁地说："你们……你们……别……别！"

两个小伙子打量着他，像打量一个怪物，一个小丑，一只沾满污泥点子的空啤酒瓶，或者类似的什么可笑而又无用的东西，一齐怪笑起来。胖小伙子一边笑一边提裤腰，另一个小伙子笑时把一口脏牙毫无保留地全部展览出来。

"你们……别，别打那只玉鸟！"戴帆几乎是哀求地望着他们。人和人为什么有时绝对不能沟通心灵？那两个小伙子，为什么对他连一丝一毫的理解也没有？

两个小伙子怪笑得更厉害了，简直是前仰后合。

"不许笑！"戴帆全身震颤着，发出了类似惨叫的一种吼声。

两个小伙子刹那间愣住了，嘻着嘴巴瞪住他。

"你们不能打那玉鸟！"戴帆声色俱厉地宣布，"那，那是诗！懂吗？诗！"

胖小伙子朝伙伴挤挤眼睛，他的伙伴朝他撇撇嘴巴。

"他妈的碰见个疯子！"胖小伙子对伙伴说。

"少说也是个半疯！"胖小伙子的伙伴对胖小伙子说。

说完，他俩便大摇大摆地绕过戴帆的身子，继续朝树林里蹬去。

戴帆气得发抖。他手心里捏出了冷汗。

他听见背后传来更加恶劣的声音：

"——什么他妈的玉鸟，丫头养的鸟！"

"——什么湿的干的，臭大粪！"

他背对他们站着，整个灵魂被他们窸窣的足音熬煎着。他该怎么办？他如果要使他们理解自己，要让他们能以同一种语言与他交谈，他大概就得给他们补上一百堂课、一千堂课！从何补起？他们自己并不觉得应当补这些课！痛心啊，他们还非常非常年轻，他们构成着我们这个民族非常非常重要的一部分，他们要在这片大地上一天又一天地活动下去，他们还必得在这片大地上繁衍后代……

此时此刻，他们要搜寻、杀死那只玉鸟，并不是要制作一具有永久保留价值的标本，甚至并不是为了练就一种准确的枪法，而纯粹是因为烦闷无聊，因为一种破坏和杀灭的兴趣，因为愚昧与野蛮……

戴帆渐渐从狂怒的亢奋状态中松懈下来。他想，有刚才的喧嚣，玉鸟一定已经飞走了。飞走吧，亲爱的玉鸟，到更隐秘的地方去落脚吧，到没有愚昧和野蛮的地方去鸣叫吧……

忽然，他惊骇而痛苦地听到了玉鸟的鸣声，那玉鸟竟没有飞走，而且，这般烂漫地唪啼了起来！

戴帆猛地扭过身子，朝树林深处望去，那两个小伙子，正双双举起气枪，朝一株大榆树的高处瞄准着！戴帆想喊，喊不出来，他拔脚朝那两个小伙子跑去，可是，刚迈出几步，就听见气枪响了，那响声并不尖锐，然而玉鸟的鸣声立即中止了，并且可以看见，从榆树上纷纷扬扬落下了一些东西……戴帆一阵晕眩，他赶紧扶住身边的一株槐树，他觉得映入眼中的每一片槐叶，都是一滴翠绿的眼泪……

他耳里被强灌进了一种尖利、放纵的笑声。他模模糊糊地感觉到，那两个屠杀诗歌的刽子手从他身边晃了过去。他闭眼前的一瞬，分明看见那胖小子手中，提着那只被红血染污了胸脯的玉鸟……而令他痛苦万端的，是当他挣扎着回到楼门口时，发现被杀害的玉鸟，已经被扔到了垃圾出口处下面，与那片业已干皱的西瓜皮，紧挨在一起！

> 不是一切大树
> 都被暴风折断；
> 不是一切种子
> 都找不到生根的土壤；

不是一切真情

都流失在人心的沙漠里；

不是一切梦想

都甘愿被折断翅膀……

　　静静的夏夜。戴帆含着眼泪，伏案疾书着他的评论文章。在台灯照出的光区里，有一只原来盛放工艺品的锦匣，里面是那只牺牲了的玉鸟。

　　这很可能是来到碧润园的最后一只玉鸟。不过，这并不是最主要的。最主要的是，这应当成为牺牲于愚昧与野蛮的最后一只玉鸟！

　　诗，不仅应当继续有愤懑与呐喊，欢笑与鼓动，幽默与讽刺，不仅可以容纳淡淡的哀愁，以及朦胧然而优美的意念与情感，诗，更应当唤醒蒙昧者，在人们的心灵里，催升起无愧于在世为人的理性曙光……

我的悲哀是候鸟的悲哀

只有春天理解这份热爱

忍受一切艰难失败

永远飞向温暖、光明的未来

啊，流血的翅膀

写一行饱满的诗

深入所有心灵

进入所有年代……

1980 年 11 月 20 日于北京垂杨柳

到远处去发信

我写好一封长信，装进信封，封好，贴上四分邮票。

我们胡同口中，就立着一只邮筒。我对它那么熟悉。就好像它是我的亲人。然而，这回我手里捏着待发的信，却毅然地走过了它的身旁。

我并不是要寄挂号信。倘若寄挂号信，我可以去我们这个地区的邮局。那邮局离我家并不远。走路去，只要二十来分钟。

其实，最简便的方法，是将这信径直送到邮局，甚至根本不用贴上邮票……

不。我不利用近处的邮筒，我也不直接去那邮局。我拐到大街上，坐上了公共汽车，我要一直坐到很远的终点站。在那附近，相信可以找到一只陌生的邮筒，我将把手中的信，投进它的"嘴"中。

我必须这样做。

1

那是一个秋天的傍晚。我们小院门旁的槐树，大半的叶片已经发黄，随着阵阵秋风，不时有叶片旋转着飘落下来。我倚着院门，双眼望着胡同的入口处。送信的邮递员为什么还不来？

那时我已经从矿业学院毕业，并且已经到有关的研究所情报室工作了两年。我决定利用业余时间，进行科普读物的撰写工作。我把一部书稿，寄给了有关的出版社。

我等待了一个月，两个月，两个月零十四天，终于忍耐不住，给出版社的编辑部打了个电话。难道所有的编辑，都善于说既给人以希望又使人疑虑的话吗——

"啊，您那部稿子……我们还在认真研究……最近就将主动同您联系……您的地址没有什么变化吗？……我们一定尽快……好，谢谢您对我们工作的支持，再见！"

尽快！"尽快"的区间究竟有多大？一周过去，我又有些不能控制住自己，那天傍晚，我装成饭后散步的模样，走到院门口，等待邮递员的到来。

邮递员终于在胡同口出现了。其实他多少年来就给我们这一地段的居民送信。我考入矿业学院的录取通知书，我到祁连山去实习时寄回家里的信，等等，等等，许多的信，以及许多的报纸、杂志、汇款单、包裹单……都是他送来的。然而，一直到那一天，我才注意到他是个矮胖的中年人，胡子拉碴的。他郑重其事地穿着同邮筒一样颜色的绿制服，虽然那制服的领口已经磨得露出了白线。他戴的那顶硬壳制帽经过风吹日晒，已经变成灰绿。他的手胖而粗，汗毛长而黑。正是用这样的手，他把我等待已久的信递给了我。

我竟不及回屋，便哆哆嗦嗦地拆开了那封信，里头只有很薄的一张信纸，用并不工整的字迹，写着一些这类的话："大作经领导审阅，决定发排……待清样出来后，将及时奉寄清样一份……再次感谢您对我社工作的支持！……"

我的心强烈地颤动着。我抬起头来，发现邮递员正要骑上他那辆绿色的自行车，我禁不住连连对他说："谢谢！谢谢您啦！"

他偏过头来，有点惊奇地望了我一眼，似乎是本能地回答说："甭谢！甭谢！"然后，便平静地骑上车朝前去了。我望着他的身影，他在离我们院几十米外的另一院门那儿停住了，并朝院里呼唤着："信！"

我不但头一次注意了他的形象，而且脑际间头一次飘过了关于他的联想：他能给人带来喜悦，也能给人带来悲痛。不管是什么样的信息，从真情的倾诉到虚伪的谰言，他都会刻板地、不动声色地给你传递过来。他已经充当了多少年的信息传递工具？在这种生涯中，他体验到的是轻松愉快，还是枯燥寂寞？

2

尽管他像一根针，把我们眼前的生活，同另一部分不在眼前的生活，不时缝缀在一起，可是包括我在内，我们这里的居民，大概没有人去关心过他的生活。

又是一个傍晚，是春日的傍晚，飘着针脚小雨。当时胡同还没有铺上柏油，雨水把黄泥路面浸软了，来往的行人和自行车翻起一片泥浆。我站在院门口，望着青灰色暮霭笼罩的胡同口，计算他出现的时间。

自从我获得书稿录用通知信那天，我就摸出了规律：他总是在五点半至六点之间进入我们胡同，来送当天的第二趟信。按说在大雨倾盆的天气，邮递员可以把当天的信件积攒到第二天，待天稍晴朗时一块送去。然而我特别注意到，即使大雨使整条胡同除了黑糊糊的墙影和白花花的雨脚外，什么都是混浊一片时，他那"信！"的呼唤声，却照例可以准时从院门外传来。有那样一回，我套着凉鞋，撑着雨伞跑到院门口，接过他递来的两封信，都是我并不急于接到的信。我望着他那虽然罩着厚大的雨衣，却不能避免雨珠挂上眉毛的面影，忍不住说："这么大的雨，您就明天再送算了！"

他晃晃头，甩去浓眉上的雨珠，平淡地说："咳，说不定哪家，就盼着我手里的哪封信呢。不能搁在我手上误了啊。"说完，推着车到邻院送信去了。

所以那个春日的傍晚，我坚信他会准时出现，然而六点过去了，六点一刻过去了，六点半到了，他还没有来。

母亲唤我回屋吃饭。我回去匆忙扒拉完了饭，又跑到院门。已经是七点来钟，暮色降临到我们胡同，他不会来了。我感到痛苦，甚而对他产生了一种愤懑的情绪。

我在等我所爱恋的姑娘的信。对于一个 26 岁的男子来说，事业上的起步和恋爱上的成功，是两桩最重大的事。头一桩大事，已经有了一个稳定的基础：我的第一本科普读物已经销光，第二本书稿业已发排。第二桩大事，却正处在成败未卜的关键时刻。前一天，与头一回给编辑部打电话一样，我怀着忐忑的心情，给她挂了个电话，而她的回答，竟同那回编辑的口气类似："……嗯，我正在考虑……这两天我没有空……我写信告诉你，你等着我的信吧……我会很快把信发出去的……"难道这就是接受我求爱的前奏？不！她们那个工厂的化验室，何尝有那么繁忙的化验工作，使得她"没有空"应允我的约会，而必得写信来回答我！

她的信，今天无论如何该来了。可是邮递员却没有来。多少年来，他都是风雨无阻的啊。他曾为我及时带来事业上成功的信息，他为什么不再为我及时带来爱情上成功的信息？

我一晚上没有睡好。第二天上班，我总想利用工间操时间给她挂个电话。然而我克制住了自己。再没有比丧失自尊心更令恋人鄙弃了。后来，我赶译了一份国外矿山机械资料，用全神倾注于工作的方法，压抑住了失恋的痛苦。

这天我回家较晚。我一迈进院门，便发现大槐树下扔着一封信。我几乎是扑上去捡起了它来。一天的春风吹干了地上的湿泥，所以这封信没有受到污染。不过，我仍然心疼地挥着它，仔细地察看着它的正反两面。

这当然是她写来的信！我正要拆看，忽然疑虑起来。今天邮递员是怎么回事？在我的记忆之中，还不曾有过这种做法——将信扔进院门，扔到树下。纵使因为院内偶然没人，他那"信！"的呼唤不能收效，他也会将信件搁在临树的窗台上，他知道我有一块从祁连山拾回来的青褐色的矿石，是终年搁放在窗台上，以备压住信件避免让风刮跑的。如果当天我的信件比较多，比如有出版部门寄来的清样，他还会事先用纸绳代为捆扎，然后垛齐了放在窗台上，再用矿石压住。他今天为什么竟一反常态，将这信粗率地扔到树下？

我捏着那封信进了屋，久久不敢拆阅。我之所爱啊，你借助这反常的邮递员传递给我的，究竟是怎样的信息？

我终于还是拆开了那封信。我得到了一个终身伴侣。

狂喜之余，我更其惊异：这样的一封信，为何竟被粗暴地扔到了树下？倘若被风吹到墙角，久久不被发现，我爱恋的姑娘会不会因此误会？而我们的命运，会不会竟因此变化呢？

第二天傍晚，我有意等在门口，这回我不是等信，而是等邮递员来了，好提出质询和抗议。

邮递员果然按时出现了，然而，不是他，却是一位少妇。我恍然大悟，同时忍不住问道："原来的师傅呢？他换到别的地方送信了吗？"

她淡淡地答道："他老伴死啦，我替他送两天。"

我心里充溢着那么多幸福，因而对别人的不幸格外同情。那女邮递员把几封信递给我，已经要走了，我却接二连三地问："他很难过吧？他家里还有什么人呢？他儿女都大了吧？"

女邮递员不无感慨地说："他是我们局十几年没缺过勤的老模范，就全区来说，像他这么十几年如一日的，也是独一份儿。头年他们院失了火，他的家烧坏了半堵墙，也没见他告过假。这回老伴死了，局领导原希望他还能每天坚持送一趟信，保持全勤纪录，可他提出来歇三天。局领导当然同意，可也有人觉着他中断了全勤纪录，怪可惜的……他如今身边就一个闺女，还小，上小学呢。"

说完，她也就推车走了。

不知为什么，我久久地倚在院门那儿，望着胡同路面上那些吹干了的脚印和车辙，心里翻涌着复杂的情绪。我深切地感受到，有着一种超出我个人悲欢的更广泛的人生。

过了一天的傍晚，我正端起碗要吃饭，忽然院门外传来了熟悉的"信！"的呼唤声。我赶忙撂下饭碗跑出去。原来是老邮递员来了。我心中暗暗计算了一下：他并未歇满三天。我迎到他面前，他的仪态和往日有很大的不同，他敞着制服和里面衬衣的领口，那衬衣的领口，显得相当肮脏；他满腮的胡子长得有一公分长，却并不浓密，这样的胡子当中，是一对厚厚的紧闭的嘴唇。他的浓眉短而不成形状，一双忧伤的眼睛，在隆起的眉骨下躲避着我的视线。那天我的信件颇多，他破例没有用纸绳为我捆成一札，只是合成一叠，默默地递给我。我接过信，慰悼的说："谢谢您……您爱人去世的事儿，我听说了，我很为您难过……您要注意保重！"他略显惊异地抬起了眼睛，忧伤的双眼中，闪动着一种渴求和感激的光。他迟疑了一下，才爆发似的说："我倒没啥。可怜的是小晚儿……靠我一个人把她拉扯大，费劲儿！"他最后一句说得很重，嘴里喷出一股浓烈的"二锅头"气味。我真想说出一种最能熨暖他心意的话来，然而一时又说不出，只好空洞地安慰他说："好在有组织，会特别照顾您的。大伙儿也能帮忙，比如我，您有什么为难的事，送信的时候说一声……凡是我能办到的……"
他恳挚地点着头："那也是……敢情好……"说完，推着车，往邻院去了，望着他佝
偻的背影，我总觉得自己欠了他一些什么。

过了大约半个多钟头，我正在书桌旁看书，忽然又听见了他的呼唤声："信！"
我很惊讶，连忙又跑出去。只见他脑门上缀着一溜汗珠，满脸羞愧地站在门外，手
里递过一封信来，嗫嚅地说："真对不起您……落下了您一封信……以往我可没出过
这号事……唉！"我接过信，忙对他说："没关系，没关系……"见他要走，我又忙说：
"您等等，我要给您一样东西……"我跑回屋，把新得到的三本科普读物拿出来，送
到他手中，他推让着，我解释说："不为别的，为的是您的闺女……她叫什么？小晚
儿？给她留着看，长知识……"他这才收下了，夹在车座上，道谢说："您是个好人。
我让她篇篇好好地看，兴许她能有大出息。"

他骑车走了。我默默地想：小晚儿！这是一个多么古怪的称呼！他和他的小晚儿，
他们的生活，他们的命运，在这浩繁的人世上，也许属于最平淡无奇、最不引人注
意的一种，然而他们的向往，他们的感情，他们默默地已经向社会提供和即将提供
的光和热，其价值和意义，谁有权利漠视和低估呢！

3

本来，我是可以同老邮递员建立更紧密联系的，然而不多久就是1966年的夏季，
发生了众所周知的事情。一天晚上，夜深人静时，我和已经成了我妻子的恋人，关
严门窗，坐在小板凳上，围着一只陶盆，烧毁我们积存的所有信件。我得承认我们
是弱者，我们明知自己无罪，却战战兢兢地在深夜里干着这种销毁有可能成为"罪证"
的事。然而我们又都是富于感情的人。我们忍不住不时把某一封信重读一遍，于是
我们立时牵心挂肚地想起了一些平凡而善良的亲友，回忆起了一些凝聚着最生动最
真挚的感情的生活片段。我家里还保存着我大学时期从实习地写回来的那些充满着
夸张描写和纯真抒情的信件，我真舍不得烧掉这些和我的青春、我的热情、我的理
想血肉相联的信件，然而，爱人却冷静地举出例子："'太阳疲倦万分地落到山背后去

了，我们面前是一片昏黄的荒漠……'像这样的句子，不都能惹祸吗？"于是，我只好把这些信件都送到点燃的火柴跟前，眼看着它们在焰舌中化为焦糊般的纸灰……在这痛苦的焚烧活动中，我因为总忍不住停下来端详着待烧的信件，渐渐发现，不管是谁的来信，不管是什么样的信封，贴着什么样的邮票，也不管盖有什么样的邮戳，有一样东西，却永远不变，那就是在每个信封后面都盖有的一枚细长的印章，印章上清清楚楚地显现着邮递员的名字：马友全。啊，原来他叫马友全！他年复年、月复月地给我们家送了十几年的信。这些信我们都仔细地阅读过，甚而信封上贴的邮票，我们也曾仔细地鉴赏过，有时为了考究信件寄出的时间及路上所费的日子，我们还曾仔细地辨认过邮戳，可是，我们却从未注意过那每信必有的小小印章。啊，马友全！这憨厚的、默默不语的、忠实而辛勤的信使，他恪守局规，每天都在他所负责递送的信件上，盖上他小小的印章，不是为了使人记住他的名字，而是为了使他自己承担起应负的的责任。他大概十几年从未渎懈过他的责任，也因而从未有人按印章找他追究过责任，因而几乎没有一位信主注意并记住过他的名字……直到我把十多年积存的信件拿出来焚烧时，在这样一个场合，我才终于注意到了他盖的印章！我把这一发现告诉了爱人，我说："我原以为我们烧掉的仅仅是我们自己的东西，现在我才觉悟到，我们也在烧毁着构成别人事业、责任感、劳动和情感的东西……马师傅，马友全，他现在心情怎么样呢？今天傍晚，我看见他还像往常一样在胡同送信……"爱人微微咳嗽着，点着头。我们继续烧下去。可是烧得最坚决的爱人，忽然变得格外迟疑，原来她手里捏着那封曾经被扔到大槐树下的信，那封信对于我和她，是同样宝贵的，或许，我们应当把它留存下来？我从她手里抽出那封信，检验着，我以如同发现地质图必须加以修改的口吻，告诉她说："这大概是唯一的一封没盖上马友全戳子的信！对了……"于是，我把接收这封信的详细经过，娓娓地讲给她听。在那发烫的陶盆旁，在那纸纤维焦糊的气息中，在那发闷的小小居室里，我和她的头发、眉毛上都飞落上了灰色、黑色的纸灰屑，我们俩就那么对坐在小板凳上，我讲，她听……她听得入神。听完了，她从我手中取回那封信，毅然地点燃，含泪微笑着说："反正它永远存在你心里了……而且，又不是马师傅送的……"

这以后有好多年，我们尽可能不再写信。当我去干校时，我同爱人约定：除非出现特殊情况，我们不必写信，好在总不时有同单位的人来往于干校之间，当中不乏好心而可靠的人，我们尽可以托他们带话。少写或不写信的做法，自然带来了少收或断绝来信的效果。我再没有倚门待信的心情和必要，因而也就同马友全师傅松懈了联系。只记得依旧是一个黄昏，胡同外的电线杆上的那高音喇叭正放足音量聒噪着，晚风把一些破碎的大字报纸碎片挟带进胡同，在半空中舞逐着，我从单位里拖着疲惫的脚步往家走，在院门附近遇上了骑车送信的马师傅，我主动招呼了他，他也就下了车，站住同我说话，我发现他没有穿着制服，并且头上没有戴那我非常熟悉的硬壳制帽，露出了微秃的头顶。我问候他说："您好吗？天冷了，您怎么反倒不戴帽子了？"他朝左右望望，叹口气，语调沉重地说："那制服制帽，不都成了修正主义的玩意儿了吗？他们斗'走资派'，也把我揪上去陪了斗，说我是'走资派'树的黑典型，说我国民党时候，也认认真真送信，修正主义路线底下也认认真真送信……我不明白，什么时候该马马虎虎送信呢？……他们斗了我，可还让我到这里来送信，这片地段，没铺柏油的小胡同多、乱，他们谁也不愿意来……我可不是为他们送信，我是为人民送信，我还得认真……"说着指指瘪下去的邮囊："只是如今信少多了，大家伙都不怎么喜欢写信了，您的信以往哪天不得两封三封？如今……"我望着他那憔悴的面容，那鼓起而下垂的泪囊，心里说不出的难过，便截断他的话说："我的信早晚还能多起来的，大家伙的信早晚都能多起来的……"他竟淡淡地微笑了："多起来好……到那时候，我还认认真真给送。"

后来我去干校，一去两年多，纷乱的世事，使我把他淡忘了。我从干校回来，爱人却又碰上取消化验室，编进"支农小分队"，下乡去了，记得是一个飞雪的冬日，从单位里出来我双手揣在棉袄袖子里，戴着顶罗宋帽，苦闷地在街上行走。我忽然想找个地方，喝上一杯。我顺脚走进了一家清真饭馆，进去才发现，恢复了涮羊肉的供应。馆子里基本上是座无虚席，我找着个撂在一边的空凳子，却一时找不到安放座位的地方，忙用眼光仔细寻觅，忽然，我发现马师傅坐在一隅，我高兴得差点叫出声来，忙提着凳子过去，更令我欣喜的，是他们那张饭桌旁，只坐了三个人，显然我恰好可以同他们合坐一桌。但是，在我走拢那饭桌的几秒钟里，我发现马师傅显然在闪避我，先是把目光移开，慌乱地朝别处张望，后来，更把身子蜷曲着，仿佛要缩小自己的躯体，以使我忽略他的存在……可是我已经来不及多加考虑了，我放下凳子，坐在他对面，热情地招呼他："马师傅！"他抬起脸，望着我，一张脸涨得通红通红，仿佛做了什么见不得人的事。这真让我莫名其妙。几秒钟以后，他才镇静下来，于是用下巴指指他右边说："我闺女，小晚儿。"我朝小晚儿望去，她长得像父亲，只是皮肤要白净得多，她的脸阔而圆，双眼之间的距离稍显过宽，朴朴实实地梳着一头短发，穿着一件灰色的上衣。我正注视着小晚儿，马师傅又用下巴指指他左边说："王老师，小晚儿的班主任。"我这才看清，原来同桌的还有一位跟我年龄相仿的男同志，相貌平常，略显发胖。不等马师傅再发话，我就向小晚儿和王老师自我介绍说："我姓孔，马师傅常给我们那里送信，我们都佩服他那股认认真真的劲头。"

服务员端来了火锅，马师傅依旧红涨着脸，结结巴巴地对我说："您……您就、就跟我们打伙儿涮吧！"我想也好，便点头说："成。不过，再加几盘羊肉，还有酒，都归我掏腰包。"他急得站了起来，连连摆手说："甭、甭、甭……今儿个我请客，全归我，全归我。"我不明白他为什么要这么慷慨，更不明白他为什么要这么激动。

一旁的王老师忍不住，待马师傅重新坐下以后，轻声对我解释说："马晚香初中毕业了。因为她是独生女儿，所以没安排下乡。估计过几个月能分配到工作。这本是政策上有规定的事儿，我不过是执行了一下，可马师傅非觉得是我照顾了他们父女俩，非要请我这顿涮羊肉不可……您还看不出来吗？这兴许是他一辈子头回在饭馆请客，咱们就别拂他的意了吧……"

羊肉、白菜、粉条和芝麻烧饼都端上来了，作料也已拌好，马师傅、王老师和我都要了二两"二锅头"，大家一齐吃喝起来。小晚儿不懂得说什么应酬的话，只是津津有味地吃着芝麻烧饼夹涮羊肉。我们三个大人一时间都边喝酒边想着各自的心事。我在内心里思念了一阵爱人，感叹了一番混乱的时事，不由得抬起眼，朝前面望望，我看见马师傅手里捏着酒杯，却顾不得喝，双眼只盯着小晚儿看，小晚儿低头吃着涮羊肉，那股香美的劲儿，反照到马师傅的眼里，使他的双眼，增加了一种动人的光彩。这下雪的冬夜，这并不出名的清真饭馆，这饭馆中散发着炊器气息的一角，这昏暗灯光下的父与女肖像，至今仍清晰地留存在我的记忆之中。

我记得，喝到最后，我们三个大人一齐干杯时，马师傅对王老师和我推心置腹地说："我总算把小晚儿拉扯大了。她没跟着去'造反'，没学坏，得谢谢王老师，谢谢好些个好人……也有孔同志一份，您给的那几本书，她从头到尾都认认真真地读啦……

小晚儿吃够了，抬起头，闪着两眼，半懂不懂地望着我们。她忽然发现，父亲并没有吃多少涮羊肉，于是卷卷袖子，站起来为父亲涮，并不断搁到父亲的作料碗中，有一回搁急了，把作料溅到了桌上，父亲闪身一躲，她竟快活地笑了起来。那笑声是爽朗的、无邪的、响亮的，笑得满饭馆的人都扭过头来朝我们这边张望。

4

没遭什么大罪，把那十年度过去了。到 1978 年，我的信件已经恢复到了十多年前的水平，到 1979 年，则几乎达到了以往最高水平的一倍。那块饱经沧桑的矿石，重操旧业，几乎每天在窗台上为我压住厚厚的一叠信件。我的处女作已经再版，我又新写了许多科普文章，并很快汇成了两本新的集子，同时还撰写着我的第一篇学术论文。

马师傅更发胖了，可我觉得他显得比以往年轻，他又穿上了同邮筒一样颜色的制服，戴上了新的制帽，胡子总刮得干干净净，那"信！"的呼唤声，依旧浑厚而响亮。我们这条胡同和附近一些乱如蛛网的小胡同，相继都铺上了柏油，逢到雨天，马师傅骑车送信时，不再会溅上半裤子泥点了。有一天我翻开新到的报纸，读到一篇关于马师傅的报导，题目是《他永远认认真真》，还附有一张他推车送信的相片，相片上的马师傅表情很不自然，甚至有些忸怩乃至羞愧的成分，这使我想起了那年冬天饭馆中的一幕，不禁微笑起来。马师傅啊，您该不再有忧愁和焦虑了吧？

然而，有一天下班回家的路上，我却意外地碰上了愁眉紧锁的马师傅，他不是在骑车送信，他没穿制服，也没戴制帽，当我同他打招呼时，他嘴里涌出很浓冽的一股"二锅头"气味。我很惊异，问他："马师傅，您这是怎么啦？"他挥了下胳膊，感叹地说："您瞧，这都什么时候啦？"那时暮色已经开始低垂，有些店铺已经燃亮了电灯。我一时没明白他的意思，只是愣愣地站着。他摇了摇头，才徐徐地说："小晚儿她早该下班了，可我见不着她的影儿……"我这才想起，几年过去，小晚儿该长成个大姑娘了，听说她分配在一个小吃店里，炸油饼儿。"难道……小晚儿学坏了？"我问。马师傅的脸涨得通红，仿佛受到极大的侮辱，他抬起眼，谴责地盯着我，着急地说："谁、谁、谁学坏了？小晚儿她能学坏？她……她大了，她要离开我了！"说完最后一句，他突然蹲在人行道的白蜡树底下，两手捧住头，痛苦到极点。我在他对面蹲下去，劝慰他说："小晚儿怎么会离开您呢？您可别胡思乱想……"他抬眼望了望我，站起来，明显带有醉意地对我说："我是去找小晚儿，她不回家，我找她……您跟我去吗？兴许，您能劝劝他俩？我那间屋不算小，找房管局打个隔断，把他们那间隔大点，我小点，各走各的门，一块过，让我能天天见着小晚儿，不成吗？……"他说着已经朝前挪步，我忙搀住他，跟他一块往前走。

没走多远，前头是个胡同，把着胡同口，是家小吃店，小吃店晚上不营业，关着门，店堂里没开灯，只有厨房里透出的一道亮光，斜射到店堂里来，照出些倒放在饭桌上的方凳。我以为马师傅要进店堂，可是他望了饭店正面几眼，没往前挪步，却带着我绕到了小吃店的侧面，那侧面正处在胡同入口处。这时候，夜幕已经降到头，路灯已经燃亮。我正纳闷，只听马师傅招呼说："您瞧！您瞧呀！"我朝他指示的方位望去，才发现小吃店有一扇比较低矮的窗户，正在胡同入口处的侧面。透过窗玻璃，可以清楚地看见厨房一角的景象。小晚儿坐在一把椅子上。她已经完全发育成熟，结实的脸蛋上，泛着红光；两只距离稍显过宽的眼睛里，闪着活泼的光波；她把烫过的头发，在耳后扎成两个抓髻；身穿粉红色的爱丽纱镶领边的上装和深蓝色的混纺裤子，脚上是一双漂亮的式样新颖的褐色皮鞋。她一边同什么人说笑着，一边双手不停地打着毛线。我顺小晚儿的眼波一寻觅，就看见一个高大的小伙子，戴着炊事员的白帽子，耳边露出长长的乌黑的鬓角，正弯着腰，在一只极大的瓦缸里和面，他只穿着汗背心，两只粗壮的胳膊伸进瓦缸，强壮的肌肉，随着和面的动作活泼地颤动着。他的眼光基本上一直盯在小晚儿身上，两个人谈得很高兴。我注意到，在一旁的大案子上，立着一只两个喇叭的录音机，李谷一演唱的歌声，从窗内溢出到了我们站立的地方。

从窗外望进去，是一幅洋溢着健康的青春气息的图画。显然，小伙子值夜班，他趁便和出明天炸油饼要用的面来，而小晚儿不过是陪他一阵，也趁便赶织毛线活——我注意到，毛线是和她衣衫很不相称的酱褐色……我不明白，马师傅为什么要对这一切以及这一切即将带来的后果，那么忧心忡忡、痛心疾首？

我偏过头，看马师傅是何反应，咦，出乎我的意料，他脸上已经不再有懊丧和愠怒的神色，他满面慈祥，默默地注视着窗内的一对恋人，我甚至发现，他的嘴角漾出了一丝微笑。

默默地注视了一阵，马师傅便主动拉着我的胳膊，领着我往回走，走到人行道上，迎着微风，他叹了口气，喃喃地对我说："那孩子不错。一大早炸油饼，他管往锅里放生面，小晚儿管用铁钎子捞熟的……起先放生面的人不精心，尽溅起小油粒子，烫得我们小晚儿手上尽是绿豆大的紫泡。他管这事以后，再没烫着过了……他对我也不赖，懂礼。可就是……他要把小晚儿拐到他家去，说是在他那里安家，有了孩子，他妈能给看……唉！"

我问："他家离您家有多远呢？"

马师傅脸上显出一个害臊的表情："咳……其实，也就两站地。"

我笑了："瞧您，原来离得这么近……他们常去看您，您也常去看他们，不就行了吗？干吗非得让他们跟您住在一块儿？是您会看孩子，还是您亲家母会看孩子？"

晚风把他的酒气吹散了一大半，他脚步比刚才稳实了，他微笑着，点着头，轻声地说："倒也是……"

5

那年过新年的头一个星期天，我和爱人带着儿子从王府井采购归家，一进院，就看见大槐树后的窗台上，我那块忠心的矿石，压着一叠信件，儿子跑过去取信，惊喜地发现了一小塑料袋糖果，塑料袋上印着鲜红的"喜"字。爱人起先还有点惊讶，我把猜到的原因一公布，她点头笑了，跟我商量说："咱们是不是也该有点表示啊？……"

当天黄昏时分，我守在门口，没等多久，马师傅果然送第二趟信来了，只见他脖子上围着一条又厚又长的酱褐色围巾，满脸红光。我迎上去，说了祝贺的话，并且把准备好的一对玻璃糖罐递给了他，他开头还推辞，后来我强行把那装糖罐的纸盒子塞进了他自行车的邮囊中，他显得慌乱而惶惑，搓着手，脸上现出我几次看到过的羞涩表情，喃喃地说："我送信30多年了，还没往这里头搁过私物呢，没搁过啊……"我笑着对他说："那是托您给小晚儿他们两口子送去的邮件，不算您的私物啊！"这话让他良心上好受了些，他憨厚地微笑了。我问他："怎么样？小晚儿到底还是让人家拐走了吧？"他不无遗憾地点头说："可不。那么大间屋子，就我一个孤老头啦。昨晚后半夜我醒过来，惯了，走到小晚儿床铺那儿，要给她盖被子——您不知道，她就是这么个毛病，一到后半夜就两个膀子露着——走拢跟前，才猛地觉悟出她人走了，我一屁股坐在她那空铺上，心里头说不出啥滋味……"我忙替他排解说："您把她拉扯大，不就是为了她能幸福吗？如今她算是得到幸福了啊。"他听了这话，又微笑了，眼睛周围的皱纹舒展开来。

转过年，当春天再一次来临时，也是一个星期日，上午九点多钟，院外传来"信！"的呼唤，这声音令我很惊异，我忙跑到院门口，头一眼，只见是个非常年轻的、细瘦身材的小姑娘，推着自行车来送信，我的心不知为什么往下一沉，顿感若有所失，但随即我就发现了马师傅，他也推着自行车，站在小姑娘后侧，我的心又往上一提，忍不住高兴得叫了起来："马师傅，您！"他便支住自行车，走到我面前，解释说："我下月就退休啦。这不，来了接班人。领导上让我带她跑几天。"小姑娘也爽朗地对我说："我一定把马师傅的认真精神学到手。他告诉我啦，您在研究所情报组工作，下午经常把资料带回家翻译，所以常能亲自收下午那趟的信。上午您不在家，信就给搁到那树后窗台上，用矿石给压住……"我高兴地说："这就好啦！"马师傅和小姑娘把当天的信给了我，要走了，我恋恋不舍地叫住马师傅，问他："小晚儿他们两口子，常去照顾您吧！"他满意地点着头，高兴地告诉我："他们两口子挺孝顺，我能过个美美的晚年啦。我已经买了一只黄鸟，等下月退了休，每天一大早我就提上鸟笼子去公园遛弯、打太极拳……"说着，他望望自己推的自行车，脸上又显出那我已经熟悉的羞愧表情，对我，也对新来的邮递员说："真有点舍不得离开这辆绿车……说起来，你们怕不信呢，我给人家送了一辈子信，可我自个儿，这辈子，还没得着过一封从邮局邮来的信呢！"

他没得着过一封从邮局邮去的信！这简直令人不能相信，然而我又坚信这是绝对的真实。

一老一少两辈邮递员远去了，我望着他们的背影，心里有种抑制不住的冲动，在往上翻涌。

我决定立刻给马友全师傅写一封长信。他将很快收到一封从邮局邮给他的信。这信将不仅有着最精美的信封信纸，贴有最华美的纪念邮票……最重要的是，我将努力把最真切的感激和最炽烈的赞美奉献给他，并使他透过我这颗真挚的心，体验到他那平淡无奇的一生的巨大价值……

这就是我为什么要到远处去发信的原因。

1981 年 9 月写于庐山芦林湖畔

公路旁的仙女

　　班车驶出了新建的楼区，顺着铺敷得犹如一匹灰缎的新马路，朝城里机关驶去。在进城以前的十多里途中，有好几里公路的两旁，还是一派田原风光。正值盛夏，又是清晨，从车窗望出去，那长势旺盛的各色蔬菜拼成的深浅不一的绿色几何图形，那远远近近耸起的半透明的塑料大棚，以及那些有时离公路很近的残雾笼罩的苹果园，都显得如童话世界般美妙。

　　班车是一辆崭新的国产大轿车，外观十分气派。车内二十几个座席挤得满满的，还有几个人站在过道上。站立者中有电工小聂。小聂其实也不算小了。他的儿子都念到小学四年级，但是人们习惯于这样叫他，从他刚到机关当电工叫起，一直叫满了20年，并且在最近的将来，也还不存在改变称谓的可能。他们机关前些时才从新建楼区分到了半座楼的单元房，出动班车晨昏接送他们这些人，也不过才一个多月。开头人们没大注意，后来就发现，小聂即使来得较早，也总是不坐座位，而宁愿站在车厢当中。对他的这一作为，人们普遍表示了好感，然而唯有小聂自己，才知道究竟是什么吸引着他，使他乐于保持这么一种便于窥视班车前方景物的姿势。

　　说实在的，头一天登上班车时，小聂何尝不想坐个位子呢？须知班车来往于楼区与机关之间，要行驶40来分钟，在车上站立这么久，并且为保持平衡，一只胳膊总得举起，用手握紧车顶把杆，实在很不舒服。然而头一天小聂登上车时，已是座无虚席，他便只好站在车厢当中，那天早晨雾比较大，他本是不在意地浏览着车窗外的景物，车行快至一半路程，接近一个丁字形的路口时，他猛地发现，在班车的正前方，一株雾气缭绕的古柳下，一个穿红布褂子的小姑娘，站在一个土坡上，犹如一朵烂漫开放的花儿，欠着脚，伸着双臂，分明向他们的班车招着手儿，那小姑娘的形象，深深地嵌进了他的脑海之中，事后回忆起来，就仿佛一幅令人眼目一新的图画，一个闪过难忘的电影镜头，或者说就如同一盏经他接通电源后陡然亮了的电灯，在他心中掀起了一股欢快的浪花儿。当天傍晚乘班车回家时，他便有意仍保持早晨来时的站姿，结果，他惊讶地发现，晚霞映照中，那古柳下、土坡上，依然站着那可爱的小姑娘，她先双手麻利地扔着一对布包儿，在那里玩，及至发现了他们的班车驶回，便又欠起脚儿，双手提着布包儿，伸臂朝他们车里的人挥舞着，他看清了她那近乎正圆的脸庞，两只闪亮的大眼睛，以及颊上的两个酒涡。

第二天，班车驶拢丁字路口时，他期待着，然而又有些怀疑，难道……啊，果真，又是她！那天早晨没有多少雾气，他注意到，古柳树后面，便是一个小巧的农家院落，八成新的瓦房和爬满豆蔓、茑萝的篱墙，以及高耸出瓦房顶的电视天线，显示着这一户菜农的富足；那小姑娘显然住在这个院里，估计她还只有五六岁的光景，似乎家里大人并没有让她过早地参加劳动，而是宠爱地给她穿上了鲜艳的净红的小褂，她头上的两个翘起的抓髻，也用红绒绳扎得整整齐齐。她家门前过往的车辆可谓多矣，然而她却偏对小聂他们乘坐的这辆班车感到兴趣。小聂见她又欠起脚，稚气地向班车里的人们挥手，便忍不住欠身靠拢车窗，也朝她挥手致意，这么一来，小姑娘简直是双脚齐蹦，手挥得更起劲了。班车拐了弯，小聂还转动着身子望那小姑娘，那小姑娘，也还久久地挥动着双臂。当天傍晚路过那里，类似的情形又重复了一遍。

到第三天，小聂便忍不住向车里的人们宣扬开了："瞧，前头丁字口那儿，有个小仙女儿，红衣仙女儿，等着咱们的车过去呢……呐，那不是吗？她冲咱们招手儿呢，多可爱！"只有他身旁的几个人呼应了他，他们也觉得有趣，同他一起朝那小仙女招了手。

接连一个星期，早晚班车路经那丁字路口时，那小仙女总按时出现，有几回车里人还看见她从篱门里跑出来，跑上那古柳下的土坡，仿佛她掐算好了时间，在岗位上执行任务一般；还有一回傍晚她是端了一碗饺子，站在那土坡上吃，并且改挥手致意为举起一个咬了一半的饺子，得意地晃动着，仿佛在嚷："我吃饺子啦！"又仿佛在嚷："给你们饺子！"那模样、神态煞是可爱，渐渐地，欣赏她的，已远不止是小聂，而且以车厢中部的女同志们为最热情，十多天后，每当车过丁字路口时，车内的笑声、招唤声、议论声，总要爆发出一个高潮。

对这小仙女丝毫不感觉兴趣的，是坐在车前和车尾的两位男同志。小聂在心里把他们叫成"北极"和"南极"，视为两个"绝缘体"。"北极"是一位老技术员，戴着一副深度近视镜，他总是最早上车，占据最前面的一个单座，坐下以后，便打开一本外文业务书，钻进书里去，而不再顾及周围世界。有一回小聂劝他说："咱们住在一片灰色的楼区，工作又在一片灰色的城里，每天难得有这么两段穿越绿色地区的时间，你为什么不充分地利用一下，用绿颜色涮涮你的眼睛，醒醒你的脑筋呢？再说，丁字路口那儿还有个红衣小仙女，你看看嘛，保险让你高兴……""北极"听这番劝告时虽然谦和地点着头，用南方口音连连回答着"好的，好的……"可一上了车，却依然故我，对"万绿丛中一点红"之类的景象，绝对无动于衷。"南极"是机关里的人事干部，他长得面团团的，上车总往尽后头去，坐在最后一排的最边上，说是把好位子让给别的同志，自己反正是打瞌睡，后面的位子颠一点不要紧，只要把自己身体的摆动频率同车子的颠动协调起来，反倒利于打瞌睡。对于小聂他们"赤道地区"——即车厢中段——对红衣小仙女的"狂热情绪"，他腹诽颇多，不过表面上持宽容态度。他只偶尔瞥见了小仙女一回，对身边一位同志发过一次议论："这家人落实政策以前，不知道是个什么成分？"人家没有应声，他也便闭眼管自打瞌睡，从此再没有看那小仙女，也再没发什么议论。

到了机关，一下班车，各人有各人的一摊工作，就是小聂，也难得想起那公路旁的小仙女，他换上工作服，系上电工专用的附有工具套的宽皮带，忙完这里忙那里，大脑里关于红衣小仙女的信息，如同没有引入电器的电流，蓄在那里，既不发光，也不发热。进到楼区，回到家里，各人又有各人的家庭生活，小聂固然也对爱人——就在楼区的小学当老师——讲起过关于红衣小仙女的事，不过她从未目击过，无法共鸣，所以小聂也就没有多讲，而他们小小家庭本身的喜怒哀乐一旦攫住了他，那红衣小仙女对他神经元的刺激，也便暂时减退。然而，每天乘坐班车的路上，尤其是快到那丁字路口时，小聂的身心就不由得几乎全被那红衣小仙女占据，他的心脏会明显地加剧跳动，眼睛会格外贪婪地向外寻觅，一股难以解释和形容的欢乐情绪，会弥布于他整个灵魂。除了"北极"、"南极"以及某几个偶尔搭乘一次班车的临时乘客，车上其余的人，渐渐也都不同程度地染上了小聂的癖好，一到那丁字路口，便活跃起来。就连司机老王，似乎每过那丁字路口时，也有意格外放慢速度，以使公路旁的小仙女和车上的人们，能从容招手致意。有一天清晨，阴云密布，下着雨，车近丁字路口时，小聂首先嚷了起来："看呀！咱们的仙女！"人们张望过去，不禁欣喜若狂——土坡上，小仙女依旧穿着她那特有的红布小褂，撑着一把杏黄的尼龙伞，脚上蹬着显然是家里大人的黑色半长筒雨靴，笑眯眯地迎着班车招手。车过好久以后，人们还纷纷议论着，有的说她真像从童话书里跳出来的角色，有的说难得她那么小年岁就那么懂得珍惜感情，有的说冬天一片白雪，衬出她的红袄褂将更好看，有的说难道到了寒风凛冽的冬天，她也能坚持一天两回出来迎候吗？小聂高声议论着，仿佛在同谁打赌："她会坚持下去！""北极"仿佛一切事情都未发生，埋着头，翕动着嘴唇，读他的书；"南极"照例把头舒服地倚在人造革靠背上，闭目养神，嘴角挂出一个淡淡的既宽容又嘲讽的微笑……

日子就这么过去了。班车每天两次开过那丁字路口，直到我们开始提到那个早晨。那是一个风和日丽的早晨，大家的情绪都很好。小聂照例站在车厢当中，当班车接近丁字路口时，他不慌不忙地朝那古柳下的土坡望去，他的眼睛有点不大习惯——土坡上没有红颜色，没有小仙女。他想，肯定是当车子正好接近丁字路口时，从那篱门里会蹦出她来。然而车子已经驶近丁字路口，要拐弯了，并且司机也仿佛特意按响着喇叭，催促着小仙女按常规出现，那古柳后的篱门却并未打开，小仙女并未出现。小聂对此没有思想准备，他像触了电一样，全身微微一颤。车上的一些女同志忍不住问他："咦，今天怎么回事？""小仙女可是头一回没有出来！"仿佛他与仙女有着某种神秘联系似的。可是小聂回答不出。班车驶离丁字路口很远了，他仍

呆呆地朝那古柳树的方位眺望着。没有一星半点红色出现，唯有古柳树庞大的树冠，
静默地呈现着一派鲜绿。这天班车返回的时候，小仙女依旧没有出现。尽管这天的
晚霞非常明丽，田野的风光格外旖旎动人，可是小聂的心头却浮动着一块粘滞的乌云。
回到家里好久了，他还暗自揣测着那小仙女没有出现的原因，直到辅导起儿子的算术，
才算暂时拂开了那块乌云。

　　接着两天，那小仙女还是没有出现。微风照常抚动着古柳那长长的枝条，土坡
依旧静静地屹立在那里，古柳后的人家，篱上的豆角长得又大又紫，茑萝开得又红
又艳，傍晚路过那里时，细心观察，可以看到农舍屋脊上的烟囱中，飘逸出淡淡的
青烟，生活在依旧进行，然而小仙女却再不出现，是她的热情已经衰退，还是发生
了什么妨碍她继续站出来的事情？

　　这两天里，每当班车经过那丁字路口时，车里的人们——主要是"赤道"和"温
带地区"的女同志，便会七嘴八舌地议论起来。有的说，五六岁的小女孩，懂得什么？
她的兴趣转移，是预料当中的事。有的说，咱们也太滑稽，何必把与这么个农村小
姑娘的互相招手致意，看得那么重大？她不再出现，一笑了之便罢。有的又反驳说，
到底这是一个多月以来每天少不了的一点感情生活，我们每天办公、做家务事之余，
有这么一点富于童话色彩的情趣，确实值得珍惜。有的更指着小聂说，你看他那表情，
如果他是丢了一大笔存款，大概倒不会那么难受，他把我也惹得有点不好过了……
小聂沉默着，他那长方形的脸庞上，本来并不明显的抬头纹，这两天格外显著，他
那厚厚的嘴唇抿得紧紧的，而浓眉下那双微陷的眼睛，每逢班车接近丁字路口时，
便闪出一种异样的要攫取什么的光。回到家里，爱人发现了他的异常情绪，起初还
以为他在机关里同谁闹了意见，经小聂细细一讲，才明白过来，便叹口气说："究竟
是怎么回事呢？也许是感冒了吧？"小聂甚至在心里暗想过：哪天干脆自己去一趟小
仙女家，问个究竟！但搬到这楼区以后，他们的自行车已经卖掉，而经过那丁字路
口时新的公共汽车路线，又尚未通车，走着去则太浪费时间，也未免荒唐……

　　失去小仙女的第五个清晨，下着蒙蒙细雨，班车还没有驶拢丁字路口，就不得
不放慢了速度，并且闪避开了公路上的一簇人群。班车上的人们都看出那是发生了

一起车祸，大约是一辆 130 型卡车撞倒了一辆自行车，一些骑自行车的过往者不知是出于关切还是好奇，扶着自己的自行车，伸长着脖颈朝民警所在的方位望去。班车驶过那肇事地点以后，渐渐接近丁字路口，于是车里的人们自然而然地产生了这类的议论：那红衣小仙女，该不会……有一位花白头发的男同志，历数完最近知悉的车祸，最后归结到眼前的公路上，认为这条路流量猛增，而车子开到这一段穿过田原的公路上时，速度又必然加快，所以发生车祸几乎不可避免；另一位女同志则补充说，丁字路口那里的路面设计很不合理，许多车子在那里拐硬弯儿，因此最容易出事儿……这些议论像钉子般钉在小聂的心上。班车继续朝城里行驶，一些议论者的"意识流"又流到刑事犯罪上，还是那位花白头发的男同志，历数完最近知悉的刑事案件，最后又归结到眼前的公路上，认为这条路过往人等最杂，而这一段穿过田原的公路两侧坏人既易于藏匿又易于逃遁，所以发生刑事案件也几乎不可避免。那位女同志则补充说，丁字路口那家农户屋顶上的电视天线，未免太惹人注目，倘遇坏人抢劫，他们又无邻居，"啧啧啧啧……"小聂听到这里，猛然迸出一句："别说了！"人们才沉默下来。班车开到城边上，人们才又重新开始议论，然而都是与当天机关里的工作有关的事了。

这天下了班，搭乘班车的人们都上了车，小聂照例站在车厢当中，脸色极其严肃。班车刚开出城外，小聂忽然走到车厢最前面，俯身同司机老王谈了几句什么话，只听老王回答他说："大伙儿都同意，我就停车。"接着，小聂就转过身来，面对大家，大声地说："我建议，一会儿路过丁字路口，停一下车，我代表大家，下去看看咱们的小仙女，看看她究竟是怎么了……"他话音没落，"赤道地区"就有好多声音附议："好！""对！""赞成！"

因为小聂就站在"北极"的身边，向大家提建议时，无意中拍了一下"北极"的肩头，故而使"北极"的思路不由得从手中的书里滑了出来，他本能地抗议说："不必要，不必要……时间是宝贵的！"他既然每天也坐这辆班车，尽管冷如北极，毕竟也还知道小仙女何所指，他由衷地觉得，为探听这么个小东西的下落而停车，是近乎胡闹的事。

"北极"的抗议立即被许多声音驳了回去,小聂弯下腰,这回是有意地拍着他的肩头,大声地对他说:"还有比时间更宝贵的东西!"

"北极"耸耸肩膀,眼光从厚厚的镜片上方斜睨出来,大声地还击小聂说:"小聂呀,这都是你看小说太多所致!"在"北极"的心目中,小说之类是最没有价值的东西。

小聂顾不得同"北极"争辩,因为这时候"南极"已从瞌睡中清醒了过来,并且在知道了事态之后,立刻高声发表意见说:"怎么能无缘无故地随便停车?这班车的行驶是有一定的规章制度的!"

"南极"的意见高声飘过了全车人的头顶,引来了一阵笑声,几个女同志扭过头反驳他说:"怎么是无缘无故?""停一会儿车能算违反规章制度吗?"……小聂大声地劝告"南极"说:"您继续养您的神吧,碍不了您的事!"

"南极"感到自尊心大受挫伤,一点瞌睡也没有了,满脸怒气,腰板离开靠背,继续反对说:"这是公车,无论开还是停,都得服从公事,不能拿来办私事用……"

他这条新的意见立即遭到了几个人的反驳,花白头发的男同志摇着头说:"这难道算办私事吗?倘若路上遇到个病人,急着要去医院,我们能因为他不是本单位的人,就不管吗?"他身旁的那位女同志附议说:"就是嘛,看看小仙女,也算是联系群众嘛!"

然而"南极"固执起来,真是坚冷如冰山,他竟朝前欠着身子,大声招呼司机说:"老王!我不赞成停车!谁要去看什么仙女仙男,让他自己找车子坐了去!"说完这话,把身子往后一靠,重新合上眼睛,心里暗暗嘀咕说:小聂这号人真是无聊,低级趣味!小资产阶级思想感情!不健康!

老王可没站在"北极"、"南极"一边,车子驶拢那丁字路口,他把车靠公路边停住了,小聂也不多说什么,车门一开就跳了下去。车上的人们议论纷纷。"北极"不理解地望着小聂的身影。"南极"知道自己失败了,便保持睡觉的姿势不变,心里头好生恼怒。

小聂几步就越过了土坡,他拂开长长的柳枝,来到了篱门前。这时夕阳映照着农家的院落,院里铺有砖道,院当中有个压水机,院子一侧种着几畦烟叶,另一侧有一排向日葵，还有一丛锦葵花，一群芦花鸡在大枣树下啄食，一时看不清猪圈在哪个部位，但是马上听到了猪吃食的呼噜声。他招呼了几声："有人吗？"没人应声，他便拨开篱门，走了进去。院里三间正房，左右两间都装着大玻璃窗，窗上贴着半新的红纸窗花，透过窗玻璃，依稀可见屋里的摆设：大立柜、沙发椅、酒柜……似乎与城里人的家庭无异。小聂站在院里，迟疑着，为那异样的寂静而吃惊。这里仿佛什么事也没发生过，然而何以不见小仙女的身影？何以没有她的笑语欢声？那么，这里也可能发生过某些不该发生的事情……

终于听到了一种脚步声，绝不是小仙女的，因为是那么滞涩而缓慢，啊，原来是位老奶奶，穿着一身八成新的黑衣褂，从正房后面拐了出来，右手里提着个葫芦瓢，左手搭在眼眉上朝小聂张望着。小聂意识到，老奶奶一定是正在喂猪。他迎了上去，恭敬地招呼了一声："老奶奶！"

那老奶奶上下打量着小聂，问："你找谁哇？"

小聂一时不知该怎么回答，他想了想，决定老老实实地一五一十说个明白，于是，他就把自己是城里哪个机关的，住在哪个新楼区，每天怎么坐班车经过这里，怎么认识了那穿红褂子的小姑娘，这一连五天见不着她了以后怎么担心，全说了出来，末了问："她没病吧？没出事儿吧？"

老奶奶大声回答他说："敢情你是找我孙女小红哇，她呀，不在啦！"

"不在了？"一刹那间，小聂感觉到自己全身血管里的血都仿佛噎住了。

老奶奶并没有看出小聂的异常表情，她依旧甩着大嗓门说："是呀，头些日子，她二姑把她接到密云去玩啦！"

"什么！"一刹那间，小聂又感觉到一种令他承受不住的鬆弛感，血管里的血，仿佛又过分自由地奔窜着……

原来一切是这么简单：小仙女有个姑姑，这姑姑家住在密云，五天前姑姑把她接到密云家里玩去了。

小聂立即告辞："啊，那我们就放心啦。不打搅您啦，我走啦……"这回轮到老奶奶纳闷了，她望着小聂的背影，大声地喃喃自语说："那么大个人，找我们小红！

这是怎么说的……"

　　小聂回到车上，宣布了调查结果，立即爆发出一片欢笑声，有的人甚至于还拍起了巴掌。花白头发的男同志摇头摆脑地笑着说："天下本无事，庸人自扰之！"他身旁的女同志嗔怪他："就数你扰得厉害！"

　　"北极"头一回不能继续读他的专业书，他惊奇地望着小聂，以显然与小聂共鸣着的同事们，开始思索某些他以往没有思索过的问题；"南极"却依旧保持睡觉的姿势，并在心里反反复复地宣布着自己的判断："无聊，这真叫无聊……"

　　又过了五天，再一个清晨，当班车又经过丁字路口时，又是小聂，头一个发现了小仙女身影，显然她已经从姑母家里回来了，也许，姑母还要留她多住些时候，是她闹着要快些回来的吧？你看，她依旧穿着净红的褂子，站在那土坡上、古柳下，迫不及待地祈盼着小聂他们的班车，老远便欠着双脚，使劲地挥动着她的双臂……

　　老王按响着喇叭，放慢着速度，把班车开过了那丁字路口，而车窗里的欢呼声，几达于雷动的程度，许多只手臂，颇不得体地伸出了窗外，挥动着。

　　"北极"、"南极"呢？他们反应如何？没有人注意到他们。小聂更顾不得注意别人，他两只眼只注视着小仙女那可爱的身姿神态，一种甜蜜、幸福、神圣的感情，涌荡于他整个灵魂。

1981 年 10 月 13 日写于北京垂杨柳

酒泉姑妈

"怎么办？姑妈要来！"

看完信，秦所如对正在厨房里切菜的妻子嚷。

"真的吗？"妻子系着围裙，手里攥着菜刀，从厨房里出来，两眼闪着兴奋的光芒。

秦所如冲她叹了口气，显然，她没听懂他的宣告。于是他抖抖信纸，重复地说："怎么办？姑妈要来！"

"什么怎么办？姑妈来还不好吗？"妻子耸耸肩膀。

"你当是哪一个姑妈？是酒泉姑妈。"秦所如拍拍信纸说，"这封信是她在车站邮局发出的航空信，你看，她事先也不来封信商量商量，就这么大摇大摆地来了！"

妻子眼里的光芒消失了，就像一片紫云飘来掩住了星星，她"哼"了一声，那意思很明确，就是："你瞧，这样的事果然发生了！"她扭回身子，进了厨房，只听见她切菜的声音分外急促，就仿佛一匹狂乱的马跑过遍布鹅卵石的河滩。

饭都摆上桌子了，儿子秦弦才抱着个足球回来。11岁的秦弦不明白为什么今晚爸爸妈妈格外严厉，他似乎并没有犯比昨天更严重的错误呀！

"你再这么疯玩，明天我就把你的球锁起来！"爸爸粗声粗气地对他说。

往常，妈妈说不定还会为他辩护几句："算了算了，不耽搁功课就行。"这晚上却绝对站在爸爸一边，更其粗暴地补充说："锁起来干什么？干脆拿锥子扎破了算！"

秦弦赶紧把球藏到自己的床铺底下，又飞快地跑进厨房去洗手，他知道，这种情况下越低眉顺眼，越好过关，倘若稍微顶撞一下，嗬，那就很可能要饿一顿饭！

秦弦扒完半碗多饭，从爸爸妈妈的交谈中得悉姑婆要来，忍不住高兴地说："姑婆又要来啦！准得又给我带好东西来！"他想起去年秋天姑婆来时，给他带来的一身尼龙运动衫，他在爸爸妈妈的那间大屋里试穿过，在大立柜的镜子前照来照去，好不得意，妈妈还从那领口里的商标上，认出是一身地道的澳大利亚货，摆弄了他好一阵，不过他脱下来以后，妈妈也就把那套运动衫装回到了塑料提袋中，她说："现在你穿着太大，等明后年再给你穿。"其实，秦弦觉得那套运动衫并不怎么显大……

秦弦想到了运动衫，还想到了姑婆带来的曲奇饼和椰子糖……忍不住又问："姑婆哪天来呀？"

爸爸和妈妈对望了一眼，都低头吃饭，没有理睬他。秦弦觉得非常奇怪。难道姑婆来北京，只对他有好处吗？爸爸向往了很久的四个喇叭的录音机，妈妈羡慕了很久的奶黄色高跟鞋，不都是姑婆给带来的吗？当然，爸爸妈妈给了姑婆钱，不过，秦弦懂得，这类的东西如果在北京买，要么买不到，要么就会贵许多。

吃完了饭，秦弦主动擦桌子、扫地，做完这些事，他就拎过书包，打算坐到桌前做作业，谁知爸爸却皱着眉头吆喝他："今天你倒挺会假积极，先撂下书包，来，帮我干活！"

爸爸自己踩到椅子上，打开悬柜，很艰难地从里头取出一些东西，秦弦正傻乎乎地愣着，爸爸简直是满脸怒容地对他嚷："接着呀！"

秦弦赶紧接着，原来那是木头行军床的支架，跟着爸爸又取出了行军床的帆布床面。

爸爸试着把行军床支了起来，秦弦真想往上头坐一坐，躺一躺，然而爸爸的脸色还是那么阴沉，而且妈妈走拢来以后，眉毛尖和嘴角都扭动着，满心的不高兴，叨唠说："真是添事儿！准备褥子、被子，又都得我一个人忙乎！"

秦弦不知好歹地说："这床多来劲儿！给我睡吧！"

"你睡也成，"爸爸冷冷地说，"那你的床，就得让给姑婆睡！"

秦弦莫名其妙："姑婆？！"姑婆来北京，不是一贯住在华侨大厦吗？就是来他们家玩，玩到很晚，也是要坐出租汽车回那儿的，怎么这回，姑婆不住华侨大厦，而要住在这儿呢？看样子，爸爸妈妈还要让姑婆同自己住在一间屋里哩！

秦弦毕竟是小孩子，他转念一想：也好！姑婆是很和气的，很喜欢自己，有时兴致高起来，还能用南方口音很重的普通话，讲一些小故事给他听⋯⋯他忙跑进爸爸妈妈住的那间屋，把一张镶在镜框里的八寸照片拿出来，建议说："把这相片挂在姑婆睡的床头吧，姑婆一看，就知道咱们都欢迎她！"

那张照片是去年秋天，姑婆带着他们一家乘豪华型旅游车郊游，在香山琉璃塔下拍的合影，爸爸妈妈常指着这张照片对客人们说："当中那位老太太，就是我们姑妈。"秦弦也常指给来找他玩的同学看："喏，她就是姑婆！"

谁知这次爸爸一手就把那照片抢了过去，仿佛跟谁赌气似的说："行啦行啦！你还嫌不乱乎吗？"

秦弦目瞪口呆。他爸爸秦所如拿着照片走进大屋，没有把那照片挂在原处，而是收进了五斗厨中。

他妈妈这才告诉他："你当还是你广州的姑婆要来吗？这回要来的，是酒泉姑婆！"

秦弦的酒泉姑婆，也就是秦所如的酒泉姑妈，第二天晚上八点来钟果然来敲他们的门了。他们全家都不在。那倒不是故意的，秦所如妻子早就从单位里订了三张《沉默的人》电影票，是晚上七点一刻那场，吃晚饭的时候，秦所如一度犹豫起来："也许姑妈今晚就会到，是不是我就不去了⋯⋯"可是妻子白了他一眼说："到底是亲姑妈哟⋯⋯就不怕我和小弦晚上在路上出事儿吗？"他又建议是否把门钥匙搁在隔壁单元吴奶奶那里，可是妻子一听吴奶奶，五官就紧缩起来，仿佛被迫咬了一口涩柿子似的，连连摆手说："不用她管不用她管⋯⋯你还嫌她管闲事管得少吗？"

一个月以前，他们请人到家里来打家具，当秦所如和妻子轮流往楼梯拐弯的垃圾口里倒碎木头和锯末时，正是那位胖墩墩的吴奶奶，打开她家单元的门走出来说："你们能不能端到楼外垃圾口去倒呀！打这儿倒进去，兴许会堵死通道呢！"秦所如还迟疑着，妻子却掀起垃圾口的罩盖，把一簸箕碎木头使劲地倒了进去，回到屋里，冲隔壁努努嘴说:"准是这几天听见咱们这边锯子响锤子敲,心里头有气,所以才这么找碴儿煞气!"可是过了两天通道果然堵死了,吴奶奶让她那上中学的孙子掏了半天,才把通道弄通,秦所如夫妇下班回楼时看见了人家在掏,但回到屋里,他们谁也没为这事议论一句。现在秦所如提出来把钥匙暂交吴家,妻子执意不从,实在也是可以理解的事。他们下楼去看电影时,妻子劝慰他说:"哪那么巧她今天晚上就到呢?"

可偏巧酒泉姑妈那天晚上八点多到了。她敲不开秦家的门,隔壁吴奶奶便开门招呼了她,她也便笑吟吟地进去接受了招待,完全是一种宾至如归的气派。

吴奶奶端详着这位姑妈,心里头多少有点纳闷:秦家时常提起,并且去年来过的姑妈,跟这位姑妈可大不一样,那位是个细皮白肉的胖子,这位却干瘦黝黑……

但没过十分钟,这位姑妈就征服了吴奶奶。她的行李包括一只相当陈旧的小皮箱,一个装盥漱用具和零食的小挎包,以及一网兜白兰瓜,一问,她居然是独自一人把这三件行李从车站运出来,并且搭乘公共汽车,找到地方以后又连挎带提运到六楼上来的。吴奶奶请她洗漱一下,她三分钟就麻利地洗净了脸、手,并且拢好了花白的短发,吴奶奶给她沏茶的时候,她已经用自带的水果刀切开了一个白兰瓜,并且拣了一牙最肥厚的递给吴奶奶,自自然然地同吴奶奶聊起了天来。

吴奶奶的儿子儿媳都是工人,上夜班,孙子找同学玩去了,一个人正闷得慌,来了这样一位健谈的客人,心里头顿觉舒畅,她真有点怕秦所如他们回来得太早,夺走她的这位稀客。

从闲聊中得知,这位姑妈是秦所如父亲的胞姊,在甘肃酒泉一家医院里工作20多年了,从护士一直当到护士长,去年退的休。她35岁才结婚,爱人是位司机,俩人虽说没有子女,但感情一直很好,谁知天有不测风云,大前年春节后,爱人竟查出了肺癌,半年就过去了。她告诉吴奶奶:"人总得挺起腰板,乐乐呵呵地过日子。我想开了,眼泪可不是好东西,趁现在身体还好,我也到处走走,会会多年不见的亲友,看看祖国的大好河山……"

对于秦所如他们没在家里迎候她,她一点也不生气,她告诉吴奶奶:"是我没告诉他们准日子，因为我在兰州还要下车玩一玩，自己也说不准究竟哪天到北京。"她问起秦所如各方面的情况，语气里充满了感情。原来，当秦所如才六岁多的时候，他的母亲就病逝了，于是当时 26 岁的她，实际上是帮助早婚的弟弟抚养了这位侄儿，直到秦所如上了初中住校以后，她才算卸下抚养他的责任，并且从医院的临时性勤杂工，转为了正式的护士……她告诉吴奶奶，秦所如原来叫秦锁柱，他从小身体瘦弱，像根麻秆儿，常受同学欺侮，有一回她曾经手里操起长把笤帚，追赶那些在锁柱背后扮鬼脸、叫他外号"麻秆儿"、并且用小石头子儿砸他的同学；还有一回，锁柱得了急性肺炎，她三天三夜守在他的床前，眼见他痛苦地喘咳着，眼皮浮肿得成了中药丸的蜡壳儿，急得她不住地干哭，就是打那时候起，她决心当一名护士的……后来锁柱考上了大学，改了现在这个名字，毕业以后分配的工作不错，在局里当干部，又娶了霍丽萍这么个好媳妇，两人一个单位，各方面都方便，而侄孙秦弦听说也很可爱，长得很像他爷爷……可惜他爷爷五年前也去世了，秦家这一枝的独苗儿，可就是秦弦了……

　　吴奶奶一边问着、听着，一边随酒泉姑妈的叙述赞叹着或叹息着，不知不觉已吃去了三牙白兰瓜，她还想再问点听点，却偏偏听见了门外的动静——秦所如一家回来了。

　　酒泉姑妈和秦所如一家会面的场景，毕竟也还是热烈动人的。

　　酒泉姑妈一见秦所如，便大叫一声："锁柱！"禁不住一下子就流出了两行泪水，接着又赶紧用手背抹去了眼泪，连连责备自己说："瞧我，真不该、真不该……"秦所如一见姑妈这种出自真情的爆发，心里像亮了一盏弧光灯，顿时照亮了许多童年的回忆，那些回忆像许多重叠在一起的透明照片，一下子无从看清，然而色泽缤纷，散发出一股醉人的气息，他眼睛也不禁一热，忙扶住姑妈说："姑妈，您坐！您瞧，我现在不是各方面都挺好吗？"

　　姑妈带来的一网兜白兰瓜，首先引起了秦弦的注意，他首先取出一个最大最圆的，拿在手里当球玩。秦所如的妻子，也就是霍丽萍，忙把秦弦手里的白兰瓜加以没收，同时又一个个地检查了那些白兰瓜，除了有两个部分表皮有点下凹变色，其余的都很完好，她把白兰瓜搬到阳台上去存放好，走回来满脸笑意地对姑妈说："您这么大岁数了，还带这么多瓜来，其实北京也有卖的，我们也吃得着……"姑妈也对她笑着说："你们买的是一回事儿，我带来的又是一回事儿，不是吗？"说着仔细端详侄媳妇，直截了当地评价说："总算看见了你——确实一表人才，我心里高兴。"又扭回头对秦所如说："这些年你信少，我退休以前也忙，也没怎么给你们写信，我向你要照片，你总说下回照了就寄，就寄，可我总没得着过……"秦所如脸微微有点泛红，含混地说："是没寄过吗？我记得结婚以后寄过的啊……"姑妈宽容地把手一挥："算啦！今天我亲眼瞧见的，不比照片好看吗？这么多年我盼着你的，不就是能成家立业吗？"

当晚酒泉姑妈和秦弦一屋，在那行军床上凑合了一夜，第二天傍晚秦所如夫妇回到家里，发现不但屋子收拾得整齐利落，而且姑妈已经拆洗缝制并铺叠好了那指定给她使用的旧被褥，并使她那张行军床，竟像医院里刚收拾完的病床般洁净舒适，而且她还给他们做了一顿甘肃风味的牛肉面吃，秦弦平日最怕吃面，顶多吃一碗，这顿却吃了整整两碗，连姑婆都笑着劝告他说："牛肉可胀肚子啊，小心肚子痛呀！"

晚上大家一起看电视，秦弦蹭到姑婆身上撒娇，姑婆给了他一个酒泉夜光杯厂雕的小玉蝉儿，他就着荧光屏的银光欣赏着。霍丽萍从他手里取了过去，摸着凉飕飕滑腻腻的，断定真是玉制品，不禁问："姑妈，这么个玉蝉儿得多少钱呀？"

"好几块呢，我记不清了，这是你们过去了的姑父买的，他呀，就爱搜集这些个没用处的玩意儿！"

霍丽萍把那玉蝉儿收进了五斗橱，秦弦扭着身子表示抗议，她半真半假地呵斥他说："你这么个小孩子，玩这么贵的东西，合适吗？"这一天大家处得不错。

可是第二天一清早，秦弦起床以后，对正在收拾屋子的酒泉姑妈说："哎呀！昨晚上我做梦，梦见姑婆啦！"

酒泉姑妈乐乐呵呵地问："真是梦见我了吗？"

秦弦使劲摇头："不是您！是真的姑婆！"

酒泉姑妈责怪地说："难道我是假的吗？"

她 有 一 头 披 肩 发

秦弦毫不迟疑地说:"可不。我从前可不知道有您这么个姑婆。"

酒泉姑妈不相信:"你爸没跟你说到过我?"

秦弦伸出右手小拇指,仿佛要拉钩打赌:"谁瞒您谁不是人!"

酒泉姑妈想了想问:"那真的姑婆是谁呢?"

秦弦立刻跑进大屋,从五斗橱中取出那张在香山的合影,递给酒泉姑妈,指着当中的那位老太太说:"您瞧,这才是真的姑婆呢!"

酒泉姑妈心里"咯噔"一下,好不自在。她取出老花镜,戴上,坐到行军床上,仔细地端详起来,啊,她认出来了,原来如此。她尽可能往宽处想,便耐心地对秦弦说:"你管她,确实也该叫姑婆,她是你祖爷爷的从堂兄弟的女儿,跟你爷爷和我是一辈的,我们当年也认识,都是亲戚嘛,可论起来,我是你爷爷的亲姐姐,要说姑婆,我们都是真的,非比不可的话,那我就比她更真……当然,这几年她兴许跟你们来往得比我多,你小,不懂事,就把她认成真的,把我当成假的了,这不算啥……"

秦弦觉得新鲜而神秘,他问:"什么叫祖爷爷的从堂兄弟?"

酒泉姑妈正待解释,在厨房刮完胡子走进来的秦所如一眼看见了她手里的照片,并且意识到他们正在谈论什么,顿时对秦弦横眉竖眼地吆喝起来:"还不快去洗脸漱口,在这里胡搅蛮缠什么!"

秦弦一溜烟地跑进厨房去了,正在准备早点的霍丽萍问他:"你又犯什么错误惹你爸爸发火了?"秦弦只得把嘴撅得像出芽的洋葱头,机械地拿毛巾洗脸。

大家围桌吃早点的时候,秦所如对酒泉姑妈转圜说:"素媛姑妈到处打听我们的下落,这二年算是跟我们挂上了钩。她一直在广州定居。姑父去世以后,她跟姑父家关系一直很好,姑父不一直在香港吗?常来人看她。去年她陪姑父家的……我该叫什么呢?也得叫姑妈吧,来北京治病,到这儿来看过我们,我们也陪她玩了几处地方……目前偶尔也通通信……"

这当然并不是实话。事实上是前年有一天他在机关阅览室翻阅《南方日报》,忽然在一则落实政策的报道中,看到了秦素媛的名字,并且得知她那已故的丈夫彻底平反了不算,她本人还得到了发还的巨额定息,于是他回来同妻子商量以后,便给她写了封祝贺信，托《南方日报》社代转，没想到一周以后就接到了这位广州姑妈的热情洋溢的来信，她在信里既为自己过去疏远了秦所如他们这一支亲戚而忏悔，又为秦所如他们这一支亲戚以往没有过多地被她那一支亲戚的坏成分受牵连而庆幸，总之写得很得体，很有水平……渐渐地，他们之间的通信竟频繁到一月两至三封，而且霍丽萍执笔的时候居多，他们给这位广州姑妈寄去了北京的粉丝和豆腐粉，对方则根据他们的提示，"顺便"回寄了只有广州才能买到的那种拖鞋和头巾……一直发展到去年秋天那个高潮，不要说秦弦，就是秦所如夫妇两人，在心目当中也把这位广州姑妈当做最值得尊敬和热爱的亲人了。

酒泉姑妈听着秦所如的解释，心里说不出是什么滋味。人们之间的关系本不必按血缘远近来限定亲疏，但她总忘不了那回秦所如得急性肺炎后，比她小一岁的弟弟从秦素媛夫妇下榻的旅馆回来时，脸上那愤慨加辛酸的表情。那已经是解放以后，秦素媛的丈夫来北京为他那家私营工厂找国家有关部门定货，他们明明很有钱，却只是皮笑肉不笑地对去向他们求援的亲戚——秦所如的父亲，说了一番不着边际的话，末后只给了那么一点点钱，还不够秦所如需付医药费的二十分之一！当然，人不能老是算旧帐，而且人在流动的世事中也可能变得善良和忠厚，可是……

"姑妈，您打算怎么玩玩啊？"霍丽萍看出丈夫和酒泉姑妈都有点尴尬，便转移话题说，"北京开放的名胜古迹增添了好多，您都该去看看……"

秦弦插嘴说："去年广州姑婆来，隔一天去一个地方，坐带空调的日本旅游车，可来劲了……还带我们一块去了香山、卧佛寺、颐和园，在听鹂馆里请我们吃了酥皮鸡，可香哩！"

秦所如和霍丽萍同时白了他一眼，酒泉姑妈看在眼里，脸上却不动声色，她挺直腰板，两只眼睛在密密的细琐的皱纹包围中闪着一种坚毅的光，那是在艰苦的境遇里奋斗过，并且以朴素自然为乐趣的人往往具有的一种目光，她平静地宣布说："我身体还很硬朗，我想买一张通用月票，就坐公共汽车到各处转转。星期天你们愿意陪我，我倒也可以请你们坐那种旅游车去远处一块玩玩。"

"那也好。您先自便吧。星期天怎么着，咱们再商量。"秦所如站了起来，表示要赶着去上班，谈话也就结束了。

酒泉姑妈上午逛了故宫，下午去了中山公园，四点多钟回到家里，秦弦已经放学回来了，酒泉姑妈把给他买的零食递给他，他接过来一看，咧咧嘴说："哟！果丹皮呀！人家广州姑婆净给我巧克力吃，有果仁巧克力，还有酒心巧克力，搁嘴里一咬，滋出一包子酒来，可好玩了……"不过，他说完也就把那几根果丹皮全吃了。

酒泉姑妈没在意这些话，她的心情很好，因为她觉得自己确实看到了许多美好有趣、能引起自豪和自尊的东西。因为兴致很好，所以当她洗了脸以后，她便走到秦所如夫妇住的那间大屋逛了起来，仿佛在继续着刚才的参观。她一边欣赏着那些样式和色调都很配套的家具摆设，一边在心里赞叹：我们的国家确实不错，天安门广场那么宏伟壮丽，故宫保护得那么完整，中山公园布置得那么丰富多彩，就连锁柱，一个那么早就死了亲娘的普通工人的后代，如今生活得也这么富足……她最后把目光集中到了搁置在捷克式衣柜上的录音机上，那显然是一台挺高级的四个喇叭的进口录音机，不知为什么，她忽然想让那录音机响起来，于是她伸出了手去……

"别动！"秦弦一声尖叫，把她吓了一跳。她责备地斜了秦弦一眼，不满地问："姑婆听听，都不行吗？"

"爸爸妈妈不许我动。昨天您在厨房做牛肉面的时候，他们嘱咐我了，要是看见您动，就让您也别动！"

酒泉姑妈那本来很愉快的心情，顿时渗入了一丝不快，仿佛一杯香茶里掉落了一团灰尘，她责问地说："为什么我不能动呢？我在酒泉，也有一台录音机啊，我能认出这每一个键的标记哩……"

恰好这时候，秦所如回家来了，他走进大屋，一眼看见酒泉姑妈正把手伸向录音机，于是近乎本能地嚷了一声："您别动！"

酒泉姑妈扭过头来，一见是他，又有些吃惊，又怀着些希望，稍微有点慌乱地对他说："今天你回来得早哇！我能胡乱用你这录音机吗？我在酒泉也有哩，只不过是只有一个喇叭的……"

秦所如站到她面前，那姿势就仿佛在挡住向某种宝物进攻的整整的一支部队，按捺不住心里往上喷涌的浮躁，语急声快地对她说："一个喇叭的怎么能跟这样的比呢？什么东西都有一定的档数。一个喇叭的，是录音机里最低的一档。其次是两个喇叭的。一大一小的又是两个喇叭里档数低的。两个大的，比一大一小的档数又高一级。如果是两个子母喇叭，那就又高一档。四个喇叭的都算高档录音机，可也有不同的档数。按牌子说，声宝的就比三洋的好，索尼的、日立的也不错，但是那种香港、台湾组装的，什么维多利亚呀、康华呀……就不值钱了。同一牌子的也不一样，比如三洋4500K，就比三洋9930K档数低……当然，最高档的，是带组合音响能还原六个声道的，那种我还只是听说过，并没有见过……"他这一连串又好似讲课又好似训斥的话语，让酒泉姑妈蒙住了。说这些干什么啊？当年，当他终于考上初中，即将去住校时，她用在医院当勤杂工挣来的钱，给他买到了那种矿石收音机，又属于哪一档呢？也许属于最最低级的一档吧？然而当年的锁柱接过它时，那种激动、喜悦的表情，至今不仍铭刻在她的心头吗？是从什么时候起，同一个躯体的人，却对事物有了完全两样的衡量标准，并且连她，不是一般性质的姑妈，也简直不能动他那高档的用品了？……

酒泉姑妈扭过了身子，茫然地望着立在长沙发一侧的落地灯，那落地灯的灯罩是用一种橘红色的细纱蒙成的，当然，那也必定是一种高档品……

"姑妈，您要听什么？听古典的曲子，还是流行曲？要不，我给您放一盘'飞天'吧，都是民乐……"秦所如见酒泉姑妈愣在那里，心里又多少有点后悔，他何必那么急躁呢？不过，他的的确确不能忍受酒泉姑妈那种不分彼此的劲头，她为什么大摇大摆地到他们大屋逛荡？她为什么会觉得这里的每一样东西她都可以染指？毕竟他们之间的那种类似母子的关系，已经被漫长的岁月冲刷得淡而又淡了……不过，还是不必得罪她，还可以再转圜一下……

"算啦，我这低档的耳朵，也听不出你这高档录音机的声音。"酒泉姑妈尽量把语调掌握得像说笑话。她的自尊心使她不愿流露出被伤害的神情。

"哎呀，姑妈，我可真不是不愿意让您用这录音机，说实在的，买这录音机就好比是存钱，如果一点都不坏，再拿到信托商店去，损失不了多少钱，如果坏了、修理过，那就惨了……"见酒泉姑妈已经朝屋外走去，秦所如就跟在她身后，把语气尽量变得和缓乃至于活泼。

然而酒泉姑妈头也不回地走出了大屋，走回了小屋，坐到了她使用的那张行军床上。从此以后，她再也没有进过那间大屋。

又过了一个晚上，第二天白天，酒泉姑妈一早没吃早点就走了，她说想自己到街上找豆汁喝，多年没喝，怪想念的。喝完豆汁，吃完马蹄烧饼夹焦圈，她本想去北海公园逛逛，可是一种说不出来的心情，却使她坐车来到了曾经当过勤杂工和护士的那所医院。医院里几乎没有人认识她了，然而在医院尽后头的太平间前头，她遇上了依旧浑身散发着酒味的大老王，当然，他也早成了个老头子了，不过，尽管他头发白了，脸上尽是一道道深深的皱纹，可身板还跟红枣木那么壮实。他一眼就认出了她来，并且用二十多年前的那句玩笑话招呼她："怎么着，你是要来跟我住邻居么？"他的邻居们就是那些太平间里的死人，他这玩笑在别人听来也许是粗鲁恶毒的，然而二十多年前她就知道，这实际上是一种感情的表白，因为大老王仅仅只对她一个人使用这句玩笑。一撞见大老王，一听见这话，她全身的血仿佛都涌到了脸上，一刹那间，她意识到，尽管那么多岁月过去了，他和她都已然成为了老年人，然而大老王对她的感情，甚至并没有一丝一毫的变化！

大老王诚恳地邀请她"进屋坐坐"，她也就随他到他那间值班室里坐了下来。大老王那张桌子和那张床底下，照旧立着那么多的酒瓶子，但是她仔细端详了大老王一番，他的鼻子并没有变成酒糟鼻，他甚至还是那么英俊……

大老王竟还是单身一人！究竟是真的没有人愿意跟他，还是他宁愿在她去甘肃以后独身到底？谁能知道呢？知道了又能怎样呢？

她只在大老王那里坐了十多分钟。这就够了。对她和他都足够了。她出了医院，心里浮动着一张巨大的网，网里跳动着无数闪光的鱼儿，每一条鱼儿便是一个有血有肉的回忆。她不知不觉地走到了筒子河边，她在一条石凳上坐了好久好久。她可怜大老王，但她毕竟不爱他。她回忆起了她和司机老黎的爱情，他们一同报名去了甘肃，在酒泉，他们度过了那许多平凡而充实的岁月。她永远是属于老黎的，然而她不能不可怜大老王……

她回到侄儿家里时，已是夜幕低垂之后，她真想对什么人，哪怕是对秦弦那样的孩子，亲切地谈一谈，谈一谈生活是多么有意思，而人与人之间又多么需要建立一种纯朴自然的关系……

可是她刚蔽开门，霍丽萍就用身子截住她，神色紧张地轻声嘱咐她说："您快到小屋里去吧，我们有客人，最好谁也不要妨碍谁……"

她还没明白过来，霍丽萍就几乎是把她架到了小屋里，并且代她关上了屋门。她的情绪一下子转不过来，呆呆地坐在那张行军床上，眼前还仿佛晃动着霍丽萍那张脸。霍丽萍的确长得很漂亮，她是地地道道的瓜子脸，眼睛尽管不算大，但是灵活锐利，鼻梁高而长，嘴唇红得像玫瑰花瓣，可她那表情，不知道为什么总让人觉得别扭……今天她似乎新烫了头，并且脸上似乎拍了一种脂粉，她的耳垂上闪动着一种东西，大概是耳饰吧？她那敞口很大的鹅黄色的衬衫的领口里，还露出了一条金闪闪、细绵绵的项链；她的身上，还仿佛洒了一种什么香水，她早上还不是这么一身打扮嘛，这晚上为什么忽然浓妆艳抹起来了呢？难道是专为那客人打扮的？那又是一个什么样的客人呢？

那的确是一位非常重要的客人，官位虽说不算大，但掌实权，正所谓"关键人物"。霍丽萍一直想调到他所在的那个部门工作，因为在那个"近水楼台"可以捞到她最喜欢的那种"月亮"。他们是在一位朋友的家里认识他的，从那次起霍丽萍就抓住他不放，而他也抓住秦所如不放——说穿了是他对秦所如的广州姑妈感兴趣，这兴趣已经发展到有一天他正式提出来："能不能托她，从香港给我弄一台二十吋的彩电来？当然，咱们实报实销……"故而霍丽萍这晚也就把他约来，先好酒好饭招待了一番，闲扯了些不着边际的事儿，然后便把他请进大屋，闭门正式谈判起来。霍丽萍之所以那么打扮自己，主要是为"现身说法"——让对方看出她那耳饰、项链、衬衫等等都是地道的港货，从而不怀疑他们姑妈的法力，其实，对方所提出的条件，实践起来谈何容易，所以必须让他先把调动的事落实在前头……

酒泉姑妈在那小屋里，实在猜不出他们何以如此诡秘，她的心地毕竟是善良的，她只感到惆怅：当年对她毫无秘密可言的锁柱，如今毕竟已经长大成人，有了他那不能全部展示给她的独立的生活……

突然有人敲门，敲得很急很重，还叫着："妈！爸爸！"最后高呼："姑婆！"那当然是秦弦。霍丽萍特意给他买了一张上下集的电影票，以免他在家里碍事，谁知电影演了一半却停电了，他因此过早地回到家来。秦所如夫妇正在大屋里同客人密谈，他们不止别紧了门，还用中等音量放着粤语流行曲的录音带，所以一时没听见秦弦的叫门，自然，是酒泉姑妈去给他开了单元门。

霍丽萍到底耳朵尖，她听出了秦弦的声音，便赶紧从大屋来到小屋，嘱咐说："你们先安安静静的，别吱声，客人这就走。"说完发现酒泉姑妈的表情不大对头，便莞尔一笑地对她说："您削苹果吃吧，给自己削个大的，给小弦削个小的。"说着一指饭桌上果盘中的香蕉苹果，又把食指在嘴唇上一竖，便回身掩门，飘然而去。

酒泉姑妈坐在那里没有动。秦弦取下苹果，递过水果刀，央告她削，她接过苹果和刀子，依旧呆呆地坐着。

大屋门响，脚步声、说话声，秦所如夫妇在送客，单元门响，他们都走了出去，响亮的带回音的告别声……

一分钟以后，霍丽萍满面春风地飞进了小屋，她心情格外好，用简直是撒娇的口气嗔怪酒泉姑妈说："姑妈，您这是怎么啦？您累了吧？来，我给您和小弦削苹果吃……"

这一晚，酒泉姑妈久久地失眠，临到天亮时她才睡过去一阵，做了许多沉重而复杂的梦，醒来的时候，她太阳穴一阵阵地痛。

秦所如洗完脸，走过来见她，恭恭敬敬地问："姑妈，您今天打算去哪儿玩呀？"

酒泉姑妈望着他说："今天我有点不舒服，怕是得歇一天……锁柱，我到你们这儿来，碍了你们的事吧？"

秦所如觉得那位客人既然已经不在，也就无妨向酒泉姑妈说个明白："您是在为昨晚的事怄气吧！姑妈，您该知道，我们不能不跟这样的人拉关系啊，如今要办成事儿，都得来这套……他光知道我有个广州姑妈，不知道我有个酒泉姑妈，所以您们要是见了面，我们还得费唇舌解释……那何必呢？"

　　酒泉姑妈从行军床上站了起来，她努力睁大那双被细琐的皱纹包围的眼睛，盯住这个从外表和心灵都感到陌生的侄儿，压抑住内心的愤怒，冷冷地说："原来你是怕我这个酒泉姑妈丢了你的脸！"

　　霍丽萍从厨房端来热好的豆浆，一见这场面，忙把豆浆锅往桌上的草垫一放，走过去抚着酒泉姑妈的肩膀，满脸堆笑地排解说："好姑妈，您这是怎么啦？您一手拉扯大的侄儿，有什么原谅不了的呢？"说着扭过头，严厉地对秦所如说："还不赶紧赔礼！"

　　秦所如赶紧顺梯子下楼，对酒泉姑妈说："是我不对，对您怠慢了。其实我心里头对您那是要比素媛姑妈敬重个一万倍的，她算什么？一个阔太太，一个靠存款和香港亲友周济的社会闲人。她哪点也比不上您！"

　　霍丽萍把酒泉姑妈扶到桌边椅子上坐下，给她盛豆浆，递油饼，接着秦所如的话茬说："那是！说实在的，我们有的事情上不得不间接地靠靠她，能怪我们自己吗？还不得怪如今的风气！谁不想调个可心可意的工作呢？……姑妈呀，其实您原来就是打北京去的，干吗不活动活动，调回北京来呢？"她本是舌头一滑，便滑出了后面这么几句话，没想到酒泉姑妈听了，脸绷得更紧了，她抗议地说："我干吗要调回北京？我在酒泉住惯了，那儿不错。"

　　秦所如笑着说："您真是实心眼儿。且不说您的亲侄儿在北京，这就够得上一条理由；您那时候去甘肃，也是极左路线搞的嘛，从落实政策的角度，您回北京也是名正言顺的啊……"

　　酒泉姑妈仿佛遭受了极大的侮辱，她眼边、嘴边的皱纹都炸开又收拢，收拢又炸开，好不容易咽下一口气，她才驳斥秦所如说："怎么什么都成了极左路线？当年去支援大西北，我们都是自觉自愿的，我们在那儿干得比谁也不差，日子过得挺好，要给我们落实哪门子的政策？你们呀！……"她觉得眼睛里发热，但她努力控制住自己，不让自己在他们这样的人面前涌出眼泪来。

　　秦弦在这场谈话中，始终不能明白大人们究竟为什么一会儿这么着、一会儿那么着，他吃了半个油饼，喝完半碗豆浆，有点不耐烦，大声地问："姑婆，明天就是星期日了，您请我们到那儿去玩呀？"……

第二天早晨，吴奶奶挽着个菜篮子从菜市场回到楼前，看见秦弦满头大汗地在一个人踢球，便招呼他说："小弦，离楼远点儿，别打了玻璃！"

秦弦撅着嘴，抱住球，仿佛赌气似的，又抛起球来，一脚把球开到了楼旁的空地当中。

吴奶奶想起来，秦弦头两天曾经跑到她家，对她孙子吹嘘过："星期天，姑婆带我们坐旅游车玩去！"于是她问："小弦，今天不是姑婆带你们坐旅游车玩吗？怎么没去呢？"

秦弦满脸懊丧地说："姑婆走啦！"

吴奶奶吃了一惊："走了？！"

秦弦嘟嘟哝哝地说："昨天早上就走了。提着她那小皮箱子，挎着她那皮包，气呼呼地走了。她把网兜忘在了我们家。"

吴奶奶觉得若有所失："她到哪儿去呢？到酒泉吗？还是留在北京，住到别处？"

"我也不知道。反正她走了。"秦弦歪歪脑袋，自我安慰地说，"反正我还有广州姑婆呢。妈妈说，她今年秋天还来北京，我反正还能坐旅游车出去玩！"说完，他便跑过去捡球了。

吴奶奶站在楼门口，心里头直发紧。她臂弯里的菜篮子斜了，一条湿淋淋的鲤鱼差点儿滑出篮子来。

1981 年秋写于甘肃归来后

楼梯拐弯

走到四楼通向五楼的楼梯拐弯那儿，你愣住了。

那里站着佟麒麟和他的母亲，他们两个人之间是一架崭新的缝纫机，带木纹图样的塑料贴面机头箱，被从残破的楼窗外射来的夕阳一照，给你一种异样的感觉，仿佛那也是一张面孔，而且有着比佟麒麟和他面孔上更多的傲气与讥讽。

你那双握住"五粮液"酒瓶的手，不觉如同触电般微微地颤抖了；你的面孔，恰似裹住酒瓶的那张旧报纸般灰暗沮丧。

佟麒麟和他的母亲喘着气。把缝纫机从楼下搬到这个楼梯拐弯，看来都快把他们的力气耗尽了。怪不得楼梯门口放着辆空的儿童车，他们一定是用它把这缝纫机运来的。可是看见你这般寒酸地出现在他们眼前，优胜的自我感觉使他们元气顿升，他们又抬起那缝纫机，朝那最后的一段阶梯突进了。

你在楼梯拐弯那儿犹豫着。是跟上前，还是折回去？

你十七岁了。高中最后的课程已经结束，你和许许多多的同龄人一样，正在准备高考。春风撩拨着你的心怀，每当你从镜中看见唇上那渐显的绒毛，心中就涌动着一种难以譬喻的神秘的情绪。你的爱好和追求本是多方面的。为了一部令你好奇的影片，你可以骑一个小时的自行车，任风沙扑打你冒汗的身体，在几乎是绝望的形势下，举着三毛钱，在影院门口等一张退票；你也可以在足球场上一再模仿球王贝利的姿态，直到球鞋"嗤啦"一声又裂开口子，才为即将身受的妈妈那劈头盖脸的申斥而收敛败兴……但是这些天你忘记了对镜检查唇上的绒毛，也顾不得翻看报纸上的电影广告，更疏远了足球；你心甘情愿地接受爸爸严格到挑剔程度的考察，以及妈妈那翻来覆去的往往是冤屈人的唠叨。他们都是为了你好。事情很清楚，如果你考不上大学，那你就要参加"待分配青年"的行列，当微风拂过你的身躯时，你就不会有现在这般轻松怡悦的感觉。

为了你，爸爸妈妈找到了莫老师，莫老师就住在这五层楼上。那是一个挺不错的单元，大间十五平，小间十二平，厨房、厕所、阳台俱全。可惜的是住了两家人，而莫老师所住的偏是没有阳台的那个小间。莫老师已经退休两年了，可是他似乎比退休前更忙。现在他一天要给七八个准备高考的学生辅导。据说要争取到他的辅导机会是很不容易的。多亏爸爸同他在一个什么机缘下有了那么不多不少恰够的交情，他才答应了辅导你。不过你没排上"黄金时间"，你的时间是上午十点到十二点，而那正是莫老师家最混乱的当口——他那睡在双人铺上铺的二儿子要下来洗漱，准备去工厂上中班，而根据两家轮流使用厨房的契约，中午莫家要在十一点开始做饭，因此你必须要饱尝师母对你并不提前通告的白眼。

莫老师确实名不虚传，据说一九五六年高考的物理题，竟同他给学生精选出来的复习题绝似；他教的那届毕业班的高考物理成绩名列全市第一。你经莫老师辅导几次，时有洞然于心、融会贯通的快感。虽然莫老师那当司机的大儿子常常当着来接受辅导的学生摔盆打罐，责怪老子为何不干脆到他们家里去"坐馆"；虽然莫老师的二儿子回回来给接受辅导的学生一副沉默的苦脸看；而莫师母的喜怒无常又随时会令人手足无措，可是莫老师那处乱不惊、蔼然可亲、循循善诱的态度，却使你如沐春风，如饮甘泉。

爸爸妈妈曾压低声音，议论过莫老师的过去，但是一旦发觉你在一旁听时，他们便转换话题了。你的聪明足够猜出其中的奥妙。你懂得什么叫"摘帽右派"，那其实也是一顶晦气透顶的帽子。现在又有人说"改正右派"，是不是还是一顶帽子呢？

爸爸妈妈，还有别的家长，在莫老师面前的那副尊重、讨好的态度，看上去让人纳闷，就仿佛他是哪个部的部长似的，但是你心中有数，他们看重的只是莫老师身上体现出来的升学率，同莫老师住一个单元的那位瘦长脸的银行职员，就简直不怎么爱搭理莫老师，原因很简单，就是他家里并没有人要考大学；莫老师的两个儿子也并不尊重他，因为在他"时来运转"之前，他们都已超过了报考大学的年龄，他们的愤懑是显而易见的——命运为什么要同他们开这么个发酸的玩笑？

开头，家长们只是"顺便"给莫老师带去一些并不触目惊心的礼物：一盒点心、一篓苹果、一条过滤嘴的"大前门"、一盒球蛋白……然后，渐渐由学生带去全套《基督山伯爵》、《战争风云》（这使得莫大哥和莫二哥脸上有了微笑）、若干张侨汇券或若干球膨体纱（这使得莫师母由供应白水改为了供应茶水）；莫老师每当看见这些东西时脸总要泛红，他老是急迫地希望莫师母把人家搁到桌上的东西赶快地收藏起来，但他又从未说过一句推辞的话。到前些时候，开始有家长明确地提出来，请莫老师去他们家中"坐馆"了。你目睹了莫老师同莫师母的一次争吵。莫老师那毛孔粗糙的长圆脸上，一对狭长的眼睛在镜片后不住地眨动，他有点激动地说："那就起了质的变化了。到家里来，说明是他们有求于我，我做好事。每天到人家家去，而且接受现金，那就成了我有求于人，形同标价出售了。我们经济虽然困难，还不到做那种事的地步。"

莫师母那往下吊的腮帮愤愤地抖动着，瞪了正好推门而入的你一眼，豁出去地驳莫老师道："你一辈子吃亏就在死要面子。钱上的事我也不那么在乎。可是只有走这条路，我们才能解决房子问题；老大老二的对象，也才有人正正经经地给介绍……"

你懂事地退了出去，佯装要上厕所小解，但他们是两家九人合用一个厕所，厕所门外已经有两个人在焦躁地拍门等候，你只好又折了回来……

于是乎出现了佟麒麟。他也每天十点到十二点到莫老师家。他准备报考文科。他要莫老师给他补习数学。你一开头就同这位什么机关的什么处长的公子合不来，他那白净的尖下颏脸庞上，长了个微微上翘的尖鼻子，配合着一双小而圆的充满着

师话语里的那么一种精神打动了。你很高兴地知道，莫老师的才华和人格实际上是无价的。

"清波，"莫老师抚摸着你的脖颈，叹息着说，"做人难啊。从昨天看了佟麒麟家长留给我的信，听说了你被师母劝退的情况，我的心里就很乱。王副局长夫妇来了以后，我的心更乱了。一直乱到刚才。他们给我的东西，我都需要。但是他们要我付出的代价，实在是太高昂了。中外古今多少仁人志士说过，人应该有一种高尚的生活目的。但是今天要做到这一点，竟还是那么样地难……"

你默默无言。你才十七岁。这样沉重的人生哲理，你稚嫩的心还有点承受不起。

"清波，"莫老师凑拢你，亲切地问，"你跟我在一起，除了学知识，还有别的感受么？"

你不明白，你翕动着嘴唇，却不知该说什么。

"你感到快乐么？"莫老师提醒着你。

"快乐。"你使劲地点头，极其诚恳地说，"有时候我忘记了是在准备应付高考。我觉得我们跟好朋友似的……"

莫老师重重地在你脖颈上打了一巴掌，他眼里闪着兴奋的光，只听他对你说："我的心不乱了。我不搬家。我也不接受那架缝纫机。我不再辅导王建光和佟麒麟了。他们一定能够找到比我更合适的'代用品'；我却要照旧辅导你，还有别的几个……哈，那黎秀莲的爸爸也是个副局长呢，并不企图把我包下来，也并不向我提供住房和儿媳妇，可是我喜欢黎秀莲那股聪明劲儿，我还要辅导她，你们应该认识一下才好！"

你的心抖动着。你脱口问道："那，莫师母能答应么？"

"她不答应又怎么样？难道同我离婚吗？无非是整天地闹罢了。"莫老师转为平淡地说，"不过，恐怕不好再在我这个家里辅导了，我也绝不到你们家里去——好在春光越来越浓，外面很暖和，我们到公园里寻条长凳，不是一样可以做学问吗？"

你垂下眼帘。你想象中出现了一套三间的敞亮的单元，你仿佛看见莫大哥和莫二哥在自己的房间里穿着拖鞋来回微笑着散步，而莫师母在大玻璃窗前出奇温柔地踩着缝纫机……但是这样的画面突然被油腻的抹布抹得干干净净，于是你脑海中痛楚地浮现出那就离你八级台阶远的情景：莫二哥烦躁地爬上自己架成的双人铺上铺，他的脚扫着了坐在下铺的莫大哥的耳朵，莫大哥暴怒地把书掼到铺上，狠打了莫二哥小腿一拳，然后，是两个亲兄弟之间不堪入耳的对骂……而莫师母拿着锅铲从厨房跑回了屋，未曾开口劝解，先碰倒了一只油漆剥落的木凳，这一派喧嚣惹得隔壁"砰"的一声把门摔上……你真真切切地体会到了莫老师那抉择的分量，你的心脏把它那格外严肃的跳动声，放大似的从体内传到你的耳鼓。你的眼睛发酸了，现在你相信电影里那些引人流泪的情节确有生活依据。

"清波，我是个平平庸庸的人，一辈子已经这么过来了，"莫老师站了起来，你也随之站了起来，他把手按在你开始变得宽阔而壮实的肩上，诚挚地说，"但是我希望你不要这样，陷在小市民的保卫圈里……你应该懂得，为国家为民族的繁荣富强服务，这并不是一句空洞乏味的口号，做人，应当把这个当作准则；从今以后，我同你是忘年交了，我辅导你，是为了给国家培植一株良材，我是任何报酬也不要的了！"说着他把那瓶"五粮液"放到你的手中，他的手触到了你的手，充满了温暖。你的泪水终于夺眶而出。

就这样，在楼梯拐弯，你上了人生中重要的一课。

够你回味一辈子的！

1980 年 1 月

附录一 刘心武文学活动大事记

1942 年

6 月 4 日生于四川省成都市育婴堂街。

后在重庆度过童年。

父母兄姊均热爱文学艺术，深受家庭熏陶。

1950 年

随父母迁居北京，从此定居北京。

在隆福寺小学上小学，在北京 21 中上初中。

1958 年

在北京 65 中上高中。

给若干报刊投稿，屡被退稿。

8 月，在《读书》杂志发表《谈〈第四十一〉》一文，是投稿第一次成功。

1959 年

在《北京晚报》"五色土"副刊陆续发表一些儿童诗、小小说。

为中央人民广播电台少儿部《小喇叭》(对学龄前儿童广播)编写若干节目；其中快板剧《咕咚》经编辑加工、录制后大受欢迎；"文革"中录音带被销毁；1991 年重新录制播出。

1961 年

毕业于北京师范专科学校，分配到北京 13 中任教。

至"文革"前，在《北京晚报》《中国青年报》《人民日报》《光明日报》《大公报》《北京日报》《体育报》《儿童时代》《大众电影》等报刊上发表了约 70 篇小小说、散文、杂文、评论等文章。

1966—1976 年

"文革"中，因 1964 年曾发表过一篇关于京剧的文章，以"反江青"罪名被冲击。

1974 年后再试写作，曾写一关于"教育革命"的长篇小说，由出版社联系获准脱产修改，但终未达到当时出版要求。

1976 年

写出一个大院里孩子们同坏蛋斗争的中篇小说《睁大你的眼睛》并得以出版（北京人民出版社）。

又按照当时政治要求写出一些短篇小说、散文，有的到次年才收入多人合集中出版。

调到北京人民出版社（后恢复"文革"前社名：北京出版社）文艺编辑室当编辑。

1977 年

11 月，在《人民文学》杂志发表短篇小说《班主任》，产生重大影响——被认为是"伤痕文学"的开山作，也是"新时期文学"的发端；从此成名。

从《班主任》后，写作冲破懵懂，沿着认定的方向跋涉，穿越风云，锲而不舍。

1978 年

参加《十月》杂志（开始以丛书名义出版）创刊工作，在创刊号上发表短篇小说《爱情的位置》，经转载和广播，影响巨大。

在《中国青年》杂志上发表短篇小说《醒来吧，弟弟》，反应亦极强烈。

《班主任》《爱情的位置》《醒来吧，弟弟》均被改编为广播剧，由中央人民广播电台多次广播，《醒来吧，弟弟》被搬上话剧舞台；此年发表的短篇小说《穿米黄色大衣的青年》亦由电台播出。

1979 年

在首届全国优秀短篇小说评奖中《班主任》获第一名。颁奖会上，从茅盾先生手中接过奖状。

参加中国作家协会第三次全国代表大会，被选为中国作家协会理事。

成为中华全国青年联合会常务委员，至 1993 年卸任。

9 月，参加中国作家代表团访问罗马尼亚，此系"文革"后第一个作家出访团。

在《人民文学》杂志发表短篇小说《我爱每一片绿叶》，写作技巧有长足进步。

1980 年

调至北京市文联当专业作家。

《我爱每一片绿叶》获 1979 年全国优秀短篇小说奖。

《看不见的朋友》获 1954—1979 年第二届全国少年儿童文学创作奖。

在《十月》杂志发表中篇小说《如意》，其弘扬人道主义的追求引起争议。

出版《刘心武短篇小说选》(北京出版社)。

1981 年

在《十月》杂志发表中篇小说《立体交叉桥》，引出更大争议，一些评论家认为"调子低沉"是步入了写作上的歧途，另有评论家则认为此作标志着刘心武的小说创作在反映现实、探索人性及艺术工力上均达到了新的水平。

5 月，应日本文艺春秋社邀请访问日本。

1982 年

应导演黄健中之请，改编《如意》；北京电影制片厂拍成彩色艺术片《如意》。

1983 年

11 月，参加中国电影代表团赴法国，在南特"三大洲电影节"上，《如意》在开幕式上放映；获好评；后陆续在法国、西德电视台播出。

1984 年

冬，应邀访问西德，参加"中德大学生会见活动"，并在波恩大学、波鸿大学与威尔兹堡大学介绍中国当代文学。

年底，参加中国作家协会第四次全国代表大会，再次当选为理事。

在《当代》文学双月刊第5、6期连载长篇小说《钟鼓楼》。

1985 年

出版长篇小说《钟鼓楼》（人民文学出版社），并获第二届茅盾文学奖。

因《钟鼓楼》获北京市政府嘉奖。

7月，在《人民文学》杂志发纪实小说《5·19长镜头》，反响强烈。

11月，又在《人民文学》杂志发表纪实小说《公共汽车咏叹调》，引起轰动。

1986 年

年初，应当代文艺出版社邀请访问香港。

6月，调中国作家协会人民文学杂志社，任常务副主编。

在《收获》杂志设《私人照相簿》专栏，进行图文交融的文本尝试。

散文集《垂柳集》出版，冰心为之作序。

1987 年

1月，被任命为《人民文学》杂志主编。

2月，《人民文学》杂志1、2期合刊发表马建写的小说《亮出你的舌苔或空空荡荡》．违反民族政策，承担责任，停职检查。

9月，复职。

冬，应邀赴美国访问。参观美洲华侨日报；在哥伦比亚大学、三一学院、哈佛大学、麻省理工学院、康奈尔大学、芝加哥大学、旧金山大学、斯坦福大学、伯克利加州大学、洛杉矶加州大学、圣迭戈加州大学等处演讲，介绍中国当代文学，并参观耶鲁大学；参加爱荷华大学"作家写作中心"的纪念活动；游览华盛顿等地。

1988 年

3月，应香港《大公报》邀请，赴香港参加五十周年报庆活动；在《大公报》安排的大型报告会上作关于改革开放与文学创作的报告。

5月，应法国文化部邀请，参加中国作家代表团访问法国，除在巴黎活动外，还访问了西部港口城市圣·拉扎尔。

《私人照相簿》在香港出版（南粤出版社）。

《我可不怕十三岁》获 1980—1985 年全国优秀儿童文学奖。

以上数年中，若干小说、散文还分别获得过《当代》《十月》《小说月报》《小说选刊》《中篇小说选刊》《儿童文学》《北方文学》等杂志，《人民日报》《文汇报》等报纸副刊的奖；拍成电视剧播出的有《没工夫叹息》《熄灭》（电视剧名《火苗》）《今夏流行明黄色》《到远处去发信》《非重点》《公共汽车咏叹调》和八集连续剧《钟鼓楼》；若干作品被英国、美国、西德、苏联、日本、瑞士、瑞典、法国、意大利等国翻译为英、德、俄、日、法、意、瑞典等文字出版；自 1987 年起被世界上有威望的英国欧罗巴出版社《世界名人录》收入词条。

1989 年

春，应香港中文大学翻译中心邀请，与妻子吕晓歌赴香港访问。

1990 年

3月，以任届期满，免去《人民文学》杂志主编职务。

香港中文大学翻译中心编译的英文小说集《黑墙与其他故事》出版。

秋，以"鱼山"笔名在《钟山》杂志发表中篇小说《曹叔》。

1991 年

出版小说集《一窗灯火》。

除小说外，开始发表大量散文、随笔。

1992 年

长篇小说《风过耳》在内地（中国青年出版社）、香港（勤＋缘出版社）分别出版，反响颇为强烈。

长篇小说《四牌楼》完稿，交上海文艺出版社出版。

《献给命运的紫罗兰——刘心武谈生存智慧》由上海人民出版社出版，受到读者欢迎。

在《收获》杂志发表中篇小说《小墩子》，后由中国电视剧制作中心改编拍摄为电视连续剧。

至该年，在海内外出版的个人专著按不同版本计已达43种。

在《红楼梦学刊》1992年第二辑上发表论文《秦可卿出身未必寒微》，在"红学"界和读者中均引起注意；另有若干《红楼梦》人物论和《红楼边角》专栏文章发表。

冬，应瑞典学院邀请（斯堪的纳维亚航空公司赞助）赴北欧访问；在挪威奥斯陆大学、瑞典斯德哥尔摩大学和隆德大学、丹麦哥本哈根大学和奥胡斯大学的东亚系汉学专业以《九十年代初的中国小说》为题作学术报告；12月7日，参加诺贝尔文学奖有关活动，听1992年得主德里克·沃尔科特发表受奖演说。

1993 年

华艺出版社出版《刘心武文集》（1—8 卷）。

出版长篇小说《四牌楼》。

1994 年

1月，应台湾《中国时报》邀请赴台参加"两岸三地文学研讨会"。

《四牌楼》获上海优秀长篇小说大奖，到沪领奖。

1995 年

出版随笔集《人生非梦总难醒》（上海人民出版社）。

出版小说集《仙人承露盘》（华艺出版社）。

1996 年

出版长篇小说《栖凤楼》（人民文学出版社）。至此，由《钟鼓楼》《四牌楼》《栖凤楼》构成的"三楼"长篇小说系列竣工。

应《南洋商报》邀请赴马来西亚访问并顺访新加坡。

1997 年

应日本文化交流基金会邀请，与妻子吕晓歌访问日本。其长篇小说《钟鼓楼》、儿童文学作品《我是你的朋友》、短篇小说《王府井万花筒》等此前已相继译为日文在日本出版。

1998 年

建筑评论集《我眼中的建筑与环境》由中国建筑工业出版社出版，在建筑界产生影响。

应美国科罗拉多大学邀请，赴美参加金庸作品国际研讨会，在会上提交关于《鹿鼎记》的论文《失父：一种生存困境》。

1999 年

出版纪实性长篇小说《树与林同在》(山东画报出版社)。

出版《红楼三钗之谜》(华艺出版社)。

赴新加坡出席国际环境文学研讨会。

2000 年

应邀访问法国，并应英中协会和伦敦大学邀请，从巴黎赴伦敦讲《红楼梦》。

至此年底在海内外出版的个人专著(不含文集)按不同版本计达 101 种。

2001 年

出版包含建筑评论的随笔集《在忧郁中升华》(文汇出版社)。

在北京电视台录制播出《刘心武谈建筑》系列节目。

2002 年

出版小说集《京漂女》(中国文联出版社)，自绘插图。

应澳大利亚雪梨华文写作协会邀请赴澳大利亚访问。

2003 年

以马来西亚《星洲日报》世界华人文学"花踪奖"评委身份赴吉隆坡参加相关活动。

台湾联经出版社出版小说集《人面鱼》。此前台湾已出版过刘心武多种作品，如皇冠出版社出版了《钟鼓楼》，幼狮文化事业公司出版了《四牌楼》《为他人默默许愿》（散文集）。

2004 年

赴法参加巴黎书展活动。书展上展出了译为法文的著作有小说《树与林同在》《护城河边的灰姑娘》《尘与汗》《人面鱼》《如意》与歌剧剧本《老舍之死》。

建筑评论集《材质之美》由中国建材工业出版社出版。

小说集《站冰》出版（人民文学出版社），自绘封面插图。

2005 年

出版集历年研红成果的《红楼望月》（书海出版社）。

应 CCTV-10（中央电视台科学教育频道）《百家讲坛》邀请，录制播出《刘心武揭秘〈红楼梦〉》系列节目 23 集，反响强烈，引出争议。

《刘心武揭秘〈红楼梦〉》第一、二部相继出版（东方出版社），畅销。

2006 年

应美国华美协会邀请，赴纽约在哥伦比亚大学讲《红楼梦》。

应邀参加香港书展。

出版《刘心武揭秘古本〈红楼梦〉》（人民出版社）。

2007 年

继续应邀到 CCTV-10《百家讲坛》录制节目，并出版《刘心武揭秘〈红楼梦〉》第三部、第四部（东方出版社）。

访问俄罗斯。

2008 年

出版随笔集《健康携梦人》（中国海关出版社）。

自 1986 年出版《垂柳集》，至此所出版的散文随笔集已逾 30 种。

2009 年

在《上海文学》杂志开《十二幅画》专栏，每期发表一篇写人物命运的大散文，并配发自己的画作。

4 月，妻子吕晓歌病逝，著长文《那边多美呀！》悼念。

2010 年

再应 CCTV-10《百家讲坛》邀请，录制播出《〈红楼梦〉的真故事》系列节目。至此在《百家讲坛》录制播出关于《红楼梦》的个人系列讲座累计达 61 集。

出版《〈红楼梦〉的真故事》(凤凰联动·江苏人民出版社)，在争议声中畅销。

4 月，应台湾新地文学社邀请赴台参加"21 世纪世界华文文学高峰会议"。

出版《命中相遇——刘心武话里有画》(上海文艺出版社)。

加快《刘心武续〈红楼梦〉》的写作，次年完成推出。

至本年底，在海内外出版的个人专著，文集不算在内，重印亦不算，按不同版本计达 182 种 (按不同书名计则为 141 种)。

年底，筹备编辑《刘心武文存》。

附录二 刘心武著作书目

　　只包括在中国大陆、台湾、香港和海外出版的书(同一著作每种版本单列);不包括散发于报刊尚未出书的篇目,亦不包括多人合集中的篇目。第一个数字表示不同版本的排序;[ ]中的数字表示剔除同一书名的版本后的排序;注意:文集8卷不参加排序。

1976 年
1.[1]《睁大你的眼睛》[儿童文学·中篇小说]

北京人民出版社 1976 年 1 月第一版

1978 年
2.[2]《母校留念》[儿童文学·小说集]

中国少年儿童出版社 1978 年 7 月第一版

1979 年
3.[3]《小猴吃瓜果》[低幼读物·画册]

少年儿童出版社 1979 年 4 月第一版

1980 年 6 月第二次印刷

4.[4]《班主任》[短篇小说集]

中国青年出版社 1979 年 6 月第一版

1980 年
5.[5]《我是你的朋友》[儿童文学·中篇小说]

北京出版社 1980 年 7 月第一版

6.[6]《绿叶与黄金》[中短篇小说集]

广东人民出版社 1980 年 8 月第一版

7.[7]《刘心武短篇小说集》

北京出版社 1980 年 9 月第一版

1981 年

8.《这里有黄金》[中短篇小说集]

广东人民出版社 1981 年 4 月第二次印刷

有平装、软精装两种

9.[8]《大眼猫》[中短篇小说集]

浙江人民出版社 1981 年 8 月第一版

1982 年

10.[9]《如意》[中篇小说集]

北京出版社 1982 年 5 月第一版

1983 年

11.[10]《中国现代作家选（Ⅲ）刘心武〈我爱每一片绿叶〉〈深谷小溪默默流〉》

[日本] 东方书店 1983 年第一版

12.[11]《同文学青年对话》

文化艺术出版社 1983 年 10 月第一版

1984 年

13.[12]《到远处去发信》[中短篇小说集]

四川人民出版社 1984 年 4 月第一版

有平装、软精装两种

14.[13]《如意》[电影文学剧本]（与戴宗安联合署名）

中国电影出版社 1984 年 6 月第一版

1985 年

15.[14]《嘉陵江流进血管》[中篇小说集]

陕西人民出版社 1985 年 2 月第一版

16.[15]《日程紧迫》[中短篇小说集]

群众出版社 1985 年 5 月第一版

17.[16]《我可不怕十三岁》[儿童文学集]

新世纪出版社 1985 年 8 月第一版

18.[17]《钟鼓楼》[长篇小说]

人民文学出版社 1985 年 11 月第一版

有平装、软精装两种

1986 年 5 月第二次印刷

1986 年

19.[18]《公共汽车咏叹调》[纪实小说]

湖南文艺出版社 1986 年 1 月第一版

20.[19]《都会咏叹调》[小说集]

作家出版社 1986 年 3 月第一版

21.[20]《垂柳集》[散文集]

陕西人民出版社 1986 年 4 月第一版

22.[21]《立体交叉桥》[中短篇小说集]

人民文学出版社 1986 年 6 月第一版

有平装、软精装两种

23.[22]《巴黎郁金香》[访法散文集]

群众出版社 1986 年 11 月第一版

24.[23]《木变石戒指》[中短篇小说集]

青海人民出版社 1986 年 12 月第一版

1987 年

25. *Little Monkey Triesto Eat Fruit* [科学童话·英文]

海豚出版社 1987 年第一版

有平装、精装两种

26.[24]《斜坡文谈》[文学理论]

上海文艺出版社 1987 年 4 月第一版

27.[25]《王府井万花筒》[中篇小说集]

湖南文艺出版社 1987 年 9 月第一版

有平装、精装两种

28.[26]《5·19 长镜头》[小说自选集]

四川文艺出版社 1987 年 11 月第一版

29. げくけきの友たちだ [《我是你的朋友》日译本]

[日本] 福武书店 1987 年 12 月第一版

1989 年 3 月第二版

1991 年 2 月第三版

1988 年

30.[27]《她有一头披肩发》[中短篇小说集]

台湾林白出版社 1988 年 4 月第一版

31.《钟鼓楼》[长篇小说]

香港天地图书有限公司 1988 年第一版

1993 年第二版

32.[28]《私人照相簿》[纪实文学]

香港南粤出版社 1988 年 11 月第一版

33.[29]《刘心武代表作》

黄河文艺出版社 1988 年 12 月第一版

1989 年

34.《小猴吃瓜果》[科学童话]

开明出版社、海豚出版社 1989 年 3 月第一版

35.《钟鼓楼》[长篇小说]

台湾皇冠出版社 1989 年 4 月第一版

36.[30]《一片绿叶对你说》[文艺随笔集]

河北教育出版社 1989 年 12 月第一版

1990 年

37.[31]*BLACK WALLS AND OTHER STORIES*[小说集·英译本]

香港中文大学翻译中心出版社 1990 年第一版

38.[32]《王府井万花镜》[小说集·日译本]

[日本]德间书店 1990 年 9 月第一版

1991 年

39.《母校留念》[小说]

[日本]骏河台出版社 1991 年 4 月第一版

40.[33]《一窗灯火》[中短篇小说集]

华艺出版社 1991 年 10 月第一版

1993 年第二次印刷

1992 年

41.[34]《列奥纳多·达·芬奇》[传记]

江苏教育出版社 1992 年 5 月第一版

42.[35]《有家可归》[散文随笔集]

广东旅游出版社 1992 年 5 月第一版

43.[36]《风过耳》[长篇小说]

中国青年出版社 1992 年 6 月第一版

1992 年 12 月第二次印刷

1993 年 3 月第三次印刷

1995 年 8 月第五次印刷

1996 年 3 月第六次印刷

44.《风过耳》[长篇小说]

香港勤＋缘出版社 1992 年 6 月第一版

45.[37]《献给命运的紫罗兰——刘心武谈生存智慧》

上海人民出版社 1992 年 6 月第一版

1992 年 11 月第二次印刷

1995 年第三次印刷

1996 年 12 月第五次印刷

46.《刘心武代表作》

河南人民出版社 1992 年 6 月第二次印刷·精装本

47.[38]《蓝夜叉》[中篇小说集]

香港勤＋缘出版社 1992 年 9 月第一版

1993 年

48.《北京下町物语》[长篇小说·《钟鼓楼》日译本]

[日本] 东京恒文社 1993 年 2 月第一版

1994 年第二版

49.[39]《为你自己高兴》[随笔集]

内蒙古人民出版社 1993 年 3 月第一版

50.[40]《杀星》[小说集]

香港勤＋缘出版社 1993 年 6 月第一版

51.《我是你的朋友》[儿童文学·中篇小说·增订本]

希望出版社 1993 年 6 月第一版

52.[41]《四牌楼》[长篇小说]

上海文艺出版社 1993 年 6 月第一版

1994 年 4 月第二次印刷

1996 年 11 月第三次印刷

53.[42]《我是怎样的一个瓶子》[随笔集]

成都出版社 1993 年 9 月第一版

54.[43]《沉默交流》[随笔集]

中国华侨出版社 1993 年 11 月第一版

55.[44]《富心有术》[随笔集]

群众出版社 1993 年 12 月第一版

1995 年第二次印刷

56.[45]《中国当代名人随笔·刘心武卷》

陕西人民出版社 1993 年 12 月第一版

☆《刘心武文集》[1—8 卷]

华艺出版社 1993 年 12 月第一版

☆《刘心武文集·〈钟鼓楼〉〈风过耳〉》(简装本)

☆《刘心武文集·〈四牌楼〉〈无尽的长廊〉》(简装本)

华艺出版社 1997 年 5 月第一版

1994 年

57.[46]《仰望苍天》[随笔集]

知识出版社 1994 年 1 月第一版

1995 年第二次印刷

东方出版中心 1996 年 7 月第三次印刷

58.[47]《男扮女妆与女扮男妆》[随笔集]

中原农民出版社 1994 年 2 月第一版

59.[48]《相对一笑》[小小说集]

中共中央党校出版社 1994 年 2 月第一版

60.[49]《秦可卿之死》[专著]

华艺出版社 1994 年 5 月第一版

61.《四牌楼》[长篇小说]

台湾幼狮文化事业公司 1994 年 8 月第一版

62.[50]《为他人默默许愿》[散文集]

台湾幼狮文化事业公司 1994 年 10 月第一版

63.[51]《中国小说名家新作丛书·刘心武卷》

海峡文艺出版社 1994 年 11 月第一版

64.[52]《红楼梦（缩写本）》

接力出版社 1994 年 12 月第一版

1995 年第二次印刷

1997 年 9 月第三次印刷

1995 年

65.[53]《人生非梦总难醒》[名人日记·随笔集]

上海人民出版社 1995 年 1 月第一版

1995 年 3 月第二次印刷

66.[54]《仙人承露盘》[中短篇小说集]

华艺出版社 1995 年 3 月第一版

67.[55]《女性与城市》[杂文集]

中国城市出版社 1995 年 6 月第一版

68.《我是你的朋友》[增订版·"小学生成才书架"系列之一]

希望出版社 1995 年 10 月第一版

69.《在胡同里转悠》[随笔集]

陕西人民出版社 1995 年 11 月第二次印刷

70.[56]《刘心武海外游记》

华文出版社 1995 年 12 月第一版

1996 年

71.[57]《刘心武小说精选》

太白文艺出版社 1996 年 2 月第一版

72.[58]《开发心大陆》[随笔集]

吉林人民出版社 1996 年 3 月第一版

1997 年 3 月第二次印刷

73.[59]《你哼的什么歌》[散文集]

湖南文艺出版社 1996 年 6 月第一版

74.[60]《刘心武张颐武对话录——"后世纪"的文化了望》

漓江出版社 1996 年 7 月第一版

75.[61]《边缘有光》[随笔集]

汉语大辞典出版社 1996 年 8 月第一版

76.[62]《刘心武怪诞小说自选集》

漓江出版社 1996 年 8 月第一版

有平装、精装两种

77.[63]《我是刘心武》

团结出版社 1996 年 9 月第一版

78.[64]《刘心武》[中国当代作家选集丛书]

人民文学出版社 1996 年 10 月第一版

79.[65]《刘心武杂文自选集》

百花文艺出版社 1996 年 11 月第一版

80.《秦可卿之死》[修订本]

华艺出版社 1996 年 11 月第二版

81.[66]《栖凤楼》[长篇小说]

人民文学出版社 1996 年 12 月第一版

1998 年 3 月第二次印刷

1997 年

82.[67]《封神演义（缩写本）》

接力出版社 1997 年 1 月第一版

1997 年 9 月第二次印刷

83.[68]《胡同串子》[中短篇小说集]

北京燕山出版社 1997 年 8 月第一版

84.《私人照相簿》

上海远东出版社 1997 年 9 月第一版

1998 年 2 月第二次印刷

2000 年换封面版权页称 2000 年 6 月第二次印刷

85.[69]《中国儿童文学名家作品精选丛书·刘心武作品精选》

河北少年儿童出版社 1997 年 8 月第一版

86.[70]《把嘴张圆》[随笔集]

上海远东出版社 1997 年 12 月第一版

1998 年

87.[71]《我眼中的建筑与环境》[建筑评论随笔集]

中国建筑工业出版 1998 年 5 月第一版

1999 年 5 月第二次印刷

2000 年 6 月第三次印刷

2001 年 6 月第四次印刷

88.《钟鼓楼》[茅盾文学奖获奖书系]

人民文学出版社 1998 年 3 月第一次印刷

1998 年 7 月第二次印刷

1998 年 8 月第三次印刷

1999 年 3 月第四次印刷

2000 年 1 月第五次印刷

2001 年 1 月第六次印刷

2001 年 8 月第七次印刷

2002 年 8 月第八次印刷

2003 年 1 月第九次印刷

1999 年

89.[72]《树与林同在》[非虚构长篇小说]

山东画报出版社 1999 年 3 月第一版

2006 年 7 月第二次印刷

90.[73]《八十六颗星星》(*The Eighty-Six Stars*)[儿童文学小说·汉英对照]

希望出版社 1999 年 6 月第一版

91.[74]《红楼三钗之谜》[刘心武红学探佚精品]

华艺出版社 1999 年 9 月第一版

92.[75]《蓝玫瑰》[中短篇小说集]

中国华侨出版社 1999 年 10 月第一版

93.[76]《过隧道的心情》[随笔集]

华东师范大学出版社 1999 年 12 月第一版

2000 年

94.[77]《一切都还来得及》[随笔集]

中国青年出版社 2000 年 1 月第一版

95.[78]《善的教育》[儿童文学]

辽宁少年儿童出版社 2000 年 2 月第一版

96.[79] Le Talisman (version bilingue)[《如意》中、法文对照版]

Librarie You Feng 2000 年 4 月第一版

97.[80]《作家刘心武〈班主任〉手迹》

线装书局 2000 年 5 月第一版

98.[81]《楼前白玉兰》[小小说集]

中国广播电视出版社 2000 年 7 月第一版

99.[82]《刘心武侃北京》

上海文艺出版社 2000 年 10 月第一版

100.[83]《我爱吃苦瓜》[茅盾文学奖获奖作家散文精品]

广州出版社 2000 年 10 月第一版

2002 年 10 月第二次印刷

101.[84]《了解高行健》

香港开益出版社 2000 年 12 月第一版

2001 年

102.[85]《亲近苍莽》

中国旅游出版社 2001 年 1 月第一版

103.[86]《在忧郁中升华》

文汇出版社 2001 年 2 月第一版

《刘心武谈建筑——在忧郁中升华》2007 年 8 月第二次印刷

104.[87]《人在风中》

作家出版社 2001 年 8 月第一版

105.《风过耳》

时代文艺出版社 2001 年 10 月第一版

有平装、精装两种

2002 年

106.[88]《京漂女》(自绘插图)

中国文联出版社 2002 年 1 月第一版

107.[89]《深夜月当花》

中国工人出版社 2002 年 1 月第一版

108.[90]《春梦随云散》

人民文学出版社 2002 年 4 月第一版

109.[91]《藤萝花饼》

台湾二鱼文化事业有限公司 2002 年 4 月第一版

110.[92]《刘心武自述》

大象出版社 2002 年 10 月第一版

2003 年

111.[93] L'arbre et la forêt [《树与林同在》法译本]

Bleu de Chine 2003 年 1 月第一版

112.[94]《人面鱼》

台湾联经出版事业股份有限公司 2003 年 2 月初版

113.[94] La Cendrillon Du Canal [《护城河边的灰姑娘》法译本]

Bleu de Chine 2003 年 4 月第一版

114.[95]《画梁春尽落香尘》["红学"专著]

中国广播电视出版社 2003 年 6 月第一版

2003 年 9 月第二次印刷

2004 年 1 月第三次印刷

2005 年 6 月第四次印刷

115.[96]《眼角眉梢》

新华出版社 2003 年 8 月第一版

116.[97]《钟鼓楼》[初中生语文新课标必读]

人民日报出版社 2003 年 9 月第一版

117.[98]《天梯之声》

中国青年出版社 2003 年 10 月第一版

2004 年

118.[99] Poussiêre et sueur [《尘与汗》法译本]

Bleu de Chine 2004 年 1 月第一版

119.[100] La mort de Lao SHe [《老舍之死》歌剧剧本法译本]

Bleu de Chine 2004 年 3 月第一版

120.[101] Poisson à face humaine [《人面鱼》法译本]

Bleu de Chine 2004 年 3 月第一版

121.《如意》[电影伴读中国文学文库·附电影光盘]

中国青年出版社 2004 年 1 月第一版

122.[102]《泼妇鸡丁》

台湾二鱼文化事业有限公司 2004 年 4 月第一版

123.[103]《在柳树臂弯里——刘心武随笔》

光明日报出版社 2004 年 5 月第一版

124.[104]《材质之美——刘心武城市文化酷评》

中国建材工业出版社 2004 年 5 月第一版

125.[105]《站冰——刘心武小说新作集》（自绘插图）

人民文学出版社 2004 年 6 月第一版

126.《四牌楼》

上海文艺出版社 2004 年 8 月第二版

127.[106]《大家文丛：刘心武》

古吴轩出版社 2004 年 8 月第一版

2005 年

128.《钟鼓楼》（中国文库·文学类）

人民文学出版社 2005 年 1 月第一版第一次印刷（平装）

2005 年 1 月第一版第一次印刷（精装）

129.《钟鼓楼》（茅盾文学奖获奖作品全集之一）

人民文学出版社 1985 年 11 月第一版、2005 年 1 月第一次印刷

2005 年 5 月第二次印刷

2005 年 7 月第三次印刷

2006 年 3 月第四次印刷

2008 年 4 月第七次印刷

2009 年 8 月第八次印刷

2010 年 1 月第九次印刷

2011 年 7 月第 15 次印刷

2011 年 9 月第 16 次印刷

2011 年 11 月第 17 次印刷

130.[107]《心灵体操》

时代文艺出版社 2005 年 1 月第一版

131.[108]《刘心武作文示范》

少年儿童出版社 2005 年 1 月第一版

132.[109] La Démone bleue（《蓝夜叉》法译本）

Bleu de Chine 2005 年第一版

133.[110]《红楼望月》

书海出版社 2005 年 4 月第一版

2005 年 6 月第二次印刷

2005 年 7 月第三次印刷

2005 年 8 月第四次印刷

2005 年 9 月第五次印刷

2005 年 9 月第六次印刷

134.[111]《刘心武揭秘〈红楼梦〉》

东方出版社 2005 年 8 月第一版

至 2005 年 19 月共十三次印刷

2005 年 11 月第二版

至 2005 年 12 月已第十八次印刷

至 2007 年 7 月已第二十八次印刷

2007 年 12 月第三十次印刷

2008 年 4 月第三十二次印刷

135.《红楼解梦——画梁春尽落香尘》

中国广播电视出版社 2005 年 9 月第二版第五次印刷

136.《楼前白玉兰——刘心武最新小小说集》

中国广播电视出版社 2005 年 9 月第二版第二次印刷

137.[112]《刘心武揭秘〈红楼梦〉》[第二部]

东方出版社 2005 年 12 月第一版

至 2007 年 7 月已第十五次印刷

2007 年 12 月第十七次印刷

2008 年 4 月第十九次印刷

138.[113]《刘心武解读人世情》

时代文艺出版社 2005 年 12 月第一版

139.[114]《刘心武感悟平常心》

时代文艺出版社 2005 年 12 月第一版

2006 年

140.[115]《刘心武自选集》

云南人民出版社 2006 年 1 月第一版

141.[116]《刘心武点评〈红楼梦〉》

团结出版社 2006 年 1 月第一版

142,《刘心武精品集·第一卷·钟鼓楼》

东方出版社 2006 年 1 月第一版

143.《刘心武精品集·第二卷·四牌楼》

东方出版社 2006 年 1 月第一版

144.《刘心武精品集·第三卷·栖凤楼》

东方出版社 2006 年 1 月第一版

145.《刘心武精品集·第四卷·献给命运的紫罗兰》

东方出版社 2006 年 1 月第一版

146.[117]《戴敦邦绘刘心武评〈金瓶梅〉人物谱》

作家出版社 2006 年 4 月第一版

147.[118]《红楼拾珠》

云南人民出版社 2006 年 5 月第一版

148.[119]《藤萝花饼》

云南人民出版社 2006 年 5 月第一版

149.《刘心武揭秘〈红楼梦〉》[第一部]

台湾好读出版有限公司 2006 年 6 月初版

150.《刘心武揭秘〈红楼梦〉》[第二部]

台湾好读出版有限公司 2006 年 6 月初版

151.《我是刘心武》

天津人民出版社 2006 年 8 月第一版

152.[120]·《刘心武揭秘古本〈红楼梦〉》

人民出版社 2006 年 12 月第一版

同月第二次印刷

2007 年

153.[121]《四棵树》

二十一世纪出版社 2007 年第一版

154.[122]《用心去游》

上海三联书店 2006 年 12 月第一版
2007 年 1 月第一次印刷

155.[123] Dés de poulet façon mégère [《泼妇鸡丁》法译本]

Bleu de Chine 2007 年 4 月第一版

156.《一切都还来得及》

中国青年出版社 2005 年 5 月第一版

157.[124]《刘心武揭秘〈红楼梦〉》[第三部·黛玉之谜及古本之秘]

东方出版社 2007 年 7 月第一版
至 2007 年 8 月已第四次印刷
2007 年 12 月第六次印刷
2008 年 3 月第七次印刷

158.[125]《刘心武说世道人心》

中国青年出版社 2007 年 7 月第一版

159.[126]《刘心武说寻美感悟》

中国青年出版社 2007 年 7 月第一版

160.[127]《刘心武说草根情怀》

中国青年出版社 2007 年 7 月第一版

161.[128]《长吻蜂》

上海人民出版社 2007 年 8 月第一版

162.《私人照相簿》

华龄出版社 2007 年 10 月第一版

163.《善的教育》

华龄出版社 2007 年 10 月第一版

164.[129]《刘心武揭秘〈红楼梦〉》[第四部·宝钗湘云之谜暨红楼心语]

> 东方出版社 2007 年 11 月第一版
>
> 2008 年 3 月第三次印刷

2008 年

165.[130]《健康携梦人》

> 中国海关出版社 2008 年 4 月第一版

166.[131]《刘心武小说》

> 吉林文史出版社 2008 年 5 月第一版

167.[132]《刘心武散文》

> 吉林文史出版社 2008 年 5 月第一版

2009 年

168.《钟鼓楼》(共和国作家文库)

> 作家出版社 2009 年 4 月第一版

169.《四牌楼》(共和国作家文库)

> 作家出版社 2009 年 4 月第一版

170.[133]《人在胡同第几槐》

> 中国文联出版社 2009 年 6 月第一版

171.《钟鼓楼》(新中国 60 年长篇小说典藏)

> 人民文学出版社 2009 年 7 月第一版

172.[134]《刘心武短篇小说》

> 现代教育出版社 2009 年 8 月第一版

173.[135]《刘心武中篇小说》

> 现代教育出版社 2009 年 8 月第一版

174.[136]《刘心武散文随笔》

> 现代教育出版社 2009 年 8 月第一版

175.《刘心武揭秘〈红楼梦〉》上卷 (共和国作家文库)

> 作家出版社 2009 年 8 月第一版

176.《刘心武揭秘〈红楼梦〉》下卷（共和国作家文库）

作家出版社 2009 年 8 月第一版

2010 年

177.[137]《人情似纸》

江苏文艺出版社 2010 年 1 月第一版

178.[138]《红楼梦八十回后真故事》

江苏人民出版社 2010 年 3 月第一版

179.[139]《刘心武小说精选集》

[台湾] 新地文化艺术有限公司 2010 年 4 月第一版

180.《红楼望月》

江苏人民出版社 2010 年 6 月第一版

2010 年 9 月第二次印刷

181.[140]《命中相遇——刘心武话里有画》

上海文艺出版社 2010 年 7 月第一版

182.[141]《红楼眼神》

重庆出版社 2010 年 9 月第一版

2011 年

183.[142]《刘心武续红楼梦》

江苏人民出版社 2011 年 3 月第一版

江苏人民出版社 2011 年 4 月第 4 次印刷

184.[143]《红楼梦》（曹雪芹著刘心武续）

江苏人民出版社 2011 年 3 月第一版

185.《刘心武续红楼梦》[繁体字竖排本]

香港明报出版社有限公司 2011 年 3 月初版

186.《刘心武揭秘〈红楼梦〉》精华本（一）

江苏人民出版社 2011 年 4 月第一版

187.《刘心武揭秘〈红楼梦〉》精华本（二）

江苏人民出版社 2011 年 4 月第一版

188.《刘心武揭秘〈红楼梦〉》精华本（三）

江苏人民出版社 2011 年 4 月第一版

189.《刘心武揭秘〈红楼梦〉》精华本（四）

江苏人民出版社 2011 年 4 月第一版

190.《刘心武续红楼梦》[繁体字竖排本]

台湾城邦文化事业股份有限公司商周出版 2011 年 4 月第一版

191.《〈红楼梦〉的真故事》

台湾人类智库数位科技股份有限公司 2011 年 6 月第一版

192.[144]《听刘心武说房子的事儿》

中国商业出版社 2011 年 8 月第一版

193.[145]《刘心武心灵随感》

时代文艺出版社 2011 年 11 月第一版

2012 年

194.[146]《刘心武种四棵树》

漓江出版社 2012 年 1 月第一版

195.[147]《风雪夜归正逢时——我是刘心武》

漓江出版社 2012 年 1 月第一版

196.《献给命运的紫罗兰》

漓江出版社 2012 年 1 月第一版

197.[148]《人生有信》

江苏人民出版社 2012 年 3 月第一版

198.Poussière et sueur [《尘与汗》法译本 folio 袖珍版]

Gallimard 2012 年 8 月出版

199.La Cendrillon du canal [《护城河边的灰姑娘》法译本 folio 袖珍版]

Gallimard 2012 年 8 月出版